JUSTE
VENGEANCE

P. J. Tracy

JUSTE VENGEANCE

Traduit de l'anglais (Etats-Unis)
par Dominique Wattwiller

ÉDITIONS FRANCE LOISIRS

Titre original : *Live Bait*

Édition du Club France Loisirs,
avec l'autorisation des Éditions Presses de la Cité

Éditions France Loisirs,
123, boulevard de Grenelle, Paris.
www.franceloisirs.com

© P. J. Tracy, 2004
© Presses de la Cité, un département de Place des éditeurs, 2006,
pour la traduction française
ISBN 978-2-7441-9930-1

1

Le soleil venait de se lever et il pleuvait toujours lorsque Lily découvrit le corps de son mari. Il était allongé sur le dos sur l'aire de stationnement asphaltée devant la serre, les yeux et la bouche ouverts, recueillant l'eau de pluie.

Même mort, il avait l'air rudement beau dans cette position, la gravité tirant la peau ridée de son visage, effaçant quatre-vingt-quatre ans de souffrances, de sourires et d'inquiétude.

Lily resta un moment campée au-dessus de lui, se crispant lorsque les gouttes de pluie lui tombaient avec bruit dans les yeux.

« J'ai horreur des gouttes !

— Morey, reste donc tranquille. Arrête de cligner des paupières.

— "Arrête de ciller", me dit-elle, alors qu'elle me met des produits chimiques dans les yeux !

— Chut. Ça n'a rien de chimique. Ce sont des larmes naturelles. C'est écrit sur le flacon.

— Tu te figures qu'un aveugle peut lire ?

— Un malheureux grain de sable dans l'œil et te voilà aveugle. Un grand gaillard comme toi...

— Et ce sont tout sauf des larmes naturelles, je te signale. Qu'est-ce que tu crois qu'ils font ? Qu'ils vont aux enterrements recueillir dans des flacons les larmes des gens qui pleurent ? Non, ils mélangent des produits chimiques et ils appellent ça des larmes naturelles. De la publicité mensongère, voilà ce que c'est. Ces larmes sont tout sauf naturelles. Ton flacon, ce qu'il contient, ce sont des mensonges.

— Tais-toi, Morey, tu n'es qu'un vieil homme.

— C'est ça, le truc, Lily. Il ne faut pas mentir. Tout devrait être correctement étiqueté de façon qu'il n'y ait pas de confusion. Comme l'engrais que nous avons utilisé cette année sur les plantes à repiquer et qui a tué toutes nos coccinelles. Comment s'appelait-il déjà ?

— Plante Parfaitement Verte.

— C'est ça. Il aurait dû s'appeler Plante Parfaitement Verte Et Coccinelle Définitivement Morte. Oublie les petits caractères au dos qu'on ne peut pas lire. La vérité dans l'étiquetage, voilà ce qu'il nous faut. C'est une règle saine. Une règle que Dieu devrait suivre.

— Morey !

— Que veux-tu que je te dise ? Il a fait une grossière erreur. Est-ce que ça aurait été si difficile pour Lui de faire en sorte que les choses ressemblent à ce qu'elles sont ? Je veux dire, Il est Dieu, non ? C'est quelque chose qu'Il pourrait faire. Réfléchis. Tu as un mec qui frappe à ta porte avec un grand sourire et une gueule sympa, tu le laisses entrer et il tue toute ta famille. C'est l'erreur de Dieu. Le mal doit avoir l'air de ce qu'il est. Comme ça, tu ne le laisses pas entrer.

— Tu es bien placé pour savoir que ce n'est pas si simple.

— C'est aussi simple que ça, si. »

Lily inspira à fond, s'assit sur ses talons – une posture de jeune pour une femme de son âge, mais ses genoux étaient encore vigoureux et souples. Impossible de fermer complètement les yeux de Morey, et avec les yeux entrouverts il avait un air inquiétant. Il y avait longtemps que Lily n'avait vu quelque chose d'aussi effrayant. S'efforçant de ne plus les regarder, elle repoussa les cheveux argentés que la pluie avait collés sur son crâne.

Un de ses doigts rencontra alors le trou qu'il avait à la tempe et elle se figea.

— Oh, non, chuchota-t-elle avant de se relever pour s'essuyer les doigts sur sa salopette. Je te l'avais dit, Morey, grimaça-t-elle, réprimandant son mari pour la dernière fois. Je te l'avais dit.

2

Avril était toujours un mois imprévisible dans le Minnesota ; mais une fois par décennie il faisait carrément preuve de sadisme, oscillant follement entre les promesses alléchantes du printemps et les derniers soubresauts d'un hiver têtu qui n'avait nullement l'intention de finir en douceur.

Ç'avait été le cas, cette année. La semaine précédente, une tempête de neige monstre s'était abattue sur ce qui avait été l'un des avrils les plus chauds jamais connus dans l'Etat, tétanisant les bourgeons sur les arbres et suscitant des discussions fiévreuses sur l'opportunité d'une migration massive en Floride.

Mais le printemps avait fini par avoir gain de cause et, pour l'heure, il s'employait à faire la paix, y réussissant fort bien. Le mercure flirtait avec les vingt-six degrés et la flore tapie sous la neige s'était réveillée dans une explosion frénétique de vert claquant. Eperdus, privés de soleil, les habitants du Minnesota sortaient en force, nourrissant un temps l'illusion que l'Etat était réellement habitable.

L'inspecteur Leo Magozzi était allongé sur une chaise longue esquintée sous son porche de devant, le journal du dimanche dans une main, un mug de café dans l'autre. Il n'avait pas oublié la tempête de neige de la semaine précédente, et il était suffisamment pragmatique pour savoir qu'il risquait fort d'y en avoir une autre, mais il n'était pas question de laisser la moindre touche de cynisme gâcher une si belle journée. En outre, ce n'était pas si souvent qu'il avait l'occasion de s'abandonner au farniente – les vacances des inspecteurs de la Criminelle dépendaient toujours de celles des meurtriers, et les meurtriers semblaient être les citoyens de ce pays qui travaillaient le plus dur. Toutefois, pour une raison inexplicable, Minneapolis jouissait d'une période de calme rare en matière de meurtres. Comme son coéquipier,

Gino Rolseth, l'avait formulé en termes éloquents : « La criminelle a fait long feu. » Ces derniers mois, ils n'avaient rien eu à faire si ce n'est s'occuper de vieilles affaires restées en suspens, et s'ils réussissaient à les élucider, ils en seraient réduits à patrouiller, palper les travelos et regretter de ne pas être devenus dentistes plutôt que flics.

Magozzi but une gorgée de café et observa les masochistes du quartier affairés à s'infliger toutes sortes de tortures, suant, soufflant et transpirant tandis qu'ils cavalaient comme des malades en luttant contre une horloge climatique qui les obligerait dans quelques mois à se terrer de nouveau chez eux. Ils faisaient du jogging, du roller, couraient avec leur chien, tout heureux de pouvoir, chaque fois que le thermomètre montait d'un ou deux degrés, ôter une pièce de vêtement.

C'était l'un des aspects que Magozzi appréciait le plus chez les gens du Minnesota. Gros, minces, musclés ou flasques, ils n'avaient pas de complexes quand il se mettait à faire chaud, et par une belle journée comme celle-ci, la plupart des gens étaient à moitié nus. Bien sûr, ce n'était pas toujours une bonne chose, certainement pas dans le cas de Jim, son voisin atteint d'hirsutisme. On ne savait jamais vraiment si Jim portait une chemise ou non. Il était dehors pour l'instant, avec ou sans chemise, occupé à préparer les massifs qui lui permettraient de lutter pour la pole position au concours du plus beau jardin des Twin Cities[1]. Si

---

1. Surnom qui désigne les villes de Saint Paul et Minneapolis. *(N.d.T.)*

Jim essayait de faire honte à Magozzi pour l'inciter à mieux s'occuper de sa propriété, il perdait son temps : cela ne marcherait pas.

Il jeta un coup d'œil à ce qui lui tenait lieu de cour – deux flaques de boue, vestiges de la pluie de la veille, quelques fiers pissenlits, deux ou trois épicéas plus ou moins moribonds. De temps en temps, fugacement, il se souvenait de l'allure qu'avait le jardin avant son divorce. Des fleurs partout, du pâturin du Kentucky au garde-à-vous, et Heather dehors, jour après jour, avec ses outils de jardinage et cet air sévère qui obligeait les plantes à pousser dru et à faire ses quatre volontés. Elle s'y entendait à plier choses et gens à ses volontés – lui, en tout cas, il avait marché, et pourtant il était armé.

Il entamait sa seconde tasse de café et les pages sportives lorsqu'un break Volvo s'engagea dans l'allée. Gino Rolseth en émergea, transbahutant une énorme glacière et un sac de Kingsford. Son ventre avait du mal à tenir dans sa vaste chemise Tommy Bahama, ses jambes massives émergeaient d'un atroce bermuda écossais.

— Hé, Leo !

Il grimpa les marches du porche et posa la glacière par terre.

— Je suis chargé de présents. Viande et bière.

Magozzi haussa un sourcil brun.

— A huit heures du matin ? Ça veut dire qu'Angela t'a enfin fichu à la porte et que je vais pouvoir l'appeler pour lui demander sa main ?

— Détrompe-toi. Si je suis là, c'est par pure charité. Les parents d'Angela les ont emmenés, elle et les gosses, à une foire au centre commercial de Maplewood. J'ai donc mon dimanche de libre. Je me suis dit que c'était le moment de mettre un peu d'animation dans ton existence.

Magozzi se leva et jeta un coup d'œil dans la glacière.

— Quel genre de foire ?

— Un truc avec des stands où les gens tricotent des objets, ce genre de choses.

Magozzi fouilla dans la glacière et en extirpa un paquet de grosses saucisses d'un blanc grisâtre à l'aspect peu engageant.

— C'est quoi, ces trucs qui ressemblent à tes jambes ?

— Des brats[1], importées de Milwaukee, espèce d'ignare. Où est ton gril ?

Magozzi fit un geste en direction d'un vieux Weber rouillé dans un coin du porche.

Gino l'effleura du bout du pied. L'appareil s'écroula.

— On va avoir besoin de ruban adhésif…

Magozzi brandit un gros morceau de fromage orange foncé à l'air bizarre.

— Du cheddar vieux de douze ans ? C'est légal ?

Gino eut un sourire.

— Ce truc-là va te faire pleurer de bonheur, je te le garantis. Je l'ai déniché chez un petit fromager de Door County. Quelqu'un en avait oublié une roue dans la cave, et elle a été retrouvée, douze ans plus tard, couverte de moisissure. Le nirvana, mon vieux. Le bonheur absolu. C'est

_____
1. Variété de saucisses. *(N.d.T.)*

13

incroyable ce qu'on arrive à faire avec une vache et des bactéries...

Magozzi le renifla et eut un mouvement de recul.

— Oh ouais. Chaque fois que je vois une vache, je me dis : « N'est-ce pas que ce serait génial de piéger quelques bactéries et de faire vraiment quelque chose avec ? » Et on peut savoir pourquoi tu as mis un dossier au frais ?

— Parce qu'il s'agit d'une affaire qui sent le refroidi.

— Très drôle.

Gino souleva le gril et un autre pied se détacha, dans une pluie de rouille.

— Celle-ci date de 1994. Je me suis dit qu'on pourrait y jeter un coup d'œil un peu plus tard. Histoire de ne pas perdre la main, au cas où un meurtre se produirait de nouveau en ville. Tu te souviens de l'affaire Valensky ?

Magozzi s'assit dans la chaise longue et ouvrit le dossier.

— Vaguement. Le plombier ?

— Exact. Tué par balles, dont trois l'ont touché en des endroits que je ne veux même pas nommer.

— Les plombiers ont souvent la main trop lourde, pour ce qui est des additions.

— M'en parle pas. En dehors de ça, ce type était quasi un saint. Un Polonais qui avait réussi à sortir vivant de la guerre. Il avait émigré dans ces bons vieux Etats-Unis et y avait monté une entreprise ; il s'était marié, avait eu trois gosses, était diacre de son église, chef scout, le rêve américain, quoi. Et il a fini sur le carrelage de sa salle de bains, où il s'est vidé de son sang après que quelqu'un se fut servi de lui comme cible.

— Des suspects ?

— Merde, non. A en croire tous les comptes rendus, tout le monde l'aimait. L'affaire a vite tourné court.

Magozzi poussa un grognement et jeta le dossier par terre.

— La plupart des mecs qui disposent d'un dimanche de libre se trouveraient sûrement autre chose à faire. S'asseoir sur un banc près du lac Calhoun et mater les filles en bikini, par exemple.

— Ouais, eh bien moi, je fais la chasse aux malfaisants, j'ai de plus hautes aspirations.

Gino passa une main dans ses cheveux blonds coupés ras tout en réfléchissant :

— En outre, il est probablement trop tôt pour les bikinis.

Ils reçurent l'appel avant que Magozzi ait fini de rafistoler son gril. Gino était allé à l'intérieur pour vider la glacière et quand il reparut sous le porche il arborait un sourire rayonnant.

— Hé, ça te dirait de voir un corps ?

Magozzi s'assit sur ses talons, fronçant les sourcils.

— Tu as trouvé un corps dans ma cuisine ?

— Nooon. Le téléphone a sonné pendant que j'étais à l'intérieur, j'ai décroché. Le dispatcher a reçu un appel signalant un meurtre. Chez un pépiniériste d'Uptown. La femme du proprio l'a trouvé ce matin près d'une des serres, elle a cru que c'était une crise cardiaque. Le type allait sur ses quatre-vingt-cinq ans, qu'est-ce que ça pouvait

15

être d'autre ? Alors elle a appelé le directeur des pompes funèbres. Ce dernier découvre un trou causé par une balle dans la tête du mec, et il compose le 911.

Magozzi lança un coup d'œil nostalgique au gril et poussa un soupir.

— Et où sont passés les collègues qui étaient de garde et qui sont censés s'occuper de ça ?

— Tinker et Peterson. Ils ont été appelés sur la voie ferrée, à Northeast. Un pauvre type ligoté aux rails.

Magozzi se crispa.

— Non, t'inquiète pas. Le train ne lui est pas passé dessus.

— Il va bien, alors ?

— Pas vraiment, il est mort.

Magozzi lui jeta un regard interrogateur.

— Pas la peine de me regarder comme ça. C'est tout ce que je sais…

Il sursauta lorsque de sa poche de chemise jaillit une interprétation métallique et irritante de la *Cinquième* de Beethoven.

— Qu'est-ce que c'est que ça ? fit Leo.

Gino sortit son portable de sa poche et appuya furieusement sur les touches avec ses doigts boudinés.

— Bon sang, Helen n'arrête pas de programmer ces sonneries bizarres car elle sait que je suis incapable de les modifier…

— C'est plutôt marrant, sourit Magozzi.

— Les filles de quatorze ans ne sont drôles que quand ce sont les filles de quelqu'un d'autre… et merde ! Je vais mettre au point un modèle à

16

grosses touches et faire fortune, je sens ça. Allô, Rolseth à l'appareil...

Magozzi se leva, se débarrassa de la rouille qu'il avait sur les mains, écouta Gino grommeler dans le téléphone pendant une poignée de secondes, puis il alla à l'intérieur pour fermer la maison. Le temps qu'il revienne sous le porche, Gino avait récupéré son flingue dans la voiture et il le fixait à la ceinture de son bermuda. Il avait l'allure d'un touriste armé et dangereux.

— Inutile de demander si tu n'aurais pas un pantalon à me prêter ?

Magozzi se contenta de sourire.

— Tant pis. C'était Langer, au téléphone. McLaren et lui viennent de recevoir un appel pour un possible homicide. « Possible », cela signifie que quelqu'un a fait de la déco avec des litres de sang. Mais il n'y a pas de corps. Et devine quoi ?

— Il veut qu'on s'en occupe ?

— Non, le dispatcher lui a dit qu'on était sur le coup du pépiniériste, c'est pour ça qu'il a appelé. La maison sanglante est à quelques blocs d'immeubles de là.

Magozzi fronça les sourcils.

— Un quartier plutôt correct.

— Exact. Pas vraiment un quartier à histoires. Et tout d'un coup on se retrouve avec deux homicides possibles. Mais ce n'est pas tout. Figure-toi que le type qui habite cette maison a – ou plutôt avait – dans les quatre-vingts ans. Comme notre client.

Magozzi réfléchit une minute.

17

— On aurait affaire à des meurtres en série ? Un psychopathe qui rôderait dans le coin et s'attaquerait à des vieux ?

Gino haussa les épaules.

— Il a juste voulu nous prévenir. Il s'est dit qu'on ferait bien de rester en contact, au cas où il y aurait quelque chose qui collerait.

Magozzi soupira, jeta un regard d'envie au Weber.

— Les affaires reprennent, alors.

— Et dans les grandes largeurs, encore !

Gino marqua une pause, puis :

— Ça t'arrive de te dire qu'il y a quelque chose de pas normal dans un job où l'on ne bosse que quand quelqu'un se fait trucider ?

— Tous les jours, mon petit père.

3

Marty Pullman était assis sur le couvercle des toilettes de la salle de bains du rez-de-chaussée, fixant le canon d'un 357 Magnum. L'orifice rond et noir avait l'air très grand, ce qui l'inquiétait. Plus déroutant encore, les toilettes faisaient face au grand miroir des portes coulissantes qui cernaient la baignoire, et il n'était pas très chaud pour visionner un *snuff movie* dont il serait le héros. Il réfléchit une minute, monta dans la baignoire, fit coulisser les portes derrière lui.

Il eut un petit sourire tout en dirigeant la pomme de la douche vers l'arrière de la baignoire et en faisant couler l'eau au maximum. Il avait peut-être gâché sa vie mais il n'allait pas rater sa mort.

Satisfait, il s'assit dans la baignoire et introduisit le canon de l'arme dans sa bouche. L'eau ruisselait sur sa tête, trempant ses vêtements, ses chaussures.

Il hésita l'espace de quelques secondes, se demandant de nouveau ce qu'il avait bien pu faire la veille au soir. Si tant est qu'il ait fait quelque chose. Non que cela eût de l'importance, se dit-il, glissant son pouce sous la détente.

— Monsieur Pullman ?

Marty se figea, le pouce tremblant sur la détente. Bon Dieu, il devait halluciner. Personne ne venait jamais le voir, et personne ne se serait permis de s'introduire chez lui – sauf peut-être un témoin de Jéhovah. Mais là, il était tout content d'avoir son arme.

— Monsieur Pullman ?

La voix masculine était maintenant plus forte, elle se rapprochait, c'était une voix jeune.

— Vous êtes là, monsieur ?

Un coup décidé fit trembler la porte de la salle de bains.

L'arme avait un goût infect tandis qu'il la retirait de sa bouche et il cracha dans l'eau qui se ruait en tourbillonnant vers le trou d'écoulement.

— Qui est là ? s'écria-t-il, s'efforçant de prendre un ton agressif.

— Désolé de vous déranger, monsieur Pullman, mais Mme Gilbert m'a dit d'enfoncer la porte si nécessaire...

— Qui diable êtes-vous ? Comment se fait-il que Lily...

— Jeff Montgomery, monsieur ? Je travaille à la pépinière ?

Le gamin semblait ne s'exprimer que sous forme de questions. Bon sang que c'était agaçant. Marty jeta un coup d'œil à son arme et soupira. Il n'allait pas pouvoir faire ce qu'il avait décidé.

— Ne bougez pas. J'arrive dans une minute.

Il s'extirpa de la baignoire, se débarrassa de ses vêtements trempés, fourra l'arme, les vêtements et les chaussures dans la corbeille à linge sale. Il s'enroula une serviette autour de la taille, puis ouvrit la porte de la salle de bains.

Un grand et beau garçon de dix-huit, dix-neuf ans se tenait, l'air gêné, dans le couloir, les mains enfoncées dans les poches de son jean.

— Bon, me voilà. Dites-moi pourquoi Lily voulait que vous enfonciez ma porte.

Jeff Montgomery avait de grands yeux bleus qui s'écarquillèrent lorsqu'il remarqua la grosse cicatrice qui barrait le torse dénudé de Marty. Il détourna très vite le regard.

— Euh... Je n'ai pas enfoncé votre porte ? C'était ouvert ? Et Mme Gilbert essaie de vous joindre depuis un sacré bout de temps mais personne ne décrochait ? Et, bon sang, monsieur

Pullman, je suis vraiment désolé… mais M. Gilbert est mort.

Marty resta une minute sans bouger ; sans même ciller ; puis il se passa la main sur le front comme pour mieux y faire pénétrer la nouvelle.

— Quoi ? chuchota-t-il. Morey est mort ?

Le jeune homme pinça les lèvres et fixa le sol, s'efforçant de ne pas pleurer. Ce faisant, il remonta de plusieurs crans dans l'estime de Marty, même s'il terminait toutes ses phrases par un point d'interrogation. Quelqu'un qui avait assez d'affection pour Morey pour pleurer à l'annonce de son décès ne pouvait pas être entièrement mauvais.

— Il a été tué par balle, monsieur Pullman. Quelqu'un a descendu M. Gilbert.

Marty ne souffla mot mais il sentit le sang se retirer de son visage comme si on avait ôté une bonde. Il s'affaissa contre le chambranle de la porte de la salle de bains, soulagé de pouvoir se raccrocher à quelque chose.

Nom de Dieu, il haïssait ce monde.

4

— Allez, Leo. Arrête-toi chez Target ou ailleurs, que je puisse m'acheter un pantalon, grommela Gino, assis sur le siège du passager.

Magozzi fit non de la tête.

— Impossible. Pas question de laisser une scène de crime refroidir.

Gino tira d'un air malheureux sur les jambes de son short.

— Cette tenue n'est pas digne d'un professionnel.

Lâchant un gros soupir, il se tourna vers la vitre.

Il avait toujours aimé ce coin de Minneapolis. Ils étaient maintenant dans Calhoun Parkway, faisant le tour du lac Calhoun, roulant juste un petit peu plus lentement que les cyclistes qui, vêtus de leurs tenues bariolées, décoraient la piste asphaltée. Il y avait même quelques courageux qui faisaient du Windsurf, dansant au-dessus de l'eau avec leurs voiles triangulaires.

— Bon Dieu, s'il y a un aspect du boulot que je n'aime pas, c'est bien celui-là.

— Au moins, on n'a pas à annoncer la nouvelle à la veuve, dit Magozzi. C'est déjà ça.

— Ouais, sans doute. Mais faut quand même qu'on lui pose des questions. Du genre : Est-ce que c'est vous qui avez descendu votre mari d'une balle dans la tête ?

— C'est pour ça qu'on est grassement payés.

Il y avait une voiture de patrouille dans la rue et une autre qui bloquait l'allée de la pépinière d'Uptown lorsque Gino et Magozzi arrivèrent. Deux « tenues » étaient plantés là avec des rouleaux de ruban jaune de scène de crime, l'air désorientés. Magozzi exhiba son badge lorsque l'un d'eux s'approcha de sa vitre.

— Vous voulez qu'on se gare dans la rue ?

Le « tenue » ôta son couvre-chef et avec sa manche essuya son front luisant. Il faisait déjà chaud au soleil, particulièrement sur l'asphalte.

— Ben, je sais pas trop, inspecteur. On sait pas où installer le ruban.

— Pourquoi pas autour de la victime ? suggéra Gino.

Le flic s'énerva un peu.

— Sa femme a déplacé le corps.

— Quoi ?

— C'est comme je vous le dis. Elle l'a trouvé dehors et elle l'a rentré dans la serre. Elle ne voulait pas qu'il reste dehors sous la pluie.

— Oh, merde… gémit Magozzi.

— Arrêtez-la, marmonna Gino. Destruction de scène de crime. Bouclez-la et balancez la clé. C'est probablement elle qui l'a tué, de toute façon.

— Une vieille dame de cet âge, inspecteur ?

— Ouais, c'est le problème avec les armes à feu. Les vieux, les gosses, tout le monde peut s'en servir.

Il sortit de voiture, claqua la portière et se dirigea lentement vers la grande serre, les yeux à terre au cas où la pluie aurait oublié d'effacer une empreinte sanglante ou un truc dans ce goût-là.

Le « tenue » le regarda s'éloigner en hochant la tête.

— Il a pas l'air heureux.

— En temps normal, il l'est, rétorqua Magozzi. Là, s'il est de mauvais poil, c'est parce que je n'ai pas voulu m'arrêter le temps qu'il enfile un pantalon avant qu'on se pointe ici.

— Ça se comprend. Des jambes comme ça, normal qu'il tienne pas franchement à les montrer.

— A qui appartient l'autre voiture de patrouille ?

— Viegs et Berman. Ils font le tour du pâté de maisons, ils interrogent les voisins. On a laissé deux agents près du corps, à l'intérieur, mais je ne serais pas étonné que la vieille dame leur demande d'arroser les plantes.

— Sans blague ?

Le « tenue » s'essuya de nouveau le front avec sa manche.

— C'est un sacré phénomène.

— Comme ça, au débotté, qu'est-ce que vous en pensez ?

— J'en pense que c'est sûrement la première fois depuis des années que son mari est peinard.

Magozzi rejoignit Gino dans le parking, en contemplant le corbillard garé devant la serre.

— Pour la scène de crime, c'est râpé. D'abord, la pluie ; ensuite le type des pompes funèbres, qui a tout écrasé avec son tank et... oh, mon vieux ! Tu vois ce que je vois ?

Derrière, presque dissimulée par le corbillard, se trouvait une Chevy Malibu décapotable blanche de 66, intérieur en cuir rouge. Quasi cerise. Cette voiture hantait les rêves de Gino depuis la première fois où il avait posé les yeux dessus.

— Hmm, grogna Magozzi. Qu'en penses-tu ?

Gino eut un claquement de langue d'envie.

— C'est sûrement la sienne. Y en a pas deux comme ça dans les Twin Cities.

— Qu'est-ce qu'il fabrique ici ?

— Ça me dépasse. Il achète des fleurs ?

Ni l'un ni l'autre n'avaient revu Marty Pullman depuis qu'il avait quitté la police, un an plus tôt, quelques mois après la mort de sa femme. Non qu'ils l'aient bien connu, à l'époque où ils arboraient tous le même badge. A Minneapolis, la Criminelle et les Stups ne se rencontraient pas aussi souvent qu'à la télé. C'est simplement qu'une fois qu'on avait vu Marty, on n'avait aucune chance de l'oublier. Il avait conservé le physique de lutteur qui lui avait permis d'aller à l'université. Jambes courtes et arquées, torse et bras puissants, yeux sombres et regard hanté, et ce avant même la tragédie qui l'avait frappé. On l'avait baptisé le Gorille, à l'époque, quand il avait encore le sens de l'humour. Ces jours-là étaient loin.

La grande porte vitrée de la serre s'ouvrit et Pullman sortit à leur rencontre.

— Mince, souffla Gino. On dirait qu'il a perdu dans les vingt-cinq kilos...

— Putain d'année pour lui, dit Magozzi.

Marty arriva à leur hauteur, leur serra la main, l'air aussi fermé que d'habitude.

— Magozzi, Gino, content de vous voir.

— Eh bien, Pullman ? fit Gino en lui rendant sa poignée de main. Tu t'es mis au jardinage ou t'as réintégré la police sans que personne m'en ait averti ?

Marty souffla. Il avait l'air de quelqu'un qui est près de s'effondrer.

— L'homme qui a été tué est mon beau-père, Gino.

— Oh, merde, dit Gino dont le visage se décomposa. Le père de Hannah ? Oh, mec, je suis désolé. Merde.

— Ce n'est rien. Tu ne pouvais pas savoir. La scène de crime est réduite à sa plus simple expression, on a dû vous le dire.

Entendant trembler sa voix, Magozzi décida d'attendre pour lui manifester sa sympathie qu'il soit suffisamment fort pour l'accepter.

— C'est ce qu'on a cru comprendre, dit-il, sortant un carnet et un crayon. Il y avait quelqu'un d'autre ici, en dehors de toi et de l'entrepreneur de pompes funèbres ?

— Un ou deux employés... Je les ai renvoyés chez eux en leur précisant de ne pas bouger, que vous iriez les voir avant la fin de la journée. J'ai bloqué le passage à l'endroit où Lily m'a dit avoir trouvé le corps, mais c'est tout ce que j'ai réussi à faire.

— Merci, Marty, dit Magozzi, qui aurait payé pour se trouver ailleurs.

Lily Gilbert avait perdu sa fille l'année précédente, et maintenant c'était le tour de son mari. Magozzi se demanda comment on pouvait survivre à ce genre de tragédie. Lui poser les questions de routine lui sembla soudain d'une insupportable cruauté.

— Tu crois que ta belle-mère va être en état de nous parler ?

Marty ébaucha un sourire.

— Elle n'est pas en train de s'écrouler, si c'est ce que tu veux dire. Ce n'est pas le genre de Lily.

Il jeta un coup d'œil vers la grande serre.

— Elle est restée là-dedans. J'ai essayé de la décider à rentrer chez elle... c'est là-bas, derrière les serres, mais elle n'a rien voulu savoir. Elle ne bougera pas tant qu'on n'aura pas emmené Morey. Le médecin légiste est en route, j'imagine ?

Magozzi fit oui de la tête, puis ajouta :

— Il procédera à un rapide examen du corps avant de l'emmener. Je ne crois pas que tu veuilles qu'elle soit là pendant ce temps.

— Sûrement pas. Mais Lily fait ce qu'elle veut. Elle est comme ça.

Il inspira de l'air entre ses dents.

— Il y a autre chose.

Magozzi et Gino attendirent tranquillement.

— Après l'avoir traîné à l'intérieur, elle l'a lavé, rasé. Et changé. Il est allongé sur l'une des tables, vêtu du costume qu'il portera pour la cérémonie funèbre.

Gino ferma brièvement les yeux, essayant de ne pas exploser.

— Ça n'est pas bien du tout, ça, Marty.

— Je sais.

— Je veux dire, elle a un ancien flic pour gendre. Elle devait savoir qu'elle détruisait des indices...

— Elle est presque aveugle, Gino. Elle ne peut même plus avoir de permis de conduire. Elle m'a dit qu'elle n'avait pas vu de sang. La pluie a dû l'effacer avant qu'elle arrive sur les lieux. Il a pris une balle dans la tête, du petit calibre, derrière la tempe gauche, et il a une vraie tignasse de cheveux blancs... même moi, il a fallu que je cherche, et je savais qu'il y avait un trou.

— Très bien, fit Gino, renonçant à chercher plus loin pour l'instant.

Magozzi nota que les techniciens de scène de crime devraient s'occuper de prendre les vêtements que le vieil homme portait avant d'avoir été tué.

— Tu n'aurais pas une idée ? Quelque chose qui pourrait nous aider ?

Marty eut un rire bref et plein d'amertume.

— Sur celui qui aurait pu vouloir le tuer, tu veux dire ? Si, bien sûr. Cherchez quelqu'un qui voudrait rectifier Mère Teresa. C'était un homme bien, Magozzi. Peut-être même un grand homme.

Dans la serre, l'air était chaud et moite, chargé de l'odeur de la terre et de la végétation. De longues tables couvertes de plantes s'alignaient sur deux rangées ; entre les deux, une allée centrale. Une serre comme tant d'autres. A ceci près que sur la table de devant reposait non pas un assortiment de fleurs en pot mais un cadavre en costume noir.

Même mort, Morey Gilbert avait de la présence. Très grand, musclé, mieux vêtu qu'il ne l'avait été de toute sa vie.

Deux jeunes agents s'agitaient près du corps, essayant de faire comme s'il n'était pas là.

— Où sont-ils ? leur demanda Marty.

— Votre belle-mère a emmené le vieux gentleman là-bas, monsieur.

L'un des agents eut un mouvement de tête vers une porte du fond.

— Qu'y a-t-il au fond ? questionna Magozzi.

— Le local des plantes à repiquer, deux autres serres. Lily aura voulu faire sortir Sol un moment. Il était drôlement secoué.

— Sol ?

— L'entrepreneur des pompes funèbres. Et l'un des meilleurs amis de Morey. C'est un sale coup pour lui. Ne bougez pas, je vais les chercher.

Gino attendit que Marty soit hors de portée avant de chuchoter à l'oreille de Magozzi :

— Son mari est décédé et elle console le mec des pompes funèbres ? C'est le monde à l'envers, non ?

Magozzi haussa les épaules.

— C'est peut-être ce qui l'aide à tenir le coup, s'occuper des autres.

— Peut-être. Ou peut-être aussi qu'elle n'avait pas beaucoup d'affection pour son époux.

Ils s'approchèrent de la table pour regarder le mort de plus près avant le retour de Lily. Gino du bout d'un crayon lui souleva les cheveux, mettant en évidence le trou causé par la balle. Minuscule.

— Je suppose que ça échapperait à quelqu'un qui n'y voit plus beaucoup mais sait-on jamais.

Il regarda les deux agents.

— Vous pouvez vous retirer, si vous voulez. On s'en charge. Envoyez des copies de vos rapports à la Criminelle.

— Oui, monsieur, merci.

Magozzi examinait le visage de Morey Gilbert, s'efforçant de voir là une personne et non un cadavre, nouant des liens avec la victime.

— Il a un beau visage, Gino. Quatre-vingt-quatre ans, il dirigeait encore son entreprise, il

29

veillait sur sa famille… Qui voudrait tuer un vieil homme comme ça ?

— Une vieille femme, peut-être, suggéra Gino.

— Tu dis ça parce que tu es furieux qu'elle ait déplacé le corps.

— J'ai des soupçons parce qu'elle a bougé le corps. Je suis de mauvaise humeur parce que tu m'as obligé à me pointer ici en short.

Ils s'éloignèrent d'un pas de la table lorsque la porte de derrière s'ouvrit et que Marty reparut, entouré de ses vieillards. Venait en tête de la procession une minuscule vieille dame aux cheveux argentés coupés ras. Elle portait un chemisier blanc à manches longues sous une salopette, d'épaisses lunettes agrandissaient ses yeux sombres, lui donnant un peu l'air de maître Yoda.

Un Yoda drôlement coriace, résuma Magozzi en la voyant approcher. Pas de trace de larmes ou de désespoir ; de vieillesse non plus : elle se tenait droite comme un I. Elle mesurait à peine un mètre cinquante-cinq et elle n'avait jamais dû accuser plus de cinquante kilos sur la bascule de la salle de bains, mais elle donnait l'impression de pouvoir arrêter une voiture.

L'homme qui la suivait était bien différent. Le chagrin pesait sur ses épaules, il avait les yeux rouges et bouffis, sa bouche tremblait.

Magozzi nota avec intérêt que Marty tendait la main comme pour toucher le bras de la vieille dame et la retirait à la dernière minute. Ces deux-là n'étaient apparemment pas portés sur le contact.

— Inspecteur Magozzi, inspecteur Rolseth, voici ma belle-mère, Lily Gilbert. Et Sol Biederman.

Lily Gilbert vint se mettre près de la table et posa une main sur la poitrine de son mari.

— Et voici Morey, dit-elle avec un froncement de sourcils à Marty qui, sous prétexte qu'il était mort, avait omis de présenter son beau-père.

— Marty nous a dit quel homme merveilleux était votre époux, madame Gilbert, fit Magozzi. Quelle terrible perte ce doit être pour vous. Et pour vous aussi, monsieur Biederman, ajouta-t-il parce que les larmes coulaient sans retenue sur les joues du vieil homme, maintenant.

Lily dévisageait Magozzi.

— Je vous connais. Vous avez occupé le terrain dans les médias, l'automne dernier, avec cette histoire de Monkeewrench. Je vous ai vu plus souvent que mon gendre, ajouta-t-elle en lançant à ce dernier un regard entendu qu'il évita soigneusement. Vous avez des questions à me poser, c'est cela ?

— Si vous êtes en état de répondre, oui.

Non seulement elle était d'attaque mais, sans même attendre les questions, elle passa tout de suite aux réponses :

— Très bien. Voilà ce qui s'est passé. Je me suis levée à six heures et demie comme d'habitude. J'ai fait du café, je suis allée dans la serre et c'est là que j'ai trouvé Morey, allongé sous la pluie. Marty pense que j'aurais dû laisser son beau-père dehors alors qu'il pleuvait, que j'aurais dû laisser des inconnus le voir la bouche pleine d'eau de pluie...

— Bon sang, Lily…

— Mais ce n'est pas comme ça que ça se passe, chez nous. Je l'ai transporté à l'intérieur, rendu présentable, j'ai appelé Sol, puis Marty, qui n'a pas décroché son téléphone depuis six mois…

— Lily, c'était une scène de crime, protesta Marty d'une voix lasse.

— Comment pouvais-je le savoir ? Suis-je policier ? J'ai appelé un policier, mais il n'a pas répondu au téléphone.

Marty ferma les yeux. Magozzi se dit qu'il y avait un bout de temps qu'il les fermait, dès qu'il s'agissait de sa belle-mère.

— Je ne suis plus policier, Lily.

Magozzi revit en un éclair une scène entrevue un an plus tôt, presque jour pour jour. Il avait dépassé l'inspecteur Martin Pullman alors que ce dernier franchissait les portes de l'hôtel de ville, emportant sa carrière dans une boîte en carton, l'air de quelqu'un qui vient de se faire renverser par un camion. « Vous reviendrez, inspecteur », lui avait lancé Magozzi car il ne savait que dire d'autre à un homme qui avait tant perdu. Et il ne comprenait pas comment on pouvait quitter si facilement un boulot qu'on aimait. Marty avait esquissé un sourire. Je ne suis plus inspecteur.

Magozzi revint au présent pour entendre Gino poser les questions rituelles. Y avait-il quelque chose qui manquait ? Des traces d'effraction ? Morey Gilbert avait-il des ennemis ? Faisait-il des affaires douteuses ?

— Des affaires douteuses ? reprit sèchement Lily. Qu'est-ce que cela signifie ? Vous croyez peut-être qu'on fait pousser de la marijuana dans la serre du fond ? Qu'on dirige un trafic d'esclaves blancs ?

Gino ne réagissait jamais très bien aux sarcasmes, là, il devint cramoisi. Ils avaient eu affaire à maintes familles éplorées au cours de leur carrière, et Gino s'en sortait bien avec celles qui s'effondraient. Elles lui brisaient le cœur, et il souffrait longtemps après en pensant à elles ; mais il savait du moins comment les prendre. Les gens étaient censés s'écrouler quand ils perdaient un proche. Cela collait avec la conception que se faisait Gino de la vie et de la mort, de l'amour et de la famille, et cela lui permettait de leur parler d'une voix douce, de les réconforter autant qu'un flic pouvait le faire dans ces circonstances. Mais les gens en colère qui vous agressaient verbalement ou les stoïques qui n'extériorisaient pas leur chagrin le désarçonnaient régulièrement. Or Lily Gilbert semblait appartenir à un mélange de ces deux catégories.

— Excusez-moi, madame Gilbert, interrompit doucement Magozzi tandis que Gino roulait les yeux. Est-ce que vous pourriez me montrer où vous avez trouvé votre mari ? Me faire refaire tout le parcours pendant que Gino s'entretient avec votre ami Sol ? Nous en aurons terminé plus vite, de cette façon.

A ce rappel de la triste réalité, un signe de faiblesse se manifesta pour la première fois dans les yeux de la vieille dame. Un signe discret. Mais un signe, tout de même.

— Je suis vraiment désolé de vous demander ça. Si c'est trop dur, nous le ferons une autre fois.

Son regard se durcit immédiatement.

— C'est maintenant qu'il faut le faire, inspecteur.

Elle se dirigea vers la porte tel un vieux soldat pressé de s'acquitter de sa mission, de façon à ne penser à rien d'autre. Magozzi se précipita pour lui ouvrir.

— Attendez une minute, fit Marty. Où est Jack, Lily ? Pourquoi n'est-il pas encore là ?

— Jack qui ?

— Bon sang, Lily, ne me dites pas que vous ne l'avez pas appelé...

Elle avait franchi la porte sans qu'il ait eu le temps de finir.

— Et merde !

— Qui est Jack ? demanda Magozzi, tenant toujours la porte.

— Jack Gilbert. Son fils. Il y a un bout de temps qu'ils ne se sont pas adressé la parole mais, Seigneur, son père vient de mourir... Il faut que je l'appelle !

Tandis que Marty s'en allait téléphoner, Gino s'approcha de Magozzi et lui dit tout bas :

— Ecoute, pendant que tu seras avec la vieille dame, n'oublie pas de lui demander comment une demi-portion comme elle a fait pour traîner un poids mort de cent kilos jusqu'ici et le hisser sur cette table ?

— Génial, Gino, merci de m'y faire penser.

— Pas de quoi.

— Tu ne l'aimes pas beaucoup, hein ?

— Je l'aime bien, c'est sa personnalité qui me hérisse.

— Hmmm. En tout cas, elle n'a pas fait la moindre allusion à ta tenue. C'est plutôt sympa de sa part.

— Tu veux savoir ce que je me dis : Comment diable a-t-elle réussi à déplacer le corps ? Réponse : Peut-être qu'elle ne l'a pas déplacé. Peut-être qu'elle l'a descendu ici, et nous a dit qu'il avait été tué dehors pour qu'on pense qu'il n'y avait pas de scène de crime.

Magozzi réfléchit un instant.

— Intéressant. J'aime ta façon de penser.

— Merci.

Magozzi rouvrit la porte pour sortir.

— Mais ce n'est pas elle.

— Nom d'un chien, Leo, qu'est-ce que tu en sais ?

— Je le sais.

5

L'inspecteur Aaron Langer en était arrivé à ce stade de l'existence où, cessant d'espérer que l'année prochaine sera meilleure que la précédente, on se contente de souhaiter qu'elle sera moins mauvaise.

Tel est le sort qui vous pend au nez à l'abord de la cinquantaine. Les personnes âgées qu'on aime tombent malades et meurent, les jeunes qu'on déteste obtiennent les promotions qui auraient dû vous échoir, le marché boursier s'effondre et votre retraite avec. Quant à votre corps, il commence à ressembler à celui de votre père quand vous vous disiez que jamais, au grand jamais, vous ne vous laisseriez aller ainsi. Si l'on expliquait aux mômes de cinq ans la vérité sur la vie, songeait-il, cela déclencherait une épidémie de suicides dans les jardins d'enfants.

Jusqu'à présent il s'en était sorti grâce à son boulot. Quand sa mère s'était retrouvée aux prises avec l'Alzheimer, quand son argent s'était enfui au Brésil avec son conseiller financier, son job avait été son refuge. Le seul aspect de sa vie où la frontière entre le bien et le mal était parfaitement définie, où il savait exactement quoi faire. Le mal, c'était le meurtre. Le bien consistait à appréhender les meurtriers. Simple.

Ou du moins ça l'avait été. Avant. Maintenant, la frontière le long de laquelle il cheminait était brouillée, et il ne savait plus trop sur quel pied danser. Ce qu'il lui fallait, c'était une bonne affaire d'homicide bien nette, bien tranchée, qui redonnerait son sens au monde. Et justement il lui semblait qu'il en tenait une.

— Langer, tu pourrais arrêter de sourire bêtement ? Tu me fous les jetons.

Horrifié, il regarda son coéquipier.

— Je souriais ?

Johnny McLaren sourit à son tour.

— En quelque sorte. Pas vraiment. Enfin, tu n'allais pas jusqu'à découvrir tes dents. En outre, je sais ce que tu ressens. Après quatre mois d'inactivité forcée, j'ai bien failli sortir buter quelqu'un.

Langer ferma les yeux, se demandant comment justifier son sourire dans la pièce pleine de sang où une pauvre âme avait trouvé la mort.

— C'est pas ce que tu crois, McLaren, fit-il tristement en détournant les yeux car il était dans l'incapacité d'en dire davantage.

Le gros du carnage chez Arlen Fischer se trouvait dans un séjour par ailleurs immaculé – très exactement sur un canapé, ivoire à l'origine, qui avait maintenant l'air d'avoir passé un certain temps près d'un étal d'abattoir. Jimmy Grimm, la star des techniciens de scène de crime du Bureau des arrestations criminelles, entra dans la pièce, jeta un coup d'œil aux éclaboussures de sang sur le canapé et dit :

— Une artère de touchée, messieurs. Voilà qui aurait dû suffire à provoquer la mort. Il avait quoi ? Quatre-vingt-dix ans ?

— A moins que le nonagénaire ne soit le tireur, suggéra McLaren. Auquel cas, c'est le sang de quelqu'un d'autre et Fischer est parti enterrer le corps dans les bois…

— J'adore les énigmes.

Les mains sur les hanches, Grimm jeta un coup d'œil autour de lui. C'était un homme plutôt rond, pour l'heure en combinaison et chaussons jetables blancs. Langer trouvait qu'il ressemblait pas mal au bonhomme Michelin.

— Waouh ! Ça, c'est intéressant…

— Quoi donc ? questionna McLaren.

Jimmy ne l'entendit pas. Il était penché au-dessus du canapé et avait rejoint un autre monde – son monde –, où les seules histoires intéressantes étaient celles que lui racontaient les taches de sang et les indices.

Frankie Wedell, un des agents qui avaient sécurisé la scène de crime, s'approcha de l'entrée du séjour et s'immobilisa.

— Vous vous souvenez comment on fait, les gars, ou vous voulez que je vous rafraîchisse la mémoire ?

McLaren le regarda et sourit. Frankie était le plus ancien des officiers de police, et il avait formé plus de recrues qu'il ne pouvait en compter, parmi elles McLaren et Langer.

— Comment va, mon vieux ? dit McLaren.

— Ça allait mieux avant que j'allume la radio, ce matin. Ça a failli me briser le cœur quand j'ai appris ce qui est arrivé à Morey Gilbert, à la pépinière d'Uptown.

Le sourire de McLaren s'effaça.

— Ça va briser beaucoup de cœurs.

— C'est moche de reprendre le collier sur une affaire comme celle-là. C'était quelqu'un de bien. Vous en étiez venus à bien le connaître, l'an dernier, non ?

— Ouais.

— Bon, Frankie, ton coéquipier nous a dit que tu t'étais chargé d'inspecter la partie avant. C'est ça ?

— Ouais. Tony a inspecté l'arrière de la maison. On a commencé par chercher un tireur et on a fini par chercher un corps.

Il jeta un regard au canapé sanglant.

— J'arrive toujours pas à croire qu'on n'en a pas trouvé. Avec tout ce sang, le type n'a pas pu aller très loin, surtout à son âge.

Langer balaya la pièce des yeux tandis que Frankie parlait, remarquant des détails : le brillant du parquet, les magazines soigneusement disposés sur une table basse bien astiquée, les classiques en reliure de cuir méticuleusement alignés sur les rayonnages d'une bibliothèque. Rien n'avait été dérangé. Rien ne semblait insolite, hormis le canapé – une véritable obscénité. Ça, et les trois gros livres empilés par terre près de la table basse.

— Dis-moi, Frankie, à quoi ressemblait la scène quand tu es arrivé ?

— La femme de ménage, Gertrude Larsen, était debout sur les marches du perron, complètement hystérique, agitant les bras comme une malade, gémissant... Je n'ose pas penser à la tête qu'elle aurait faite s'il y avait eu un corps à l'intérieur. Bref, j'ai réussi à la calmer et je l'ai conduite jusqu'à la voiture de patrouille. Mais là, elle a commencé à partir en vrille. Elle avait dû prendre un comprimé. Tu devrais lui parler avant qu'elle ne soit complètement dans les vapes.

— Est-ce qu'elle a touché à quelque chose ?

— J'en doute. D'après ce que j'ai cru comprendre, elle a passé la porte, vu le sang, piqué une crise. Elle a téléphoné de son portable au lieu d'appeler du téléphone fixe. Je ne crois pas qu'elle ait pénétré plus avant dans la maison.

— Merci, Frankie. Dis à la femme de ménage qu'on arrive.

— D'accord.

Langer s'approcha et considéra son reflet dans le plateau de la table basse.

— Y a quelque chose qui ne colle pas.

McLaren le rejoignit et examina la table un long moment, les sourcils froncés.

— Je donne ma langue au chat. Je vois une chouette table bien cirée, pas d'éraflures, pas de sang, pas d'empreintes. Qu'est-ce qui m'a échappé que j'aurais dû remarquer ?

— Les livres par terre. Ils sont censés être sur la table basse.

— Et alors ? Tu ne vas pas me dire que chez toi tout est toujours exactement à sa place ?

— Bon Dieu, non, ça risque pas. Mais ici ? Regarde autour de toi. Ce sont les seules choses qui ne soient pas à leur place, Johnny.

McLaren jeta un coup d'œil circulaire tout en faisant travailler ses neurones.

— Faut dire que cet intérieur est digne de figurer dans un magazine de déco.

— En effet.

— Exception faite du canapé.

— Et des livres par terre.

McLaren poussa un soupir et fourra les mains dans ses poches.

— Bon, peut-être qu'ils sont tombés pendant l'empoignade.

Langer fit non de la tête.

— Si tel était le cas, ils se seraient éparpillés sur le sol. Mais regarde : ils forment une pile presque parfaite. Quelqu'un les a pris et les a posés là.

— Et ce quelqu'un serait le tireur…

40

— C'est ce que je pense.

La tête de Jimmy Grimm jaillit de derrière le canapé, faisant sursauter McLaren.

— Seigneur, Jimmy, j'avais oublié que tu étais là. Qu'est-ce que tu fiches derrière ce meuble ?

— J'ai repéré un orifice de sortie dans le tissu et je le passe au laser. J'ai l'impression qu'on va trouver une balle sur ces rayonnages de bibliothèque.

Il jeta un coup d'œil à la table basse, sourit à Langer.

— Bien vu, pour les livres, Langer. Je les range dans un sac à mise sous scellés. A traiter en priorité au labo.

— Merci, Jimmy.

McLaren gratta sa joue non rasée que recouvrait une barbe rousse de deux jours.

— Ça tient pas debout. Vous entrez dans cette baraque, vous dégommez un type assis dans le canapé, puis vous faites demi-tour et vous prenez des livres qui sont sur la table pour les poser par terre. Pourquoi faire un truc pareil ?

— Bonne question.

Gertrude Larsen avait depuis longtemps dépassé l'âge de la retraite, et elle avait un air pathétique, enveloppée dans un vieux cardigan trop ample, frissonnant sur le siège arrière de la voiture de patrouille en dépit du soleil qui réchauffait l'intérieur du véhicule. Lorsque Langer s'approcha de la portière ouverte, elle leva vers lui des yeux larmoyants, en un regard que les calmants avaient rendu trouble. Des larmes ruisselaient le long des

41

vallées creusées dans ses joues par les rides, mais l'émotion en était absente.

Ce regard, Langer le connaissait bien. Il l'avait vu maintes fois chez les survivants d'affaires de meurtre qu'on avait mis sous tranquillisants, chez les enfants qui planaient avec le Valium de leurs parents. Les frissons l'inquiétaient. Il s'agenouilla près de la voiture, toucha le bras de la vieille dame.

— Comment vous sentez-vous, madame Larsen ?

Elle eut un pâle sourire, posa sa main tremblante et déformée par l'arthrite sur la sienne. Il avait du mal à imaginer cette femme abîmée par le travail récurant et frottant encore une maison.

— Un peu mieux.

— Vous avez pris quelque chose ?

Elle hocha la tête, un peu gênée, et lui tendit un petit flacon.

— Un comprimé rose.

Langer ouvrit le flacon et haussa les sourcils lorsqu'il jeta un coup d'œil à l'intérieur. Des comprimés, il y en avait des roses, des bleus, des jaunes. Et il y avait également des Tums. Les roses lui parurent être du Xanax, mais il n'aurait pu en jurer.

— J'en prends un quand je me sens patraque, dit-elle.

— Je comprends.

Langer nota l'adresse de la clinique inscrite sur le flacon et le lui rendit. Elle le rangea dans un réticule muni d'un fermoir métallique.

— Vous sentez-vous suffisamment d'attaque pour répondre à mes questions ?

Elle fit oui de la tête, se tamponna les yeux avec un mouchoir humide bordé de dentelle.

Langer se montra excessivement gentil avec la vieille dame et l'interrogatoire prit un temps fou, mais il finit par apprendre qu'elle était la femme de ménage d'Arlen Fischer depuis trente-deux ans, qu'elle venait trois fois par semaine en bus, et tous les dimanches matin, également en bus, pour l'aider à se préparer pour le service de neuf heures à Saint Paul of the Lakes, une église luthérienne. Elle était largement dédommagée de sa peine, elle s'occupait de lui comme d'un frère, ne pouvait croire qu'on ait pu lui vouloir du mal. Et oui, ces livres étaient censés se trouver sur la table basse, avec le joli chemin de table en tapisserie qu'elle lui avait offert pour son quatre-vingtième anniversaire ; et non, elle n'avait touché à rien.

— Le chemin de table avait-il beaucoup de valeur ?

Ses yeux embués se plissèrent.

— Ce n'est pas facile d'en trouver avec des oiseaux ; encore moins avec des rouges-gorges ; de fait il n'était pas donné. Quatre-vingts dollars.

Elle se pencha et confia dans un murmure :

— Mais je l'ai eu en solde. Dix-neuf dollars et quatre-vingt-dix-neuf cents.

— Une affaire, commenta Langer.

— Ça, c'est sûr.

Langer la remercia, lui donna sa carte puis demanda à Frankie de la conduire au Hennepin County Medical Center, de rester avec elle jusqu'à ce qu'on l'ait examinée et de la ramener à son domicile.

43

Frankie poussa un soupir à fendre l'âme.

— Tu as déjà vu les urgences au Hennepin County Medical Center un dimanche ?

Langer haussa les épaules d'un air d'excuse.

— Elle vit seule, Frankie, elle se la donne aux médicaments, et elle est secouée de frissons dans une voiture où il fait une chaleur à crever. Je me demande si elle n'est pas en état de choc... Ça nécessite vérification.

— Bon, bon, mais tu as raté ta vocation : tu aurais dû être missionnaire.

McLaren et Langer restèrent plantés dans l'allée, regardant la voiture de police s'éloigner, Frankie au volant.

— Et maintenant, dit McLaren, à quoi tu penses ? Tu crois que le tireur a déplacé les livres pour faucher un napperon de vingt dollars ?

— Avec des rouges-gorges dessus, mon pote. Ça ne se trouve pas sous le sabot d'un cheval.

— Bon sang, Langer, tu fais de l'humour ou quoi ?

— Peut-être.

— Bon, ben, arrête. Tu me fous les jetons.

Une heure plus tard, Jimmy et son équipe étaient toujours à pied d'œuvre, mais leur travail touchait à sa fin. Langer et McLaren le découvrirent couché sur le parquet du séjour avec un mètre et un carnet, notant des chiffres.

— Hé, Jimmy ! fit McLaren avec autant d'entrain que possible compte tenu du fait qu'il avait passé toute la matinée du dimanche dans

44

une maison qui avait été le théâtre d'un meurtre. Tu as résolu ton problème ?

Grimm lui adressa un sourire las et se releva, non sans mal.

— A ce stade, je ne sais même pas si on est en présence d'un homicide. La prochaine fois, arrangez-vous pour qu'il y ait un corps, les gars. C'est quand même plus facile. Vous avez eu des échos des hôpitaux ?

McLaren feuilleta son carnet.

— Ouais. Les seules blessures par balle signalées la nuit dernière concernent deux mômes de seize ans qui essayaient de se descendre avec des 22. Il n'y a pas eu trop de bobos. En tout cas, pas d'artère touchée...

— Ce n'était pas un 22, dit Jimmy en tendant un petit sachet contenant une balle. Mais un calibre 45.

— Un 45, hein ? Dans ce cas, celui qui s'est fait plomber ici la nuit dernière n'a pas dû réussir à atteindre l'hôpital ou la clinique...

— Alors il est mort, dit Grimm sur le ton de la constatation en considérant le canapé.

Langer, qui avait suivi son regard, remarqua, mal à l'aise :

— Ça en fait, du sang.

Jimmy haussa les épaules.

— Le spectacle est pire que les dégâts eux-mêmes. Je vais procéder à un test de saturation, histoire d'en avoir le cœur net, mais à première vue je dirais que votre gus est sorti de cette maison vivant. Il n'y a pas assez de sang pour que le cœur ait été touché. Il a dû prendre la balle dans une extrémité. Mais les artères, ça ne guérit pas tout seul. Sans assistance médicale ou autre, il risquait de se vider comme un poulet, or il n'y a pas une seule goutte de sang ailleurs dans la maison.

McLaren grogna.

— Quelqu'un l'aura plombé, enveloppé dans un drap ou une couverture, transporté dehors, ce qui signifie qu'on est à la recherche d'un sumotori. Parce que, d'après sa femme de ménage, Arlen Fischer pesait plus de cent cinquante kilos.

Jimmy Grimm, à nouveau assis sur ses talons, leur adressa un petit sourire.

— Personne ne l'a porté dehors.

— Ouais ? Alors quoi ? Des extraterrestres l'ont soulevé du canapé ?

— Mieux que ça, fit Jimmy, toujours souriant et visiblement très content de lui.

— Bon Dieu, Langer, colle-le à terre, que je les lui arrache avec une pince, grommela McLaren.

— Seigneur, ils sont drôlement pressés, ces Irlandais, soupira Jimmy, désignant du doigt un coin du parquet qu'entourait le ruban jaune. On a repéré des traces de roues. Depuis le canapé, jusqu'à la cuisine, à la porte et dans le garage. Quatre roues, pas deux. Le tireur était venu avec un chariot.

— Waouh, fit McLaren dans un haussement de ses sourcils roux. Ça, c'est ce qu'on appelle de la préméditation...

— En effet...

Jimmy s'étira.

— Bon, on va dégager le terrain et retourner au labo. Apparemment, ils ont rapporté des tonnes d'indices de la scène du chemin de fer...

Il s'arrêta en pleine phrase, les bras retombant le long du corps.

— Oh, bon Dieu ! Tu ne viens pas de dire que Fischer faisait dans les cent cinquante kilos ?

— Au moins, acquiesça Langer.

Jimmy ferma les yeux.

— Merde, mon collègue m'a dit que le mec de la voie ferrée était une monstrueuse baraque...

— Ils ont son identité ?

Jimmy haussa les épaules, Langer sortit son portable.

— C'est Tinker et Peterson qui sont sur le coup, pas vrai ? demanda-t-il à McLaren.

— Oui.

Langer appuya sur quelques touches, approcha le téléphone de son oreille, écouta quelques secondes, puis dit :

— Tinker, Aaron à l'appareil... Parle-moi un peu du mec de la voie ferrée...

Personne n'avait jamais accusé Tinker Lewis de faire de la rétention d'information. Quand on lui demandait comment il allait, on avait droit à un récit circonstancié, et aucun moyen d'y couper. Langer essaya de l'interrompre une ou deux fois, puis finit par renoncer et écouta, résigné, le visage parfaitement impassible.

McLaren fit les cent pas aussi longtemps que possible, puis il s'approcha de Langer et essaya de coller son oreille près du téléphone.

— O.K., Tinker, merci, dit Langer. Faut que j'y aille maintenant... McLaren s'impatiente.

Il raccrocha, rangea le portable, resta campé là, un sourire sinistre aux lèvres.

McLaren battit des bras de frustration.

— Bon sang, Langer, tu veux que je te le demande à genoux ou quoi ?

— Pas d'identité pour le corps de la voie ferrée. L'homme était âgé, cent cinquante kilos facile, un gros trou dans le bras gauche, juste au-dessus du coude...

Il fit un signe à Jimmy Grimm.

— Une artère de touchée. Comme tu l'avais dit, Jimmy.

— Il s'est vidé de son sang ?

Langer pinça les lèvres, faisant disparaître son sourire.

— Non. On croit qu'il a fait une crise cardiaque. Probablement quand il a vu le train arriver.

— Oh, Seigneur, marmonna McLaren, visualisant un vieil homme blessé ligoté sur la voie ferrée, voyant débouler vers lui le phare unique d'un train en marche.

— S'il avait survécu, reprit Langer, le médecin légiste dit qu'il aurait vraisemblablement perdu le bras. Quelqu'un lui avait posé un garrot beaucoup trop serré, qu'il avait gardé beaucoup trop longtemps.

Il haussa les sourcils en regardant McLaren, poursuivit :

— Un truc en tapisserie, m'a dit Tinker, avec des petits rouges-gorges.

McLaren siffla en silence.

— Leur mec est donc aussi le nôtre.

— Ça m'en a tout l'air.

— Seigneur.

McLaren jeta un coup d'œil au canapé et frissonna en pensant à ce qui s'était passé dans cette pièce.

— Le travail d'un drôle de malade, Langer.

— D'accord avec toi.

— Un putain de sadique débarque ici, plombe le pauvre vieux, le met sur un chariot, l'embarque puis va l'attacher à la voie ferrée...

— ... en prenant soin de le maintenir en vie pendant tout ce temps-là, de façon qu'il voie bien ce qui va lui arriver, termina Jimmy Grimm. Dieu du ciel !

6

Magozzi les regarda charger le corps de Morey Gilbert dans le fourgon du médecin légiste, se crispant lorsque la housse à cadavre rebondit, au moment où les roues du brancard furent repliées. Au fil des années il avait vu des tas de corps entrer dans ce fourgon, mais il n'avait jamais réussi à s'habituer à cet ultime cahot tandis qu'ils quittaient leur domicile pour la dernière fois.

Ce fut un soulagement lorsque les portes du fourgon se refermèrent en claquant et que les petits jeunes qui assistaient le légiste montèrent dedans et s'éloignèrent.

— Qui c'est, ces gosses ?

— Une seconde, dit Gino dans son portable avant de le plaquer contre sa poitrine. Ce ne sont pas des gosses, mais des adultes avec des diplômes de médecine. Si tu as l'impression que ce sont des mômes, c'est parce que tu commences à te faire vieux.

— Je suis dans la fleur de l'âge. La quarantaine est si loin que je ne la distingue même pas. Comment se fait-il que nous ayons droit à de vulgaires assistants ? Où diable est passé Anant ?

Gino poussa un soupir.

— Il s'occupe du vieux de la voie ferrée. Quant aux jeunes, ils ont parfaitement fait le boulot. Je les ai observés. Ils ont mis des gants et tout. Je peux finir ma conversation téléphonique, maintenant ?

— Un coup de fil coquin à Angela ?

— Non. A Langer. Et tu nous as interrompus à un moment crucial. Tu permets ?

Il plaqua de nouveau l'appareil contre son oreille.

— Désolé pour l'interruption, Langer. C'était Leo.

Magozzi garda le silence cinq secondes exactement avant de remettre ça :

— Le mec de la voie ferrée, il était vieux, lui aussi ?

— Bon Dieu. Attends, Langer... Ouais, Leo, il était âgé. Très âgé, même.

— Ça en fait trois en l'espace d'une nuit, Gino. Morey Gilbert, le type qui s'est fait descendre dans la maison, et celui de la voie ferrée.

— En fait, il semblerait que ça en fait deux seulement, et si tu veux bien me laisser terminer cet appel, je te promets de chercher tout ce que tu veux savoir sur ces vieux. Putain, Leo, on dirait un môme... Arrête de tirer sur ma jambe de pantalon !

— Tu n'as pas de pantalon.

Gino lui fit une grimace et s'éloigna sur le parking, le portable à l'oreille.

Magozzi trouva un banc à l'ombre devant la serre et s'assit près d'une pile de sacs en plastique qui sentaient le chocolat. La circulation du dimanche matin commençait à s'intensifier sur l'autoroute, mais c'était à peine s'il la percevait à travers l'épaisse haie de persistants qui séparait la pépinière de la rue. Grâce à cette haie, la propriété représentait une oasis de calme au milieu de la ville ; agréable pour faire ses courses, vivre... ou descendre un vieil homme en pleine nuit sans craindre d'être vu.

Deux techniciens de scène de crime étaient encore à l'intérieur, traitant la zone située autour de la table où Lily Gilbert avait allongé son époux. Deux autres étaient dehors, essayant de repérer une scène sur l'asphalte détrempé par la pluie, là où elle disait l'avoir trouvé, mais, pour Magozzi, ils n'avaient guère de chances d'aboutir. A dessein ou non, Lily Gilbert avait fait disparaître tous les indices que la pluie n'aurait pas effacés.

Il détestait déjà cette affaire car il se doutait de la tournure qu'elle allait prendre. On ne zigouillait pas des vieillards pour le plaisir. A moins qu'il n'y ait eu vol, la liste des suspects était toujours limitée et ne comportait très souvent que des membres de la famille. Aux parents s'assassinant les uns les autres il préférait les psychopathes drogués jusqu'à l'os. Les parents assassins, c'était ce qu'il y avait à ses yeux de plus monstrueux.

Gino revenait vers lui à travers le parking, son large visage rosissant déjà au soleil, son 9 mm dans son holster rebondissant à la ceinture de son bermuda écossais. Il se laissa tomber sur le banc, essuya la sueur qui se formait sur son front.

— Tu te rends compte qu'il neigeait la semaine dernière ? Merde, il fait une chaleur d'étuve ici. Et il n'est même pas encore midi. J'aimerais que le fils rapplique, qu'on puisse se tirer.

— Qu'est-ce qu'il a dégoté, Langer ?

Gino se pencha en avant en se frottant les mains.

— Ecoute ça. McLaren et lui sont dans une baraque pleine de sang et sans corps. De leur côté, Tinker et Peterson sont près de la voie ferrée, ils ont un corps mais pas assez de sang. Grâce au portable, cette merveille de la technique, ils se contactent et voilà : il s'avère que le vieux qui est propriétaire de la maison sanglante est vraisemblablement le type qu'on a retrouvé attaché à la voie ferrée. Ils vont faire identifier le corps par la femme de ménage, mais ça a l'air de coller.

Magozzi se redressa quelque peu, fronçant les sourcils.

— Tu parles d'un mystère…

— Sans déconner. D'après ce qu'ils ont pu conclure, quelqu'un a descendu ce vieillard chez lui, le touchant à une artère au bras, et là, tiens-toi bien, l'inconnu lui a posé un garrot pour lui éviter de se vider de son sang avant d'arriver près de la voie ferrée. Macabre, non ? Le tueur inconnu voulait qu'il voie le train arriver. Anant va l'examiner. Il penche pour une crise cardiaque.

— Putain de merde !

Magozzi cogita un bon moment, pas vraiment ravi du résultat de ses réflexions.

— Il est mort de trouille, alors ?

— M'en a tout l'air. De toute façon, on lui a tiré dessus avec un 45, et notre gars ici a été plombé avec un petit calibre, et les modes opératoires n'ont rien à voir.

— Donc, pas de lien entre le nôtre et le leur.

— Si ce n'est qu'ils étaient vieux tous les deux et habitaient le même quartier.

Magozzi se frotta les yeux, constata que ses paupières étaient trempées de sueur.

— Ça ne me plaît pas beaucoup.

— A moi non plus. Mais rien d'autre ne colle, alors on cherche deux tueurs.

Gino jeta un coup d'œil aux sacs en plastique qui jouxtaient le banc.

— C'est ça que la vieille dame a déplacé toute seule ?

Magozzi ferma les yeux et sourit.

— Non. C'est ceux qu'elle m'a fait porter. Quinze kilos chacun. J'ai bien cru que j'allais crever.

— Tu parles d'un inspecteur de la Criminelle ! Il effectue des gros travaux pour une femme suspectée de meurtre !

— Elle est vieille. Elle me l'avait demandé. Faut respecter les anciens. Et puis mon orgueil de macho était en jeu, vu qu'elle portait des sacs de vingt-cinq kilos pleins de terre à rempoter...

— Alors tu crois qu'elle a réussi à déplacer le corps ?

— Et elle a utilisé une brouette pour le transporter à l'intérieur.

— Putain, ça fait froid dans le dos. Elle a transporté son mari mort dans une brouette. Mais ce qui fout encore plus les jetons, c'est de penser qu'elle lui a donné un bain, et qu'elle l'a rasé. Laisse-moi te dire que ça, ça m'a drôlement interpellé. Et ne viens pas me raconter que c'est comme ça qu'on faisait dans le temps. De toute façon, on n'est plus dans l'ancien temps, et c'est rudement bizarre.

Magozzi haussa les épaules.

— Pour certaines personnes âgées, c'est peut-être toujours l'ancien temps. Mais ça me chiffonne, moi aussi. Je crois qu'il y a peut-être autre chose...

— Ouais ? fit Gino.

— Je ne crois pas qu'elle l'ait tué, mais il y a autre chose que nous n'avons pas encore découvert.

— Quoi ?

— Je sais pas. Une impression que j'ai. Pourquoi ces sacs sentent-ils le chocolat ?

— C'est du mulch à base de fèves de cacao. Tu en répands autour de tes plantes, dans les allées. Comme ça, quand il pleut, ça sent les barres chocolatées Hershey. Génial, non ?

— Je ne sais pas. Comment empêches-tu les mômes des voisins de les manger ?

— Tu leur tires dessus.

Ils levèrent la tête alors qu'une Mercedes décapotable flambant neuve virait dans l'allée de la pépinière et s'immobilisait dans un crissement à moins de deux centimètres de la voiture de patrouille qui bloquait le passage. Le conducteur n'avait pas l'air inquiétant – entre deux âges, du ventre, vêtu d'un coûteux costume qui, bien que froissé, n'en avait pas moins de la gueule –, mais lorsque le flic posté devant l'entrée de l'allée tenta de l'intercepter, il se mit à danser sur place comme un troll en folie.

— Ce doit être le fils, avança Magozzi.

Gino dévisageait le nouveau venu avec un petit sourire idiot.

— Putain de merde, Leo ! Tu sais qui c'est ? C'est Jack Gilbert.

— Ouais, le fils. C'est ce que je viens de te dire...

— Non, non. C'est *le* Jack Gilbert. L'avocat spécialiste des affaires d'accidents corporels. Celui qui fait cette pub merdique à la télé. Le Jack Gilbert qu'il ne faut en aucun cas essayer d'entuber. Celui-là. Putain, le pauvre Marty. Se taper un salopard comme ça en guise de beau-frère, c'est pas un cadeau !

Gilbert engueulait l'agent maintenant, ponctuant ses insultes de violents moulinets du bras qui le faisaient ressembler à un moulin pris de folie.

— Bon sang, regarde-le. Ces putains d'avocats se figurent que le monde leur appartient.

Magozzi se leva et fit signe à l'agent de laisser passer Gilbert.

— On peut comprendre. Ce gars-là vient d'apprendre que son père a été assassiné, et sa propre mère n'a pas été foutue de lui donner un coup de fil pour l'avertir...

— Ce n'est pas pour autant que ce n'est pas un salaud.

Gino se leva de mauvais gré alors que Gilbert fonçait vers eux.

— C'est vous, les inspecteurs ? fit le nouveau venu en examinant le bermuda de Gino d'un air soupçonneux.

— Oui, monsieur. Inspecteur Rolseth, et voici l'inspecteur Magozzi.

Gilbert tendit une paume baignée de sueur et leur serra la main tandis qu'il dansait d'un pied sur l'autre.

— Jack. Jack Gilbert.

Magozzi, qui allait lui présenter ses condoléances, n'en eut pas le temps.

— Que s'est-il passé ici, messieurs ?

— L'enquête ne fait que démarrer, monsieur Gilbert. Nous n'avons même pas encore fini d'interroger...

— Nom de Dieu !

Gilbert se plaqua les mains sur les yeux.

— Je n'arrive pas à croire que ça ait pu se produire. Il y a dans cette ville une centaine de personnes qui veulent ma peau, y compris ma femme, et c'est mon père qui se fait descendre...

— Ça vous ennuie de me dire qui veut vous tuer, monsieur Gilbert ? Indépendamment de votre femme.

— Je suis spécialiste des accidents corporels... je vais vous faxer une liste. Bon sang, c'était un vieillard. Qui pourrait bien vouloir zigouiller un vieillard, putain ? Où est ma mère ? Où est Marty ?

— A l'intérieur, monsieur Gilbert. Mais si cela ne vous embête pas, nous avons quelques questions à...

Magozzi resta la bouche ouverte tandis que Gilbert filait sans un regard en arrière.

— Intéressante, ta façon d'interroger les gens, commenta Gino. Il a dû être drôlement impressionné. Quoi qu'il en soit, on pourrait peut-être approfondir. Lui poser une ou deux questions de routine que tu as oublié de lui soumettre, genre : où était-il la nuit dernière, est-ce qu'il a tué son père, des trucs dans ce goût-là.

Magozzi lui jeta un regard furieux, puis remarqua un « tenue » qu'il n'avait pas vu avant en train de se baisser pour franchir le ruban de scène de crime. Le gars se dirigea droit sur eux.

— Tu le connais, ce mec ?

Gino loucha dans la direction indiquée.

— Putain, oui. C'est Al Viegs. Surtout, ne fais pas de réflexion sur ses cheveux.

— Ah bon ?

— Il vient de se faire poser des implants. Il a une drôle de touche. Des petites touffes de cheveux et des trous partout.

Magozzi se surprit à examiner la tête du type qui approchait.

— Merde, Gino, autant me demander de ne pas regarder un éléphant.

— Ouais, je sais... Hé, Viegs !

L'agent lui adressa un hochement de tête tandis que Magozzi fixait les dessins étranges de son cuir chevelu rose.

— Berman et moi, on vient de finir l'enquête de voisinage dans le pâté de maisons. Faudra qu'on repasse, parce qu'il y en avait quelques-uns qui n'étaient pas chez eux, mais la plupart étaient au gîte. C'est dimanche.

— Attends que je devine, fit Gino. Personne n'a rien entendu, personne n'a rien vu.

Viegs hocha la tête en signe d'assentiment.

— Exact. Mais... c'était bizarre.

Il jeta un regard autour de lui, s'éclaircit la gorge, frotta les pieds par terre.

— On est allés dans une vingtaine de résidences et de commerces. Et bon sang, ça nous a fait un drôle d'effet.

Magozzi cessa de fixer le crâne de Viegs pour river ses yeux dans les siens.

— Comment ça ?

Viegs haussa les épaules en signe d'impuissance.

— Des tas de gens se sont mis à pleurer. Des tas. A peine on leur annonçait que M. Gilbert était mort qu'ils se mettaient à chialer. Les hommes, les femmes, les enfants. C'était horrible.

Le regard de Magozzi se fit acéré. Cela devenait vraiment intéressant.

— Je ne pige pas, poursuivait Viegs. On est en ville. La moitié des gens ne connaissent même pas leurs voisins de vue. Aussi quand on tombe sur un truc pareil, fit-il en désignant la rue de la tête, on se pose des questions...

Gino se mit debout et par-dessus l'épaule de Viegs considéra l'allée déserte.

— De quoi tu parles ?

— T'es sorti dans la rue, récemment ?

— Pas depuis qu'on est là.

Viegs agita le pouce vers l'allée.

— Allez-y, alors. Faut que vous vous rendiez compte par vous-mêmes.

Gino et Magozzi traversèrent le parking, franchirent la haie... et s'immobilisèrent, sidérés. Le trottoir était noir de monde. Des gens de tous les âges et de toutes les origines. Certains pleuraient en silence ; d'autres avaient la mine sévère et stoïque ; tous étaient parfaitement immobiles, parfaitement silencieux. Magozzi sentit ses cheveux se hérisser sur sa nuque.

Gino regardait la scène tandis que d'autres personnes traversaient la rue et venaient se joindre à celles qui étaient déjà rassemblées.

— Seigneur, chuchota-t-il. Qui était donc cet homme ?

Un grand gamin blond près du ruban n'arrêtait pas d'agiter la main pour attirer leur attention. Magozzi s'approcha et se pencha vers lui.

— Je peux faire quelque chose pour toi, mon grand ?

— Euh… c'est vous, les inspecteurs ?

— En effet.

Le gamin était probablement plutôt mignon en temps ordinaire. Mais là, son visage était marbré, rouge, ses yeux tout bouffis.

— Je suis Jeff Montgomery ? Et voici Tim Matson ? On bosse ici. M. Pullman nous a dit de rester chez nous, que vous voudriez peut-être nous parler ? Mais on a pensé qu'il fallait qu'on vienne, vous voyez ?

Magozzi leur trouva l'air de deux chiots perdus. Il souleva le ruban et leur fit signe de se baisser pour passer dessous, se retenant de leur tapoter la tête et de leur dire que tout irait bien.

7

En l'absence de suspects évidents, la première journée d'enquête dans une affaire d'homicide est consacrée à d'innombrables interrogatoires et vérifications qui dévorent des heures assurément précieuses. Quand on avait de la chance, on captait une étincelle – des bribes d'information susceptibles de vous conduire dans la bonne direction. Magozzi et Gino n'avaient pas eu cette chance. Quatorze heures d'enquête dans l'affaire Gilbert, et ils n'avaient toujours pas la moindre amorce de lueur.

Magozzi gara la voiture dans la rue près de l'hôtel de ville. L'espace d'un instant, Gino et lui restèrent assis dans le noir.

« Tu sais quel est ton problème, Leo ? Tu prends les meurtres trop à cœur. »

Cette phrase, prononcée des années plus tôt par son ex-femme, le laissait encore interdit. L'aveu de ses infidélités à répétition avait perdu de sa force ; mais ça, non. C'était la première fois qu'il avait envisagé la possibilité que le meurtre pût ne pas être quelque chose de personnel pour tout le monde, et il n'arrivait toujours pas à s'accoutumer à cette idée.

Question d'empathie pour la victime, supposait-il. Pas une fois il n'avait été capable de regarder un corps en prenant la distance qui lui aurait permis de n'y voir justement qu'un corps. Certains flics étaient capables de cette distanciation. Certains étaient obligés de le faire, sous peine de devenir cinglés. Magozzi n'y était jamais parvenu. Pour lui, il ne s'agissait jamais d'un simple corps ; c'était toujours une personne qui était morte, et cela faisait une grande différence.

Mais là, c'était encore pire. L'enquête venait de commencer et il n'était pas seulement désolé pour la victime : il était navré de n'avoir pas connu cet homme, et c'était une première pour lui.

— La journée a été longue, dit Gino.

— Trop longue. Trop de gens affligés. J'aimerais bosser sur une affaire où tout le monde détesterait la victime.

Gino grommela :

— C'est pas près de se produire. Un mort, personne ne le hait. Ça ne se fait pas. Tu peux être le plus salaud des mecs de la planète, une fois qu'on t'a mis dans ton cercueil pour t'exhiber devant ceux qui ne pouvaient pas te voir en peinture de ton vivant, les gens se débrouillent pour dire quelque chose de sympa à ton sujet. Ça tient du miracle.

Magozzi regarda la rue déserte par le pare-brise. Gino avait peut-être raison. La mort avait peut-être conféré à Morey Gilbert comme aux autres une stature qu'il ne possédait pas de son vivant. Mais, au fond de son cœur, il ne le croyait pas.

Gino garda le silence une minute. Puis :

— Toutefois, je crois que c'est différent pour celui-là, Leo.

— Ouais, je sais. Je me disais la même chose.

Magozzi ferma les yeux, revoyant la foule affligée massée devant la pépinière. C'était le genre de rassemblement spontané qu'on s'attendait à voir lorsque mourait une célébrité, ou une figure adorée du grand public ; pas un individu lambda dont personne n'avait jamais entendu parler. Les médias avaient couvert l'événement, mais essentiellement parce qu'il avait ralenti le trafic sur le boulevard. Eux non plus n'avaient jamais entendu parler de Morey Gilbert, et leur attention avait été rapidement accaparée par l'horreur, juteuse pour l'audimat, que constituait le meurtre d'un autre vieil homme, torturé puis attaché à la voie ferrée.

La *Cinquième* de Beethoven s'échappa de la poche du bermuda de Gino. Il s'empara de son portable avant que l'irritante mélodie ne retentisse de nouveau.

— Bon sang, cette petite va m'entendre... Je vais lui apprendre à avoir du respect pour son père et pour la musique classique.

— Tu devrais t'acheter un étui pour ton portable.

— C'est ça. Un portable dans un étui et mon flingue dans l'autre. Je finirais par me tirer une balle dans l'oreille... Ouais, Rolseth à l'appareil.

Lorsque Gino alluma le plafonnier et se mit à prendre des notes, Magozzi sortit de la voiture. Il s'adossa contre la portière, appuya sur une touche de son propre portable et attendit que le répondeur fasse entendre son bip à l'autre bout du fil.

— Ici Magozzi. On est sur une affaire. Je pense être un peu en retard. Je vais essayer d'être là pour dix heures. Rappelez-moi si ça vous fait trop tard ; sinon, à tout à l'heure.

Il ferma son téléphone, remonta en voiture, priant pour que dix heures ne soit pas trop tard, pour que son portable ne sonne pas dans les minutes à venir.

Gino lui agita son carnet sous le nez.

— C'était le gérant de nuit du *Wayzata Country Club*. Jack Gilbert y était hier soir, ainsi qu'il nous l'a dit. Apparemment, il y passe presque toutes ses soirées, en solitaire. Ce qui te donne une idée de ce que doit être sa vie de famille. Mais l'endroit ferme à une heure du matin, et Anant a fixé l'heure de la mort entre deux et quatre heures, si je ne me trompe ?

— Exact.

— En d'autres termes, il avait largement le temps d'aller à la pépinière et de buter son père. Tout le monde est suspect, dans la famille. La vieille dame était seule à la maison, son fils et son gendre étaient censés avoir du vent dans les voiles et ne se souviennent strictement de rien.

Il poussa un soupir, remisa son carnet dans la poche de sa chemise.

— Personne n'a d'alibi. C'est moche. Qu'est-ce que tu en penses ?

Magozzi tendit le bras vers le siège arrière pour attraper l'un des deux sacs en papier graisseux qui avaient sûrement taché le siège.

— Cette voiture va empester le barbecue pendant au moins un an. Redis-moi pourquoi on a acheté de quoi dîner...

— Parce que si on avait envoyé Langer, il serait revenu avec des carottes et des saloperies végétariennes.

Minneapolis s'habillait de lumière pour la nuit. C'était une jolie ville, songeait l'inspecteur Langer, contemplant les rectangles jaunes d'une tour lointaine qui s'élevait dans le ciel nocturne telle une échelle dorée. Pas le genre d'endroit susceptible d'engendrer un tel meurtrier.

McLaren, aussi minnesotain qu'irlandais, était persuadé que celui qui avait assassiné Arlen Fischer était originaire d'ailleurs ; de Chicago, peut-être, de New York, ou de toute autre mégapole où vivaient des gens comme les Soprano. Langer avait souri, mais il s'était vu contraint de reconnaître que dans la manière dont le vieil homme avait été tué il y avait effectivement comme un arrière-goût de mafia. Ce genre de créativité s'observait dans peu d'autres domaines.

Il reporta les yeux sur son ordinateur, agita la souris pour ramener à l'écran le rapport qu'il rédigeait. Il détestait rédiger des rapports. Il détestait le jargon policier, qui vous mutilait le cerveau et vous liait la langue. On n'entrait jamais chez quelqu'un, on pénétrait dans une résidence. Les gens n'étaient jamais abattus par balle, ils étaient blessés mortellement par une arme à feu de tel ou tel calibre. Et Arlen Fischer n'avait pas été ficelé à une voie ferrée pour être écrabouillé par le train de marchandises de Chicago, il avait été immobilisé sur la voie avec du fil de fer barbelé. Des conneries, du bla-bla conventionnel et préformaté, voilà ce que c'était. Un flic qui oserait parler comme ça dans la vraie vie, tout le monde se paierait sa tête ; il serait obligé de démissionner.

Il regarda de nouveau les lumières, rêvassant sur sa dernière phrase, se demandant si le chef Malcherson le suspendrait s'il écrivait qu'Arlen Fischer avait été placé sur la voie ferrée pour que le train en fasse de la bouillie pour chats.

— Allons, Langer, le réprimanda McLaren. Magne-toi, tu veux ? Le traiteur est arrivé.

Langer releva brusquement la tête avec la mine coupable de l'écolier à qui on ne devrait jamais attribuer une place près de la fenêtre. McLaren, Gino et Magozzi étaient assis à la grande table de la salle des inspecteurs, sortant des cartons blancs d'un tas de sacs en papier d'où s'échappaient des odeurs de nourriture.

— J'ai presque fini, fit-il en pivotant vers son ordinateur.

— Dépêche-toi, dit Gino gentiment. Ou mon estomac va croire que je suis définitivement brouillé avec ma bouche.

— Où vas-tu chercher tout ça ? fit Magozzi.

— Quoi ?

— Ces expressions.

— C'est mon père. Il avait un faible pour les images.

McLaren, qui avait repéré le sac contenant les petits pains à l'ail, fourra son nez dedans. Tout d'un coup, Gino remarqua :

— Comment se fait-il que Tinker et Peterson ne soient pas là ? Vous ne deviez pas travailler ensemble, tous les quatre ?

— Non. On s'occupe des médias, ce coup-ci. Le chef a interdit Peterson de caméra depuis qu'il a dit à cet arrogant petit péteux de Channel Three qu'il était un arrogant petit péteux...

— Un grand moment de télévision, fit Gino avec un soupir de satisfaction.

— Tu peux le dire, renchérit McLaren. Quant à Tinker, il a été prié de prendre des vacances à compter de demain matin. Toute la gloire me reviendra lorsque Langer aura résolu cette affaire.

Langer sourit tout en appuyant sur la commande impression puis il se leva et s'étira. Il se sentait bien. Etre au bureau après les heures de service, bosser sur une affaire toute chaude, écouter les copains plaisanter... Pour la première fois depuis des années, il commençait à se dire que tout allait de nouveau être bien.

Il attaquait la seconde moitié de sa cinquième aile de poulet grillé tout en essayant de se souvenir s'il avait encore cette bouteille de Maalox dans le tiroir du bas de son bureau, lorsque Magozzi posa une question qui lui rappela qu'il n'y aurait peut-être pas assez de Maalox dans le monde.

— Marty Pullman et toi, vous étiez assez proches, pas vrai, Langer ?

Il continua de mastiquer, gagnant du temps. Personne ne s'attendait à ce qu'Aaron Langer parle la bouche pleine. Lorsqu'il déglutit, il eut l'impression d'avaler une touffe de poils de chien.

— C'est quand je me suis occupé du meurtre de sa femme qu'on a fait connaissance.

— On peut dire qu'il nous a mis la pression sur ce coup-là, intervint McLaren. Pauvre type, je le comprends. Sale période.

— Ça, c'est sûr, fit Magozzi. Il était sur notre scène de crime aujourd'hui, au fait.

— M'étonne pas, dit Langer. Il adorait ce vieil homme.

— Marty avait vraiment une sale tête...

— C'est le moins qu'on puisse dire, renchérit Gino.

— Et c'est pour ça que j'en parle. Gino et moi, on en a discuté. On a un mauvais feeling, on pense qu'il est peut-être bien dans un de ces moments de creux dont on a les pires difficultés à se sortir, et on se disait que comme vous aviez été proches...

— On l'a jamais été. Ni l'un ni l'autre.

— Exact. Il était complètement fermé, fit McLaren. La vérité, c'est que c'est un vrai zombie depuis que sa femme a été tuée. Il biberonne toujours autant ?

Gino fit oui de la tête.

— Il m'a dit qu'il s'était réveillé sur le carrelage de sa cuisine, ce matin, près d'une bouteille vide de Jim Beam, et qu'il était infoutu de se rappeler où il avait passé la nuit. « Eh ben dis donc, Marty, je lui ai fait, tu picoles comme ça depuis que tu as quitté la police ? » Il a réfléchi un quart de seconde. Puis il a répondu : « C'est sans doute pour ça que j'ai des trous de mémoire. »

McLaren tressaillit et repoussa les restes de la viande qu'il mangeait.

— Je me disais bien qu'il prenait ce chemin. Je ne me souviens pas de l'avoir vu à jeun une seule fois pendant toute l'enquête. A croire que Morey était la seule chose qui le faisait se tenir debout...

Magozzi haussa les sourcils.

— Morey ? Tu le connaissais assez pour l'appeler par son prénom ?

McLaren eut un haussement d'épaules gêné.

— Cet homme-là, tu le rencontrais une fois, cela suffisait. C'était ce genre de mec. Ça nous a vraiment démolis quand on a appris la nouvelle, ce matin. Comme si cette famille n'avait pas été assez éprouvée. Et je vais te dire autre chose. Ton tueur était un étranger. Personne de ceux qui l'avaient rencontré n'aurait voulu sa mort.

Magozzi froissa sa serviette et s'éloigna de la table.

68

— Ouais, c'est ce que tout le monde dit, mais on a quand même un petit problème... Morey Gilbert a pris une balle dans la tête, presque à bout portant. Ce n'est ni un accident ni un tir impulsif. Ça ressemble plutôt à une exécution.

Langer secoua la tête.

— Impossible. Morey n'aurait pas pu se faire d'ennemis. Tu n'imagines pas tout le bien que cet homme a fait dans sa vie.

— On en a eu une idée, si, dit Gino. Tu as vu la foule devant la pépinière, aujourd'hui ?

— Ouais. On est restés coincés dans l'embouteillage en revenant de notre scène de crime.

— Eh bien, on a un peu tiré les vers du nez aux gens, et ils n'ont pas manqué de nous vanter ses bonnes actions...

Gino lécha la sauce barbecue restée sur son pouce et se mit à feuilleter son carnet :

— J'ai là la liste des personnes dans la mouise à qui il donnait de l'argent, des sans-abri qu'il emmenait dîner chez lui, un type avec un tatouage de gang et un costume Perry Ellis qui a prétendu que Morey Gilbert l'avait persuadé de changer de vie rien qu'en lui parlant...

Langer ne put s'empêcher de sourire.

— Parler, c'est ce qu'il faisait de mieux.

— Et il ne s'en privait pas, fit McLaren avec un sourire. Il était infatigable, ce mec. Mais il ne vous racontait pas des banalités. Il vous sortait des trucs vraiment dingues auxquels vous n'aviez jamais pensé...

— Par exemple ? voulut savoir Magozzi.

— Oh, un jour, Langer et moi, on était allés chez lui, une fois l'affaire élucidée, et c'est là que Morey a découvert que j'étais catholique. Tu te rappelles, Langer ?

— Ouais.

— Bref, il nous fait asseoir dans la cuisine, nous offre une bière et commence à me poser des questions, comme si j'étais un prêtre, un savant ou je ne sais quoi...

McLaren sourit à ce souvenir.

« Alors, inspecteur McLaren... Les catholiques, ils ont des saints. Vous le savez.

— Bien sûr, Morey.

— C'est drôle, ceux qu'ils ont choisis. Jeanne d'Arc, elle tuait les gens à coups d'épée. Et saint François, il parlait aux oiseaux... quel rapport entre les deux ? Je n'en vois aucun. Et ce sont des êtres qui sont censés intercéder pour vous auprès de Dieu quand vous ne pouvez pas l'atteindre directement, c'est ça ?

— Eh bien, oui...

— Alors ma question est la suivante : Moïse, il était en relation directe avec le grand patron. Il lui parlait personnellement comme je vous parle. Si quelqu'un doit intercéder en faveur de quelqu'un d'autre, ça devrait bien être Moïse. Mais Moïse n'a pas été élevé au rang de saint. Comment expliquez-vous cela ?

— Euh, je crois qu'il faut être chrétien pour être un saint.

— Ah ! Vous voyez ? Ça n'a pas de sens, la façon dont vous choisissez ces gens.

— Hé, ce n'est pas moi qui les choisis...

— Peut-être que vous pourriez en toucher un mot à ceux qui sont chargés de ce genre de choses, alors ? Parce que, voyez-vous, ils ont fondé toute leur religion sur Jésus, et même lui ne pouvait être un saint puisqu'il était juif et non chrétien... Vous me suivez ? Ça n'a pas de sens. J'aimerais que vous m'aidiez à comprendre. »

Gino souriait.

— Il était très religieux, hein ?

McLaren réfléchit une minute. Puis :

— Religieux, ce n'est pas le terme. Il réfléchissait beaucoup à tout ça, il essayait de comprendre. Je suppose que c'est normal, étant donné son parcours. Il a été à Auschwitz, vous le saviez ?

Gino fit oui de la tête.

— On savait qu'il avait été dans un camp. L'un des assistants du médecin légiste m'a montré son tatouage, sur la scène de crime.

— Ça m'a scié, laisse-moi te le dire, quand j'ai découvert ça. Je n'avais jamais connu de rescapé des camps. Ces événements, on dirait que ça remonte à des millions d'années en arrière. Voilà un gars qui a vécu un enfer, et quand il en sort, il trouve encore le moyen d'aimer son prochain. Sans blague, les gars, c'était quelqu'un. Vous l'auriez bien aimé.

— Ah, dis pas ça.

Gino se leva et se mit à fourrer les barquettes vides dans un sac.

— J'ai pas envie d'aimer des morts. Ça ne sert à rien. Langer, ces ailes de poulet, tu les termines ou quoi ?

— J'ai fini.

Gino en attrapa une et mordit dedans.

— Pendant que tu étais avec les Gilbert, tu l'as « senti » comment, leur fils ?

— Jack ?

Langer haussa les épaules.

— Il n'était jamais là. C'est un peu la brebis galeuse. Marty m'a dit qu'il était en bisbille avec ses vieux.

Gino jeta dans le sac une aile de poulet qu'il venait de ronger.

— C'était sûrement plus qu'une brouille. La vieille dame ne lui adresse toujours pas la parole.

— Je suis d'accord avec toi, enchérit Langer. Jack ne s'est même pas assis à côté de ses parents aux obsèques de sa sœur.

— Oh, bon sang, fit McLaren avec une grimace. C'était moche, comme spectacle. J'avais presque oublié. Ce type entre deux âges chialant comme un môme, littéralement détruit, il se dirige vers Morey, les bras grands ouverts, et Morey reste planté là à le regarder, puis il fait demi-tour et il s'éloigne. Jack est demeuré tout seul, en larmes, les bras dans le vide. Franchement, c'était pathétique.

Magozzi sentit un frisson lui parcourir la nuque.

— Voilà qui est intéressant. Il aime son prochain et il tourne le dos à son fils en un moment pareil… Un homme que tout le monde s'accorde à trouver formidable ?

— C'est ça, le truc, Magozzi, fit Langer. C'était vraiment un type formidable, et son attitude vis-à-vis de Jack à l'enterrement lui ressemblait tellement peu qu'on ne peut s'empêcher de se demander...

Il hésita.

— ... ce que Jack avait bien pu faire, termina McLaren.

8

Le problème, c'était que Magozzi aimait la regarder, et parfois il avait du mal à détourner les yeux.

— Vous me fixez encore.

— Je ne peux pas m'en empêcher. Je suis quelqu'un de très superficiel.

Grace MacBride sourit mais à peine. Si elle avait dans son répertoire un sourire épanoui, un sourire tout en dents, Magozzi ne l'avait pas encore vu.

— J'ai un service à vous demander, dit-elle.

— Oui.

— Un grand service.

— Allez-y.

Ce n'étaient pas des paroles en l'air. Il était prêt à faire n'importe quoi pour Grace MacBride, et tout ce qu'il demandait en échange, c'était une soirée par-ci par-là en sa compagnie. Une soirée pendant laquelle, assis à la table de la cuisine, ils buvaient du vin et parlaient de tout et de rien tandis qu'il contemplait ses cheveux noirs et ses yeux bleus tout en rêvant de choses qui pourraient arriver si seulement il avait la patience d'attendre suffisamment longtemps.

— Je voudrais que vous vous occupiez de Jackson.

Oh, alors là, ça n'était pas une bonne nouvelle. Jackson était un gamin confié à une famille d'accueil qui habitait à un pâté de maisons de chez Grace, et il n'aurait besoin qu'on s'occupe de lui que si Grace projetait de quitter la ville. Nom d'un chien, Magozzi en avait peut-être trop fait dans le genre patient.

Magozzi décida de se montrer fort, de garder le silence et de faire comme si ça ne le concernait pas, mais il ouvrit la bouche et la vérité en jaillit :

— Grace, vous ne pouvez pas partir. Je dois vous séduire : c'est marqué en tête de mon programme...

— Me séduire ? Alors qu'en six mois vous n'avez pas essayé une seule fois de m'embrasser ?

— C'est une entreprise de longue haleine. De toute façon, vous n'étiez pas prête.

Tendant le bras, elle lui toucha la main. Magozzi se figea. A de rares exceptions près, Grace ne touchait jamais les gens si elle pouvait s'en dispenser. Oh, certes, elle vous attrapait par la main pour vous emmener voir quelque chose qu'elle voulait vous montrer, mais elle ne vous touchait jamais pour le simple fait d'entrer en contact avec vous.

— Tout est prêt, Magozzi. Ça fait des mois qu'on travaille là-dessus. Et maintenant, l'Arizona a des propositions à nous faire...

— Pour l'amour du ciel, Grace, aucun habitant du Minnesota ne se rend en Arizona en été. C'est de la folie.

— Cinq femmes disparues de la même petite ville ces trois dernières années, et tout ce qu'ils ont, c'est une montagne de papier. Exactement ce qu'il nous faut pour tester notre nouveau logiciel.

Magozzi sentit une bouffée inattendue de colère lui monter au visage, il devait être rouge de fureur ; il détourna la tête pour qu'elle ne le voie pas. Grace MacBride avait passé la moitié de sa courte vie à fuir des meurtriers, et que faisait-elle quand elle était enfin en sécurité ? Cette petite idiote se mettait à la recherche d'un autre tueur, allant jusqu'à lui courir après. Elle nourrissait des idées bizarres ; selon elle, en effet, se confronter à ses démons avait une valeur thérapeutique, ce qui se comprenait quand on avait peur de prendre l'avion, par exemple, mais déjà nettement moins quand vos démons étaient des criminels armés, dangereux et probablement fous.

— Vous avez la nuque toute rouge, Magozzi.

Il pivota et la regarda, s'efforçant de garder un ton uni :

— Il n'y a aucune raison pour que vous alliez là-bas. Le programme peut traiter toutes les données d'ici...

— Magozzi... Les cinq enquêtes ont engendré des milliers de pages de notes et des centaines de tuyaux, de nouvelles infos ne cessent d'arriver, et rien de tout cela n'est informatisé. Rien que pour transmettre toutes les données, il faudrait un mois.

— Prenez un mois.

Elle secoua la tête, ses cheveux noirs dansèrent sur ses épaules. Elle le distrayait à dessein, pensa-t-il. C'était sa faute : il n'aurait pas dû lui dire qu'il était superficiel.

— On n'a pas assez de temps. Ce type embarque une femme tous les sept mois, c'est réglé comme du papier à musique. Or six mois se sont écoulés depuis la dernière disparition.

Magozzi se dit qu'il allait flanquer un coup de poing sur la table. Une réaction digne d'un Italien. Sauf qu'il ne se voyait pas faisant une chose pareille. Il n'avait pas hérité du gène de la gesticulation.

— Vous voulez m'expliquer comment vous avez fait pour tomber sur un service de police non informatisé ?

Grace appuya son menton sur sa main.

— Il en existe pas mal, vous savez. Le nôtre n'emploie que quatre hommes, dont l'un est le chef, et même lui doit faire un double service.

Bon sang, ça le mettait hors de lui, qu'elle ait des réponses pertinentes à toutes ses questions.

— Et alors ? Et la police de l'Etat ? Le FBI ? Les Texas Rangers ? Ceux qui leur donnent un coup de main quand il y a des meurtres en série ?

Grace fit une grimace.

— Les fédés et la police d'Etat ont mis la main à la pâte au début, mais techniquement toutes les affaires sont encore classées comme des disparitions, non comme des homicides. Pas de corps, pas de scène de crime, peu d'intérêt dans la presse une fois qu'on a su que les victimes n'étaient pas exactement des citoyennes modèles. La plupart avaient un casier – fugueuses, toxicos, prostituées –, elles ont eu vite fait de se retrouver en bas sur la liste des priorités.

Magozzi éprouva un élan d'espoir.

— S'il n'y a pas de corps, qu'est-ce qui les rend aussi sûrs d'avoir une série d'homicides sur les bras ? Les fugueuses, ça se planque. Elles sont peut-être encore cachées quelque part...

L'impatience commençait à gagner Grace.

— C'est exactement le type d'argument qu'on oppose au chef de la police. Quand des femmes de ce genre disparaissent et qu'on ne trouve pas tout de suite de corps, la police d'Etat et les fédés retirent leurs billes parce que tout le monde se dit qu'elles sont parties quelque part, voilà tout. Mais le chef est persuadé qu'il y a un tueur en série qui opère dans sa ville, et il nous a convaincus. La dernière victime n'était ni une toxico, ni une prostituée, ni une fugueuse, bien que les types de la police d'Etat l'aient qualifiée ainsi. Elle avait dix-huit ans, elle se rendait en voiture à l'épicerie voisine, à moins de trois kilomètres de là, pour acheter de la glace pour son père. C'était la fille du chef de la police, Magozzi. Cet homme cherche sa gamine, et personne ne veut lui donner un coup de main.

En entendant cela, Magozzi comprit qu'il avait perdu la bataille avant même qu'elle ait commencé. Grace ne courait pas après un meurtrier : elle entamait une croisade. Il ferma les yeux et soupira.

— Notre nouveau logiciel devrait faire merveille, dans une affaire comme celle-là.

Magozzi s'efforça de ne pas avoir l'air dépité car le dépit ne devait pas être digne d'un macho. Ce n'était pas comme s'il ne se doutait pas que cela arriverait. Grace et ses trois associés travaillaient comme des malades depuis le mois d'octobre à la mise au point de ce programme, et maintenant que cela se savait, on les réclamait. L'Arizona ne serait que le commencement. Cela allait faire boule de neige.

Il avait vu l'article concernant ce logiciel dans des revues récentes de la police que recevaient tous les services chargés du maintien de l'ordre à travers le pays, et il imaginait aisément que tous les flics sauteraient dessus, d'autant que le service ne leur coûterait pas un sou.

Le programme FLEE fonctionnait en gros comme un inspecteur informatisé. Il scannait tous les bouts de papier générés dans une affaire d'homicide, les mettait en mémoire, puis les examinait, cherchant les répétitions et les similitudes. Rien n'était perdu ; aucun détail ne passait à la trappe. Chose qui se produisait trop souvent, hélas, lorsqu'une dizaine de flics parcouraient et essayaient de mémoriser des milliers de pages de données. Le logiciel effectuait des recoupements permanents entre les infos qui entraient dans l'ordinateur et d'innombrables bases de données, repérant en quelques heures, entre tous ces éléments, des liens qui auraient demandé des semaines voire des mois de travail à une équipe d'inspecteurs.

Grace lui en avait expliqué l'aspect technique un jour – il en était sorti avec un mal de crâne carabiné. Magozzi se débrouillait bien avec un clavier, mais de là à comprendre ce qui se passait dans un disque dur, c'était une autre paire de manches. Elle avait fini par lui dire, pour faire simple :

« Laissez-moi vous expliquer, Magozzi. Disons que vous avez une victime qui a rédigé un chèque à un antiquaire dans le Nord, quelques mois plus tôt. Disons que ce même jour un livreur qui a un casier pour délits mineurs effectue une livraison chez l'antiquaire. Le programme fera le rapprochement en l'espace de quelques minutes, et vous pourrez creuser les antécédents de cet homme. Un bon enquêteur finira peut-être par faire le lien... »

Pas sûr, s'était alors dit Magozzi. Ils n'avaient pas assez de personnel pour y arriver.

Il avait dû rester un bon moment silencieux et cela avait apparemment inquiété Grace, car elle essaya de l'amadouer en lui proposant de la nourriture. Baissant les yeux sur l'assiette de fraises nappées de chocolat qu'elle avait posée devant lui, il pensa qu'elle ne se battait pas à la loyale. Il aurait été capable de vendre sa mère pour des fraises au chocolat, et Grace le savait.

— Voilà plus d'une semaine qu'Annie est en Arizona maintenant, lui dit-elle.

Ce qui le fit sourire.

Telle était la réaction de la plupart des hommes lorsqu'ils entendaient prononcer le nom d'Annie Belinsky – associée de Grace, et sa meilleure amie. Un seul coup d'œil à cette femme aux rondeurs incroyablement sensuelles, c'était comme assister à une orgie.

— Elle nous cherche une maison à louer, elle a pris contact avec le chef de la police.

— Vous louez une maison ? fit Magozzi, son sourire disparaissant. Combien de temps comptez-vous vous absenter ?

Grace haussa les épaules.

— On la louera au mois.

Magozzi ferma les yeux avec un soupir.

— Il faut que j'y aille, Magozzi. Il faut que je fasse quelque chose.

— Et le travail que vous faites à Minneapolis ? Votre logiciel nous a permis d'élucider trois homicides qui étaient restés en suspens pendant des années. Trois familles qui savent enfin à quoi s'en tenir. Et vont pouvoir faire leur deuil. Trois meurtriers identifiés. Ce n'est pas rien, ça.

— Magozzi.

— Quoi ?

— C'étaient de vieilles affaires.

— Je sais. Et nous en avons des centaines comme ça sur les bras. Pas plus tard que ce matin Gino m'a apporté un autre dossier...

— Deux des meurtriers étaient morts, le troisième était à l'hôpital des anciens combattants, à baver devant des dessins animés...

Magozzi fronça les sourcils et tendit le bras vers la bouteille de vin. Peut-être que s'il la faisait boire elle cesserait de dire des choses sensées.

— Comprenez-moi bien. Je suis heureuse d'avoir pu vous aider, et ces affaires nous ont permis de tester notre logiciel. D'éradiquer des bugs. Mais des tueurs sévissent un peu partout en ce moment même. Et nous, on est là, à bosser sur des affaires qui n'en sont plus, alors que ce programme pourrait permettre de sauver des vies.

Magozzi la regarda dans le blanc des yeux.

— Je suis italien. La culpabilité et moi, ça fait deux. Mais il n'en va pas de même pour vous.

— Ce qui signifie ?

— Que vous vous en voulez toujours pour les meurtres de Monkeewrench.

Grace tressaillit. Monkeewrench avait été le nom de leur société d'informatique, du moins avant de devenir le nom donné par les médias à un tueur et à une série de meurtres incroyables qui avaient failli paralyser Minneapolis, l'automne précédent. Ils se cherchaient un nouveau nom, depuis.

— Evidemment qu'on s'en veut, dit-elle d'un ton uni. Comment pourrait-il en être autrement ? Mais quelle que soit notre motivation, c'est une bonne chose, et vous le savez.

Elle approcha une fraise de la bouche de Magozzi et le regarda, fascinée, mordre dedans. Ce fut un instant d'intimité presque sexuelle comme Magozzi n'en avait jamais connu avec Grace, qui dissipa sa frustration tel un coup de feu. Bon sang, il s'en voulait d'être aussi superficiel.

Elle faillit sourire, de nouveau.

— Alors vous vous occuperez de Jackson ?

Si tu me donnes encore la becquée comme ça, je l'adopte, songea-t-il.

— Je n'arrive pas à croire que vous allez abandonner ce pauvre petit orphelin, dit-il.

— Il a une très gentille mère adoptive. Il l'aime de plus en plus, bien qu'elle soit blanche.

— Ce gamin vous adore, Grace. Il se pointe chez vous tous les jours. On ne laisse pas tomber comme ça des gens qui vous aiment de cette façon...

Il s'arrêta, se demandant si ce n'était pas cela qui l'incitait en partie à s'en aller. L'affection qu'on pouvait éprouver pour quelqu'un était une chose éminemment dangereuse parce qu'elle risquait de déboucher sur la confiance et peut-être même sur l'amour. Or, dans le passé brutal de Grace, les gens qu'on aimait et en qui on avait placé sa confiance tentaient presque toujours de vous tuer.

— Ce départ, ce ne sera pas avant deux, trois jours, fit Grace, essayant de le raisonner. Le véhicule est prêt, mais Harley et Roadrunner doivent encore vérifier l'électronique embarqué.

Magozzi vida son verre, tendit de nouveau le bras vers la bouteille.

— Deux, trois jours ? Nom d'un chien, Grace, ça fait court, comme préavis. C'est beaucoup trop tôt. Il va falloir que j'active le mouvement pour l'opération séduction. Je n'ai même pas encore aperçu vos chevilles. En fait, je ne sais même pas si vous avez des chevilles.

Elle baissa les yeux sur les bottes d'équitation qu'elle portait quotidiennement depuis dix ans, depuis qu'elle avait croisé la route d'un homme qui tailladait les talons d'Achille de ses victimes pour les empêcher de s'enfuir.

— Je reviendrai, Magozzi.

— Quand ?

— Quand je pourrai enlever mes bottes.

Harley Davidson habitait à moins de deux kilomètres de chez Grace, dans le seul quartier des Twin Cities qu'il estimait digne d'un homme possédant sa fortune et ses goûts.

Le respect de Saint Paul envers le passé n'était nulle part plus évident que sur la prestigieuse Summit Avenue, vaste boulevard bordé d'arbres qui zigzaguait des falaises aux abords du centre.

Au début du siècle, les magnats du bois de construction, du chemin de fer et des filatures s'étaient installés dans ce secteur, érigeant d'imposantes demeures sur les falaises et le long de Summit, les nouveaux arrivants essayant de faire mieux que ceux qui les avaient précédés. Un siècle plus tard, bon nombre de ces vastes résidences étaient intactes et avaient été amoureusement restaurées, par les héritiers qui n'avaient pas dilapidé la fortune familiale, par la Minnesota Historical Society ou par des nouveaux riches.

Harley faisait partie de ces nouveaux riches, au grand dam de ses voisins ultraconservateurs. Le soir, quand il faisait beau, on le voyait souvent arpenter les rues, massif et tout en muscles, en cuir et bottes de moto, sa barbe noire et sa queue-de-cheval se balançant au gré de ses pas. Les habitants du quartier lui trouvaient l'air effrayant, avant même d'être suffisamment près pour distinguer ses tatouages.

Sa maison était une monstruosité à tourelles de grès rouge, entourée d'une haute clôture de fer forgé terminée par des pointes si grosses qu'on aurait pu y embrocher un éléphant. La massive porte d'entrée franchie, on avait l'impression de pénétrer dans un château bavarois tout droit sorti d'un conte des frères Grimm. Des centaines de mètres carrés de lustres en cristal d'importation, des meubles anciens d'un goût exquis, aussi surdimensionnés que leur propriétaire, du bois foncé sculpté à la main qui luisait « comme les prunelles d'une prostituée espagnole », selon la formule de Harley, ce qui en disait long sur les raisons pour lesquelles ses voisins ne voyaient pas sa présence d'un bon œil. Il avait fait équiper la maison d'une sono qui décoiffait un maximum et passait en permanence du hard rock ou de l'opéra, selon qu'il était seul ou en compagnie d'amis, parce que l'opéra faisait parfois pleurer Harley Davidson.

L'année précédente, en octobre, après le bain de sang dans le loft qui abritait les bureaux de Monkeewrench, ils s'étaient installés provisoirement au deuxième étage de chez Harley tandis qu'ils travaillaient sur FLEE. Jusqu'au moment où Annie était partie pour l'Arizona, il y avait une semaine de cela, Harley avait hébergé pendant près de six mois Grace, Annie et Roadrunner, et il aurait bien aimé les garder sous son toit. Même après le départ de ses collègues, le soir, leurs odeurs semblaient s'attarder dans la vieille maison, donnant l'impression qu'une famille entière l'habitait, et Harley trouvait cela très agréable.

Ce soir, Roadrunner et lui étaient dans la remise aux calèches – une merveille sur deux niveaux avec un sol pavé et des lambris de chêne sur toute la hauteur des murs jusqu'au plafond. Là aussi il y avait des lustres en cristal, ce que Roadrunner ne pouvait s'empêcher de trouver un peu excessif. En outre, il regrettait les stalles des chevaux et les appartements des lads sis au premier étage, qui étaient encore là lorsque Harley avait fait l'acquisition de la propriété.

Pour l'heure, l'énorme espace, occupé jadis par des calèches, des voitures et des chevaux pour les tirer, abritait des chevaux d'une tout autre nature. Le camping-car avait été livré dans la journée, ses installations personnalisées étant enfin terminées. C'était un monstre à la cuirasse argentée, aux vitres teintées, qui détonnait complètement dans ce décor.

— On dirait un bus.

Roadrunner était campé devant le véhicule, les mains sur les hanches, les yeux presque au niveau du vaste pare-brise, qui se trouvait à un mètre quatre-vingt-quinze du sol. Il était venu de Minneapolis sur son vieux vélo à dix vitesses et portait un des ensembles de cycliste en Lycra qu'il affectionnait – un noir, ce soir, parce qu'il s'attendait à du travail salissant.

— Ce n'est pas un bus. Ne l'appelle pas comme ça. C'est un luxueux autocar, et il s'appelle Chariot.

Roadrunner roula les yeux.

— Pourquoi te sens-tu toujours obligé de donner des noms à des objets inanimés ? J'ai horreur de ça.

Ta maison, ta queue… Faut toujours que tu leur donnes un nom !

— Ma queue n'est pas inanimée.

— C'est toi qui le dis. Si tu dois passer tout ton temps libre à trouver des noms aux choses, essaie donc d'en trouver un à la société.

— Ça fait six mois que je me creuse la cervelle. Comment rebaptiser Monkeewrench ? C'est un… sacrilège.

— Ouais. Je sais. C'est comme rebaptiser un môme de dix ans.

— Exactement.

— Mais il faut qu'on le fasse.

— Sans doute.

Ni l'un ni l'autre ne sautaient de joie à l'idée de donner un nouveau nom à la société. Ils avaient été Monkeewrench pendant dix ans, et ce nom avait fini par faire partie de leur identité.

— Gecko, fit soudain Roadrunner.

— Qu'est-ce qui t'arrive ? Tu éternues ?

— Gecko. On devrait l'appeler… Gecko Incorporated…

Harley ouvrit une bouche comme un four.

— Tu déconnes ? Un gecko, c'est un lézard !

Roadrunner haussa les épaules.

— On resterait dans le registre des animaux, comme ça. Je trouve que c'est pas une si mauvaise idée.

Harley ouvrit la grosse portière hydraulique et gravit lourdement les marches d'un air écœuré.

— Ouais, eh ben moi, je crois qu'on devrait s'inspirer de toi… et l'appeler Ducon.

Roadrunner, dépité, lui emboîta le pas et franchit le marchepied à son tour, mais il eut tôt fait d'abandonner sa moue vexée lorsqu'il fut à l'intérieur du luxueux véhicule. Une moquette épaisse couleur crème recouvrait le sol, des canapés moelleux entouraient une table en bois luisante, tels des marshmallows recouverts de soie, la spacieuse cuisine était équipée de plans de travail en granit et de chromes étincelants, et il y avait du teck à foison.

Harley croisa les bras sur son poitrail massif, un vaste sourire plaqué sur le visage.

— Alors, qu'en penses-tu, mon petit vieux ? Ça ressemble davantage à Buckingham Palace qu'à un engin sur roues, non ?

Les yeux de Roadrunner étaient écarquillés comme ceux d'un gamin un matin de Noël.

— Waouh, c'est impressionnant ! Ça me plaît, toutes ces boiseries.

Harley eut un haussement d'épaules modeste.

— J'avais envie d'un truc qui fasse yacht, sans tous les accessoires de marine. Viens, je vais te montrer le reste. T'as encore rien vu.

Roadrunner traversa à sa suite le véhicule sur toute sa longueur, s'arrêtant un instant pour admirer une salle de bains équipée d'une douche et d'une baignoire. A l'autre extrémité du camping-car se trouvait ce que Harley considérait comme la pièce de résistance – une énorme chambre transformée en bureau. Quatre postes de travail, un mur recouvert d'étagères bourrées de matériel, ainsi qu'une minicuisine équipée d'une cave à vins et d'une cave à cigares pour Harley, et

87

également d'une machine à expressos dernier cri pour Roadrunner.

— C'est là qu'on va installer notre centre de commande mobile, mon vieux. C'est à partir de là qu'on va sévir, et dans tout le pays. Les voyous en pètent de trouille au moment même où je te parle.

Roadrunner finit par réussir à s'arracher à la contemplation de la machine à café.

— Merde, Grace et Annie vont flipper quand elles vont voir ça ! Au fait, où est Grace ? Je croyais qu'elle serait venue passer tout ça en revue…

— Elle n'a pas pu venir ce soir. Elle est dans son nid d'amour avec l'étalon italien.

— Magozzi, tu veux dire ? fit Roadrunner, sceptique.

— Ben… ouais. Qui d'autre ?

Il réfléchit une minute.

— Tu crois qu'ils sont amoureux ?

Harley, interloqué, ouvrit grande la bouche.

— Tu viens d'avoir une révélation ? Tu débarques ou quoi ? Evidemment, qu'ils sont amoureux !

Roadrunner eut une moue boudeuse, comme chaque fois qu'il croyait qu'on l'avait tenu hors du coup.

— Je ne les ai jamais vus se tenir la main. Je croyais qu'ils étaient copains, sans plus.

Harley roula les yeux.

— Bon Dieu, Roadrunner, c'est pourtant pas sorcier ! Un coup d'œil devrait suffire à te faire comprendre qu'il y a anguille sous roche, entre ces deux-là. T'as pas remarqué leurs airs, leurs regards langoureux quand ils sont ensemble ?

— Pour l'amour du ciel ! C'est ça qui te fait dire qu'ils sont amoureux ? Franchement, Harley, tu es un incorrigible romantique. Tu ne vois pas plus loin que le bout de ton nez. Magozzi a peut-être le regard langoureux. Mais pas Grace. Et si tu faisais fonctionner tes cellules grises, tu t'en serais rendu compte. Je le sais bien, que Magozzi en pince pour Grace, et je le plains de toute mon âme, le pauvre. Mais Grace n'est pas prête à le suivre sur ce terrain. Elle ne le sera peut-être jamais, d'ailleurs.

Harley lui jeta un regard furibond. Comme les propos de Roadrunner ne lui plaisaient pas, il décida de ne pas y croire.

— Il ne faut jamais briser les rêves d'autrui en matière de romance. L'amour est une force mystérieuse et imprévisible. Et on a vu des choses plus bizarres qu'un rapprochement entre deux êtres comme Grace et Magozzi. Bon Dieu, qui sait ? Peut-être qu'un jour une représentante du sexe féminin te trouvera séduisant. Le monde est plein de surprises.

9

— Puff ! Viens ici, mon chaton !

La voix de Rose tremblait, et à juste titre. Il était horriblement tard et la vilaine bestiole rôdait toujours dans le jardin, faisant mine d'être sourde.

Petite fille, déjà, elle détestait le noir, et cette crainte n'avait fait que s'accentuer avec l'âge. Aujourd'hui, quelque soixante-dix ans plus tard, elle s'était transformée en une phobie invalidante qui n'avait pas de sens. Elle n'avait pas peur des dangers ordinaires susceptibles de fondre sur une vieille dame vivant seule. Elle n'avait pas peur des cambrioleurs ni des violeurs ; ni même de tomber et de se casser la hanche. Choses avec lesquelles sa fille ne cessait de la bassiner. Non, elle, c'était le noir qui l'effrayait.

Elle esquissa un autre pas sous le porche et aperçut l'espace d'un instant quelque chose de blanc dans le fond du massif de tulipes. Puff semblait visiblement se dire que si Rose s'était escrimée dans le jardin toute la journée, c'était pour lui préparer une litière royale au milieu des fleurs.

— Puff, viens ici !

En guise de réponse, il agita la queue d'un air irrité, histoire de bien lui faire comprendre qu'il ne rentrerait que lorsqu'il l'aurait décidé et pas avant. Son petit cerveau de chat ne saisissait pas qu'une fois que l'obscurité aurait envahi la cour, serait-il en passe d'être dévoré vivant par les chiens du voisinage sous les yeux de Rose, cette dernière serait incapable de se risquer dehors pour voler à son secours.

Seigneur, elle avait horreur d'être comme ça, elle détestait les larmes de frustration qu'elle sentait perler à ses paupières. Pourquoi ce maudit chaton ne se décidait-il pas à rentrer ?

— PUFF, VIENS ICI !

Puff finit par se laisser convaincre. Il trottina jusqu'à sa maîtresse comme s'il venait seulement de remarquer sa présence, sa queue fouettant l'air gaiement. Rose se baissa, le prit dans ses bras, lui murmurant des reproches tandis que des pleurs de soulagement tombaient sur la fourrure de l'animal. Une fois de retour dans sa douillette cuisine bien éclairée, ses larmes se tarirent. Elle versa à Puff de la crème dans un bol, se servit un verre de sherry.

Le téléphone sonna alors qu'elle s'installait dans un canapé aussi vieux et bosselé qu'elle. C'était son gendre – un type qui n'était certainement pas le plus intelligent de la planète et avait de surcroît la réputation d'être un médiocre dentiste, mais était un bon mari pour sa fille Lorrel. Qu'est-ce qu'une mère pouvait demander de plus ?

— Bonsoir, Richard... Oui, ça va. Je suppose que Lorrel travaille encore tard aujourd'hui ?... Evidemment que je me souviens pour demain, je n'ai pas encore perdu la tête, Richard... Cinq heures. Embrassez les petites pour moi, j'ai hâte de les voir. J'ai fait des biscuits.

Rose sourit en raccrochant ; elle souriait toujours lorsqu'elle alluma la télé, persuada Puff de venir sur ses genoux et se mit à sommeiller. Ses petites-filles étaient de retour à la maison après leur trimestre au collège, et demain, ils dîneraient tous ensemble dehors.

Rose se réveilla beaucoup plus tard, désorientée, avec des douleurs partout, le résultat de sa journée de jardinage intensif. Puff avait déserté ses genoux mais elle sentait sa fourrure qui lui chatouillait la nuque. Il s'était installé sur son perchoir préféré – le dossier du canapé –, d'où il aimait regarder par la fenêtre. Elle tendit le bras derrière elle pour le caresser, mais sa main se figea.

Puff grondait.

Elle tâtonna à la recherche de la télécommande et coupa le son.

— Qu'est-ce qu'il y a, mon chaton ?

Au bout de quelques instants de silence, elle perçut comme un froissement venant du dehors, des buissons, derrière elle.

Des juncos[1] dans les thuyas, rien de bien méchant, se dit-elle. La nuit, ces oiseaux se mettaient à l'abri dans les persistants, voletant de branche en branche avec de petits bruits frémissants.

Sauf que ce bruit ne ressemblait pas exactement à un frémissement. C'était plus... fort.

Il y a quelqu'un dehors.

Rose le sentait, tous ses sens le lui disaient à travers tous ces signes auxquels les gens ne prêtent attention que lorsqu'il est trop tard : les petits cheveux qui se hérissaient sur sa nuque, la chair de poule sur ses bras flasques et ridés, et lorsque le grondement sourd émis par Puff augmenta d'intensité elle comprit...

Il y a quelqu'un dehors, de l'autre côté de la vitre, qui m'espionne.

Elle tourna très lentement la tête et distingua dans le noir derrière la vitre deux yeux qui la fixaient.

---

1. Variété de moineaux. *(N.d.T.)*

Pendant un bref moment son corps réagit comme il était censé le faire – son cœur bondit, elle eut des palpitations, le sang se rua de son cerveau à ses jambes, prélude à la fuite, elle eut le visage glacé et baigné de sueur. Mais cela passa aussi vite que c'était venu et Rose se contenta de tourner les yeux vers l'écran muet du téléviseur et de rester tranquillement assise, attendant de se réveiller de ce mauvais rêve.

Ce n'est pas un rêve.

Le froissement cessa, et quelques minutes plus tard, lorsqu'elle eut enfin réussi à trouver la force de se retourner de nouveau, elle constata qu'il n'y avait personne devant sa fenêtre.

Elle attendit pour respirer que ses poumons n'en puissent plus et, là, elle se sentit ridicule, parce que selon toute vraisemblance elle avait rêvé. L'esprit vous jouait toujours des tours dans cet entre-deux-mondes crépusculaire qui sépare le sommeil de la veille ; l'esprit des gens âgés, surtout.

Et c'est alors que la porte d'entrée frémit sur ses gonds et que Rose se mit à trembler de façon si incoercible qu'elle craignit que ses os ne se brisent tel du verre.

Appelle la police.

Elle tendit le bras vers la table jouxtant le canapé mais sa main ne lui obéissait pas comme elle aurait dû, bien au contraire, et elle ne put que contempler sans pouvoir y changer quoi que ce soit ses doigts inutiles qui, se convulsant, s'agitant follement, finirent par renverser le téléphone et le faire tomber par terre.

Le bruit près de la porte d'entrée cessa enfin mais le silence lui sembla bien pire, parce qu'elle avait une peur horrible d'avoir oublié de verrouiller la porte de derrière, et encore plus peur de se lever pour aller vérifier.

Elle resta assise, figée, dans le canapé, vieille dame pathétique qui se disait que si elle demeurait parfaitement immobile, si elle retenait sa respiration, ce qui se préparait ne l'atteindrait pas. L'instant d'après, elle entendit la porte-moustiquaire de derrière s'ouvrir et se refermer avec un petit cliquetis. Mais elle n'arrivait toujours pas à bouger.

La lourde porte intérieure se ferma avec un petit bruit de succion.

Rose ne se retourna pas pour le regarder, aussi avança-t-il jusqu'à se trouver dans son champ de vision et attendit-il qu'elle lève les yeux vers lui. Lorsque ce fut le cas, il sortit une arme de poing de la poche de sa veste et la braqua dans sa direction.

Oh, Seigneur !

Aucun doute, c'était elle qui était visée ; cette fois, elle allait y passer pour de bon.

En ce suprême instant de lucidité, elle retrouva jeunesse, force et courage, et elle se redressa au moment où la balle jaillissait du canon. Le coup qui aurait dû l'atteindre au cœur et provoquer la mort instantanée la toucha à l'estomac. Rose baissa la tête et vit une grosse tache rouge qui allait s'élargissant sur le devant de sa robe de vieille dame.

— Nom de Dieu, fit-il avant de lui tirer dessus de nouveau.

10

Malcherson, le chef de la police, était un de ces grands Suédois bien bâtis à l'épaisse tignasse de cheveux blancs, aux yeux couleur de lac glacé qui lui donnaient un air méchant, dans un visage de chien battu qui lui conférait un aspect lugubre. Un basset à tendances homicides. Il portait ce matin-là un costume à fines rayures – sa façon à lui d'être à la mode.

— J'aime bien votre costume, décréta Gino, se laissant tomber dans un fauteuil à côté de Magozzi.

Magozzi lui jeta un regard d'avertissement dont Gino ne tint aucun compte.

— Très très chouette. Dans le genre mafioso.

Malcherson, qui allait ôter sa veste, se figea et ferma les yeux.

— Ce n'est pas exactement l'impression que j'essayais de donner, Rolseth.

— Je ne disais pas ça pour être désagréable...

— C'est bien ce qui m'inquiète.

Malcherson s'installa à son bureau et d'un doigt manucuré se mit à pianoter sur une pile de dossiers rouges. Il conservait les affaires d'homicide non résolues dans des chemises rouges sans doute parce que cet homme ultraconservateur considérait cette couleur comme aussi choquante que le crime. Magozzi n'avait pas vu ce genre de dossiers sur le bureau de son patron depuis quatre mois.

— Les médias voudraient savoir pourquoi nos anciens se font torturer et assassiner.

Magozzi haussa les sourcils.

— Qui a dit ça ?

— Un stagiaire de Channel Ten.

Malcherson agita un papier rose sur lequel était noté un message téléphonique.

— Des conneries, grogna Gino. Voilà ce qu'on récolte quand on fait son boulot et qu'on reste un certain temps sans homicide à se mettre sous la dent. Deux personnes se font descendre la même nuit, et un abruti des médias essaie de faire flipper toute la ville en criant aux meurtres en série ou à ces foutaises façon Hollywood ! En outre, seule l'une des deux personnes a été torturée, et ce n'est pas la nôtre. Morey Gilbert était mort avant d'avoir touché le sol et il n'avait pas une seule marque sur lui, en dehors de l'orifice d'entrée de la balle.

— Il n'y a donc aucune raison de penser qu'il existe un lien entre les deux crimes ?

— S'il y en a un, fit Magozzi en haussant les épaules, il est trop tôt pour le dire. Les deux victimes étaient toutes les deux âgées, elles habitaient dans le même quartier. C'est à peu près tout. Le nom d'Arlen Fischer n'a éveillé aucun écho chez les Gilbert ni chez leurs employés. Son signalement non plus. A mon avis, ils se souviendraient d'un vieil homme de quatre-vingt-dix ans pesant ses cent cinquante kilos...

— Bien. On va pouvoir étouffer la rumeur concernant les meurtres en série. On va avoir suffisamment la pression avec l'enquête Gilbert.

Plus de trois cents appels ont été enregistrés à ce sujet la nuit dernière et ce matin.

Magozzi arrondit les lèvres. Le chiffre avait quelque chose d'irréel. Vingt appels à propos d'une affaire suffisaient à donner des boutons aux huiles. Trois cents pouvaient briser des carrières.

— Des appels pour Gilbert ou pour le type de la voie ferrée ?

— Le type de la voie ferrée a un nom, le rembarra Malcherson. Arlen Fischer. La plupart des appels reçus à ce sujet émanent des médias, c'est peu comparé à ceux que le meurtre de Gilbert a suscités. Ce qui est surprenant quand on songe à l'aspect particulièrement horrible du meurtre de Fischer. Ce que j'aimerais savoir, messieurs, c'est qui était ce Gilbert...

Gino agita le doigt.

— Exactement la question que j'ai posée quand j'ai vu tout ce monde devant la pépinière hier. Mais en des termes plus imagés...

— Je m'en doute. J'ai vu cette foule aux infos, hier soir. Un flash. Les médias ne s'étaient pas encore jetés là-dessus. Ils n'avaient pas encore fait de recherches sur cet homme. Tandis que maintenant Channel Three est en train de réaliser un documentaire sur lui. Et vous savez comment ils vont l'appeler ? Saint Gilbert d'Uptown.

— Elle est bien bonne, gloussa Gino. McLaren nous a dit que Morey Gilbert lui avait demandé une fois pourquoi les juifs ne pouvaient pas être des saints. Et voilà que maintenant on colle cette étiquette au juif qui a posé la question, alors qu'il n'est même plus là pour s'en réjouir !

— Je suis sûr que ça n'a rien à voir avec le catholicisme. En tout cas, qu'ils soient réels ou imaginaires, la police de Minneapolis ne doit pas laisser les saints se faire buter. C'est en substance ce que disent tous les appels que nous avons reçus. Franchement, je me suis trouvé mal à l'aise de ne rien savoir à propos d'un homme qui avait tant fait pour ses semblables. Un homme qui était, de plus, le beau-père de l'un des nôtres.

Gino se laissa glisser dans son fauteuil et croisa les mains sur son estomac.

— Faut dire que Marty Pullman n'a jamais été un grand bavard. Il gardait pour lui ses histoires de famille. D'après ce qu'on a entendu dire jusqu'à présent, Morey Gilbert pratiquait la charité à grande échelle. Il a dépanné un nombre considérable de gens, et si ce n'est pas là une attitude digne d'un saint, je ne sais pas ce qu'est la sainteté. Le problème, c'est que cela ne fait pas précisément de lui une victime de meurtre crédible.

Malcherson se pencha vers Gino.

— J'ai lu le compte rendu de vos questions à l'inspecteur Pullman. Et ses réponses. Comment l'avez-vous trouvé ?

— Marty ? Il avait une vraie sale gueule. Je ne l'ai pas mentionné dans mon rapport, mais il m'a pratiquement avoué qu'il biberonnait depuis son départ du commissariat, l'an dernier. Il n'a pas été fichu de se rappeler où il se trouvait au moment où son beau-père a été tué. Il m'a dit qu'il s'était réveillé sur le sol de la cuisine, une bouteille vide à la main, c'est tout ce dont il se souvient.

— Vous ne l'avez pas sérieusement soupçonné ?

— Marty ? Bon Dieu, non. Mais fallait que je lui pose la question. Faut toujours se renseigner sur la famille, il le sait. Il y a un truc bizarre, en tout cas, qui concerne son beau-frère, Jack Gilbert. Pour commencer, ça fait une éternité que ce mec a cessé d'adresser la parole à ses parents sans qu'on sache pourquoi – il semble qu'il ait épousé une luthérienne au lieu d'une gentille petite juive, ce que ses parents ont eu du mal à avaler. Intéressant, non ? Par ailleurs, la nuit où son père s'est fait descendre, il était dans le même état que Marty. Ivre. Complètement pété. Au *Country Club* de Wayzata. Il s'est réveillé dans son allée le lendemain matin sans savoir comment. Les gens du club racontent que c'est presque pareil toutes les nuits. On dirait que cette putain de famille se barre en couilles depuis que Hannah s'est fait tuer...

Le chef Malcherson contempla ses mains et, l'espace d'un moment, tout le monde demeura silencieux.

Une année avait beau s'être écoulée, la mention du meurtre de Hannah réussissait encore à mettre un terme aux conversations dans cet immeuble. La violence aléatoire n'était pas chose inconnue à Minneapolis, particulièrement dans les quartiers – heureusement peu nombreux – où les gangs tenaient le haut du pavé et où les passants innocents se trouvaient à l'occasion pris dans des échanges de coups de feu. Mais c'était rare. Aussi, quand il s'agissait du meurtre de la femme d'un policier, le choc était multiplié par mille ; tous les officiers en avaient été profondément affectés.

Il arrivait que des flics soient tués, cela faisait partie du boulot. Mais les membres de leurs familles n'étaient pas censés connaître le même sort. Le meurtre de l'épouse de l'inspecteur Marty Pullman avait été particulièrement déchirant pour eux tous parce que, bien qu'armé lorsque Hannah s'était fait trancher la gorge, Marty n'avait pas réussi à la protéger. Ça leur laissait à penser que leurs familles étaient vulnérables, et ça donnait l'impression qu'aucun d'eux n'était à l'abri d'une telle chose. A cause de cela, un certain nombre d'entre eux en voulaient à Marty.

« Pourquoi n'a-t-il pas tiré sur ce salopard quand il en avait l'occasion ? »

Cette question, Magozzi l'avait entendue cent fois dans les mois qui avaient suivi le drame, et elle le mettait toujours épouvantablement mal à l'aise, surtout lorsqu'elle émanait de Gino.

— Est-ce que l'un de vous connaissait Hannah ? interrogea le chef Malcherson.

— Pas vraiment, fit Magozzi. Je lui disais bonjour quand je la croisais dans le couloir. Elle venait chercher Marty au commissariat, de temps en temps... Je ne peux pas m'empêcher de penser à Mme Gilbert. Sa fille, et ensuite son mari, tous deux assassinés en l'espace d'un an. Je me demande comment on fait pour survivre à un coup pareil.

— Ne t'apitoie pas trop sur la vieille dame, dit Gino. Elle n'a pas d'alibi, elle non plus.

— Gino n'aime pas trop Mme Gilbert, expliqua Magozzi.

— Ce que je n'aime pas, c'est qu'elle a bousillé la scène de crime, qu'elle n'avait pas l'air si affectée que ça par la mort de son mari, et aussi son attitude...

Malcherson fronça les sourcils.

— Quel genre d'attitude ?

— Plutôt hostile, à mon avis. On faisait notre boulot, on essayait de savoir qui avait tué son mari, je lui ai posé une ou deux questions, et elle a pris la mouche.

Malcherson pria d'un air las Magozzi de traduire.

— Gino lui a demandé si M. Gilbert avait eu à traiter des affaires « sortant de l'ordinaire », des affaires « douteuses », et ça ne lui a pas plu.

— Oh.

— En fait, elle l'a mouché.

— Ah.

Malcherson regarda Gino et, l'espace d'un instant, Magozzi eut peur que le chef de la police ne sourie.

— En un mot, vous avez émis des doutes sur l'intégrité de son mari et vous vous êtes attiré une réponse nettement moins aimable que celle à laquelle vous estimiez avoir droit...

Gino se mit à rougir, sa tête parut rentrer dans ses épaules.

— Dommage que vous n'ayez pas été là pour l'entendre, chef.

— Navré qu'elle vous ait froissé, inspecteur Rolseth.

Magozzi réprima un sourire mais il ne fut pas assez prompt, Gino s'en aperçut.

— Hé, Leo, ce n'est pas exactement comme ça que ça s'est passé, et tu le sais. Il y a quelque chose de louche chez cette vieille dame. Elle n'a pas versé une larme et elle a une langue de vipère. Mais il n'y a pas que ça. Est-ce qu'elle s'est effondrée quand elle a trouvé son mari mort ? Non. Elle le charge sur une brouette – une putain de *brouette* –, le dépose sur une table à rempoter, le lave au jet et l'habille de façon qu'il soit présentable. Ce n'est pas ce à quoi on peut s'attendre de la part d'une veuve éplorée. Ça fait plutôt penser à une meurtrière qui a fait de son mieux pour détruire les preuves de son forfait...

Malcherson se renversa dans son fauteuil avec un soupir.

— Vous l'avez interrogée, inspecteur Magozzi, et vous l'avez rayée de la liste des suspects dans votre rapport.

— Je persiste et je signe, du moins pour le moment, dit Magozzi.

Mais il pensait à la scène version Gino – Lily Gilbert traînant son mari tel un sac de sable – et à l'image que lui-même s'était forgée d'une femme âgée folle de chagrin faisant l'impossible pour mettre son mari à l'abri de la pluie et le rendre présentable. Les deux versions fonctionnaient. Simplement, il ne savait pas quelle était la bonne. Assurément, comme le disait Gino, il y avait quelque chose de louche dans tout ça.

— Cette dame est une coriace, ça, c'est sûr, et elle n'est pas très communicative. Peut-être qu'elle en sait plus long qu'elle ne veut bien l'avouer. Peut-être qu'elle protège quelqu'un. Je ne sais pas.

Le visage de Gino s'éclaira immédiatement.

— Pas mal, ton idée. Si ça se trouve, elle couvre ce bon à rien qui lui tient lieu de fils. Elle ne peut pas le voir en peinture, mais c'est son fils, malgré tout. Imaginons un peu... Jack Gilbert est au *Country Club*, il siffle du scotch à pleins godets. Il se met à penser à sa vie, à ses relations avec sa famille, il devient sentimental. Son père n'est plus de la première jeunesse, Jack se dit qu'il est peut-être temps de se rabibocher avec lui. Alors, quand il se fait virer du bar, il décide d'aller lui rendre visite et d'enterrer la hache de guerre une bonne fois pour toutes. Mais les choses ne se passent pas très bien, et il se retrouve avec son père mort et un flingue fumant à la main...

Malcherson haussa un de ses blancs sourcils. Il avait pourtant l'habitude des théories farfelues que Gino sortait à l'improviste de sa manche.

— Corrigez-moi si je me trompe : vous n'avez pas la moindre preuve pour étayer votre brillante théorie...

— Pas la moindre, concéda Gino avec bonhomie. Ça vient juste de me traverser l'esprit.

— Est-ce que Jack Gilbert est connu de nos services ?

— Pas vraiment, fit Gino. Il a écopé en tout et pour tout d'une ou deux contraventions pour conduite en état d'ivresse et de quelques amendes pour excès de vitesse. Ça s'arrête là. Il n'est détenteur d'aucune arme. Que ce soit à son nom ou à celui de sa femme. Mais ça ne veut rien dire. Et il est avocat, spécialisé dans les affaires d'accidents corporels, ajouta-t-il, sans qu'on sache trop pourquoi.

— Faites-moi un rapide résumé des faits.

Magozzi se plongea dans ses notes.

— La routine habituelle, selon Mme Gilbert... Elle est allée se coucher juste après les infos. Morey est resté pour faire de la paperasse et deux ou trois bricoles dans la serre. D'après elle, il se couchait vers minuit, d'ordinaire. Elle ne peut pas confirmer pour la nuit du meurtre.

Malcherson haussa les sourcils, sollicitant par cette mimique un complément d'explication qui lui fut aussitôt fourni :

— Ils font chambre à part, monsieur. Elle dit qu'elle a dormi d'une traite et s'est réveillée à six heures et demie comme d'habitude. Elle l'a trouvé devant la serre peu de temps après. Le médecin légiste estime que la mort a eu lieu entre deux et quatre heures du matin.

— Un peu tard pour jardiner, à cet âge.

— C'est ce qu'on s'est dit, fit Magozzi. De deux choses l'une : soit quelque chose aura retenu Morey Gilbert dehors longtemps après l'heure de son coucher, soit quelque chose l'y aura attiré un peu plus tard.

— Quelque chose ou quelqu'un, peut-être bien son fils, renchérit Gino, revenant à sa théorie. Ou sa femme. Les deux me semblent possibles.

Malcherson lui décocha un de ces regards peinés qu'on aperçoit parfois sur les visages des parents confrontés pour la énième fois à un enfant à problèmes.

— Votre empathie pour les familles affligées fait plaisir à voir, inspecteur Rolseth.

— Le problème, c'est que des affligés, dans cette famille, je n'en vois pas beaucoup, patron.

— Pour résumer, fit Magozzi, je dirais qu'il nous faut en apprendre davantage sur Morey Gilbert, voir s'il n'y a pas une autre direction. Il est peu probable qu'il ait eu des kilomètres d'ennemis ; mais apparemment il en avait au moins un, même si aucune des personnes auxquelles nous avons parlé n'admet cette possibilité – et parmi elles Langer et McLaren, qui en sont venus à bien le connaître alors qu'ils enquêtaient sur le meurtre de Hannah. Il avait des amis très proches – dont le directeur de l'entreprise de pompes funèbres – et nous allons les interroger de nouveau…

Le voyant rouge du téléphone de bureau de Malcherson se mit à clignoter.

— Probablement un autre journaliste, dit Gino. Vous voulez que je prenne la communication, chef ?

Malcherson faillit sourire.

— Excusez-moi une minute, messieurs. Ne bougez pas.

Il décrocha, écouta quelques instants puis prit un bloc dans le tiroir du milieu de son meuble et le posa avec soin sur son sous-main. Il semblait posséder une collection quasi inépuisable de blocs neufs – Magozzi ne l'avait jamais vu se servir d'un bloc entamé, et il se demandait souvent si le patron n'en avait pas un placard plein, qu'il mettait au rebut sous prétexte qu'il en avait utilisé les premiers feuillets.

Gino et lui contemplèrent avec appréhension leur boss qui écrivait avec son Montblanc. Les coups de fil anodins ne nécessitaient pas qu'on prenne des notes aussi abondantes.

— Ce n'est pas une bonne nouvelle, conclut Malcherson lorsqu'il finit par raccrocher. Viegs vient d'être appelé chez quelqu'un. Une vieille dame, trouvée abattue par balle chez elle, ce matin.

Il arracha la feuille de papier, la tendit à Magozzi.

— Même quartier ? demanda Gino.

— Bien vu, inspecteur Rolseth.

Malcherson considéra son bloc – la deuxième page portait la trace en creux de ses fébriles travaux d'écriture, elle était souillée par les notes prises sur un meurtre. Encore un bloc qui allait finir dans le placard.

11

Les deux hommes s'arrêtèrent devant un coquet petit pavillon aux volets d'un blanc éclatant et peint dans un délicat bleu-vert, dont la gaieté attrista aussitôt Magozzi, tant le jaune criard du ruban de scène de crime jurait atrocement avec les couleurs de la maison.

Le jardin ajouta encore à sa mélancolie. Il était plein de massifs de fleurs méticuleusement entretenus qui, d'ici une semaine, seraient envahis de mauvaises herbes, et d'ornements kitsch que seule une grand-mère peut se permettre de posséder et de disposer sur sa pelouse sans courir le risque de paraître ridicule ou ringarde. Il y avait là des bassins pour les oiseaux incrustés de billes, des grenouilles en résine aux yeux en strass, des statues de trolls souriants vêtus d'habits de brocart en verre multicolore. L'un des trolls tenait une pancarte sur laquelle on pouvait lire : « Jardin de grand-maman ».

Gino contempla le troll un bon moment puis détourna les yeux.

L'agent Viegs attendait au soleil près de la porte d'entrée, de petites gouttes de sueur luisant sur son crâne hérissé d'implants.

— Viegs, si on vous retrouve encore sur une scène de crime, on vous colle sur la liste des suspects, dit Magozzi.

— Inspecteur, si je tombe encore sur des meurtres de ce genre pendant mon service, je demande un congé pour déménager ma mère et l'installer dans un endroit sûr. Le Bronx, par exemple. Elle habite dans un immeuble pour personnes âgées, non loin de Lake Street. Ses voisins et elle étaient à deux doigts de faire leurs valises après les deux meurtres d'hier. Celui-ci va être la goutte d'eau qui fait déborder le vase. J'avoue que je ne peux pas leur donner entièrement tort.

— Je comprends. Mais rien ne nous dit que ces deux-là étaient liés.

Viegs haussa les sourcils, au grand dam de ses implants.

— Aujourd'hui, c'est pas deux mais trois morts qu'on a sur les bras. Tous âgés, habitant ce quartier et abattus d'une balle.

— Oui, en effet. Bon, qu'est-ce que vous avez pour nous ?

Viegs soupira et sortit son carnet.

— Rose Kleber. Soixante-dix-huit ans. Veuve, vivant seule. Deux balles, l'une dans l'estomac, l'autre dans la poitrine. Aucun signe de cambriolage ou d'agression sexuelle. Ses deux petites-filles étaient là pour les vacances de printemps, elles sont venues pour lui faire une surprise ce matin, elles ont trouvé la porte de derrière ouverte et leur grand-mère morte à l'intérieur. Elles ont appelé le 911, puis leur mère…

Il marqua une pause, reprit son souffle.

— Elles étaient drôlement secouées, j'ai pris leurs dépositions et j'ai demandé à Berman de les ramener chez elles. Je n'en ai pas tiré grand-chose. C'était une vieille dame, après tout. Elle jardinait, fréquentait le club du troisième âge, faisait des petits gâteaux… Eh bien, chapeau, ils y ont mis le temps !

Gino suivit le regard de Viegs et vit la camionnette de Channel Ten qui s'arrêtait au bord du trottoir.

— Un camion-citerne plein de fuel s'est renversé sur la 494, il y a une heure environ. Tous les reporters de la ville étaient massés là-bas avec leurs caméras, attendant que ce putain de gros cul explose. J'imagine que l'explosion n'a pas eu lieu.

Etablissez un barrage, et faites l'andouille, Viegs. Vous n'êtes au courant de rien, compris ?

— Comptez sur moi. Vous devriez peut-être passer par-derrière. L'équipe de Jimmy travaille dans la pièce de devant.

A peine eurent-ils franchi le seuil que Magozzi et Gino tombèrent sur Jimmy Grimm, dont l'expression était particulièrement solennelle.

— Salut, messieurs. Ça faisait longtemps.

— Et c'est bien mieux comme ça, fit Magozzi en lui tapotant le dos.

Gino se dérida quelque peu, heureux de la diversion.

— Hé, Jimmy ! Je croyais que tu devais prendre ta retraite ?

— C'est vrai. Mais c'était avant de calculer combien j'allais toucher.

Magozzi désigna d'un geste les sacs à mise sous scellés qu'il tenait à la main.

— T'as quelque chose pour nous ?

Les épaules de Grimm parurent s'affaisser sous le poids de la question.

— Pas grand-chose. De la terre, probablement du jardin, des poils de chat en veux-tu, en voilà, et une douille de 9 mm qu'on a extraite du coussin du canapé. L'autre est probablement restée dans le corps de la victime. On dirait que la première balle l'a touchée à l'estomac. Comment peut-on rater sa cible à cette distance, ne pas faire mouche du premier coup ? Ça me dépasse.

— Peut-être qu'il l'a fait exprès.

— Dans ce cas, c'est que notre tireur est un sadique, fit Jimmy.

— Viegs nous a dit qu'il n'y avait pas de traces d'effraction, que ça ne ressemblait pas à un cambriolage.

— Effectivement, confirma Jimmy. Son sac était bien en évidence, avec une liasse de billets dedans, et il n'y a des traces d'effraction nulle part. Ou elle l'a fait entrer, ou alors la porte était ouverte et il est entré tout seul comme un grand.

— Ou peut-être encore qu'il avait une clé, ou qu'il savait où elle en cachait une, ajouta Gino, se promettant d'interroger tous ceux – agents d'entretien, ouvriers, jardiniers ou autres – qui auraient pu avoir besoin d'accéder à la maison pour une raison ou une autre.

— Possible, appuya Jimmy. A propos, la télé était allumée quand on est arrivés, mais je l'ai éteinte après avoir pulvérisé la poudre à empreintes.

Il haussa les épaules d'un air d'excuse.

— Jerry Springer était à l'antenne. J'ai trouvé qu'il y avait quelque chose d'obscène à l'écouter pendant qu'on bossait sur cette scène. Anant se prépare à emporter le corps, si vous voulez jeter un œil avant qu'il l'embarque... Je crois qu'il vous attend, d'ailleurs.

— Merci, Jimmy. On reste en contact.

Grimm s'efforça de sourire. Mais son sourire se transforma en grimace en cours de route.

Tandis qu'ils traversaient la cuisine, Magozzi remarqua une assiette de biscuits maison sur le plan de travail, soigneusement enveloppés dans du film plastique sur lequel on voyait des traces de poudre à empreintes noire.

Le docteur Anantanand Rambachan se tenait immobile, comme en prière, au-dessus du corps de Rose Kleber. Elle était allongée face contre terre au milieu d'un grand cercle d'un brun rougeâtre, près d'un téléphone éclaboussé de sang. Même Anant paraissait interloqué par ce qu'il voyait, ce qui inquiéta Magozzi, car si quelqu'un était capable de donner un sens à ce qui semblait ne pas en avoir, c'était bien le docteur Rambachan. S'il avait du mal à comprendre ce qu'il avait sous les yeux, les autres ne risquaient guère d'y parvenir.

Relevant le nez, il leur adressa un triste hochement de tête.

— Inspecteur Magozzi, inspecteur Rolseth... Ravi de vous voir, malgré les circonstances.

— Vous dites toujours ça, fit gentiment Gino. Je crois qu'on devrait aller se boire une bière un de ces jours, histoire de changer un peu, vous ne croyez pas ?

— Vous avez raison, inspecteur Rolseth.

— Heureux de vous voir, moi aussi, docteur, dit Magozzi.

Rambachan lui adressa un vibrant sourire, qui fit aussitôt remonter en flèche le moral des policiers. Après quoi, il reprit son sérieux pour enfiler une paire de gants en latex et s'accroupit près du corps.

— Je vais retourner cette petite dame, maintenant. Autant vous prévenir, ce n'est pas très joli. Il y a un moment qu'elle est morte, et le sang, quand il ne circule plus, finit par devenir noir, comme vous le savez sûrement.

Ils le savaient, et Anant savait qu'ils le savaient ; toutefois, en dépit de l'avertissement, Gino eut un mouvement de recul lorsqu'il distingua le visage noirâtre de Rose Kleber.

Ils le regardèrent et attendirent ce qui leur parut une éternité tandis que le docteur Rambachan pratiquait l'examen préliminaire sur place, ponctuant le silence d'un commentaire ici ou là, mais le relevé des constatations n'avait rien de spécial, si ce n'est qu'il portait sur le corps d'une vieille dame abattue de sang-froid chez elle alors qu'elle regardait la télé.

Gino, qui n'avait jamais réussi à être aussi à l'aise que Magozzi ou Rambachan en présence de cadavres, commença à donner des signes d'impatience.

— Où est passé le chat ? s'enquit-il finalement. Jimmy nous a dit avoir trouvé des poils de chat en pagaille. Il y a forcément un chat quelque part.

— Je n'ai pas vu de chat, fit Rambachan.

— Je me demande si la famille l'a emmené. Suppose qu'elle l'ait oublié ?

— Dans ce cas, fit Magozzi, la pauvre bête risque de mourir de faim. Tu ferais mieux d'aller à sa recherche.

— Exactement ce que je me disais…

— C'est curieux, marmonna Rambachan, retenant Gino qui n'aspirait qu'à filer sans demander son reste.

Le médecin se pencha et désigna la face interne du bras de Rose Kleber.

— Regardez, messieurs.

Gino et Magozzi s'approchèrent, louchant pour mieux distinguer la marque décolorée.

— On dirait que cette dame a été en camp de concentration, tout comme Morey Gilbert.

— Bon sang, fit Gino, je n'aime pas ça. Mais alors pas du tout.

— Inspecteurs ?

L'un des techniciens de scène de crime sortait de la cuisine.

— Ce n'est peut-être qu'une coïncidence mais j'ai pensé que ça vous intéresserait.

Il brandit un petit carnet d'adresses à la couverture fleurie.

— Elle a noté le numéro de téléphone de Morey Gilbert là-dedans.

12

Jack Gilbert était assis dans une chaise longue au milieu du parking de la pépinière, une glacière pleine de bières à ses pieds. Quelques clients acceptaient les boîtes de Bud qu'il leur proposait au passage, mais la plupart évitaient soigneusement l'homme aux lunettes de soleil roses et au short jaune fluo.

Marty se pointa pour la troisième fois en deux heures, mais ce coup-ci il brandissait un gros tuyau d'arrosage.

— Allez, Jack, debout ! Il est temps de changer de crémerie.

— T'as l'intention de t'en servir, de ce truc ? fit Jack d'une voix pâteuse avec un sourire de guingois.

— Ne tente pas le diable. Bon sang, qu'est-ce qui t'arrive ? Tu fais fuir les clients.

Jack le regarda de derrière ses verres teintés.

— Je ne fais peur à personne. En fait, je fais grimper les ventes d'au moins dix pour cent. Crois-en mon expérience, quand ils ont un coup dans le nez, les gens achètent deux fois plus. Tu vois ce gros type là-bas, celui qui a le dos trempé de sueur sous sa chemise ? Il était venu acheter quelques plants de basilic, mais après lui avoir fait avaler une ou deux mousses, j'ai réussi à le convaincre d'en acheter tout un plateau. Comme ça, il pourra faire du pesto.

— Qu'est-ce que tu fiches ici, exactement, Jack ?

— Eh ben, Marty, je sais pas trop. Je pensais qu'on devait se soutenir entre membres d'une même famille quand il y avait un deuil. Mais en y réfléchissant, je me dis que c'est idiot. En tout cas, ça n'a pas marché comme ça, la dernière fois que quelqu'un chez nous s'est fait assassiner...

Martin eut l'impression d'avoir reçu un coup de marteau en plein estomac. A chaque instant, chaque jour quand il était sobre, il revoyait sa femme se vider de son sang dans ses bras ; mais la voir, c'était une chose, en parler, c'en était une autre.

Jack le dévisagea d'un œil trouble.

— Bon sang, Marty, qu'est-ce que tu t'imagines ? Que Hannah sera moins morte si on ne prononce pas son nom ?

— La ferme, Jack !

— Oh, je vois.

Jack faisait de grands gestes avec sa boîte de Bud, répandant de la bière partout.

— Hannah, c'est encore un des sujets tabous. Un sujet qu'on n'aborde pas dans cette famille : si on n'en parle pas, ça n'a pas existé, pas vrai ? Allez vous faire foutre. Tous autant que vous êtes. Hannah a existé. Hannah était ici. Dommage que vous vouliez l'oublier. C'était la seule Gilbert qui valait un coup de cidre.

Il repoussa ses ridicules lunettes roses sur son nez et jeta un regard de défi à Marty.

— Et tu n'es pas le seul à la regretter.

C'était une chose qu'on ne pouvait pas retirer à Jack. Il avait beau être odieux, agressif, ç'avait beau être l'individu le plus agaçant qui soit, quand il aimait quelqu'un, c'était sans condition ; et ce même si peu de gens lui rendaient son amour. Et sa sœur Hannah, il l'avait aimée par-dessus tout.

Marty poussa un long et douloureux soupir.

— Où est Becky ?

— Ma femme ? Celle que personne dans cette famille n'a jamais rencontrée ? Je crois qu'elle se fait faire des injections de Botox dans les aisselles. Paraît que ça empêche de transpirer, tu étais au courant ?

— Tu sais très bien ce que je veux dire. Pourquoi n'est-elle pas ici avec toi ?

— Comme une brave petite femme aimante soutenant son mari en deuil ? Pour commencer, on ne se parle pas, elle et moi. Et secundo, Lily lui tirerait probablement dessus si elle mettait les pieds à la propriété. Enfin, pour dire les choses franchement, Becky n'en a strictement rien à foutre.

— Désolé, Jack. J'ignorais qu'il y avait de l'eau dans le gaz entre vous.

— Merde, Marty, sois pas désolé. J'ai tiré exactement ce que je voulais de ce mariage. Becky aussi, d'ailleurs. Tu devrais voir ses nouveaux nichons.

Il ouvrit une autre bière et en ingurgita la moitié.

— Tu crois que c'est raisonnable de picoler comme ça, Jack ? Je croyais que tu devais être au tribunal, cet après-midi...

— Pas de quoi s'affoler. C'est juste un coursier à bicyclette qui prétend avoir eu le coup du lapin après avoir été percuté par un camion d'UPS. Le petit salopard. Il voit l'occasion de s'en mettre plein les poches, alors il fait celui qui a les cervicales en compote.

— Tu vas sécher le tribunal ? Bon Dieu, Jack, tu tiens à te faire rayer du barreau ou quoi ?

— Ils ne vont pas me rayer du barreau. Impossible. Je suis en congé pour cause de deuil. Mon père a été assassiné, putain de merde... C'est vraiment dingue, tu ne trouves pas ? Mon vieux avait presque quatre-vingt-cinq balais, et je m'attendais à ce qu'il tire sa révérence sous peu, c'est vrai. Mais bon sang... Une balle dans la tête ? Qui aurait pu prévoir ? Qu'est-ce que tu en penses,

Marty ? T'as une idée, un indice ? Quelque chose qu'on puisse se mettre sous la dent ?

— Laisse les flics faire leur boulot, Jack.

— Mais, Marty, tu es flic !

— Ex-flic.

— Va dire ça à d'autres. Un flic reste un flic. C'est dans le sang. Je parie que ta petite cervelle de pied-plat carbure à cent à l'heure pour essayer de résoudre le mystère. Alors, qui a fait le coup, selon toi ?

— Je n'y ai pas vraiment réfléchi.

— Mon œil.

— Je t'assure, Jack, je n'y ai pas réfléchi.

Jack essaya de le fixer un bon moment.

— C'est quoi, ton problème, Marty ? C'était ton beau-père, putain. T'es même pas curieux ?

Il fallut trois secondes à Marty pour passer en revue les sentiments qui l'habitaient et il conclut que non, il n'était pas curieux.

— C'est pas mon boulot, Jack.

— T'as raison, Marty. C'est pas ton boulot. C'est juste ta putain de famille.

Il se détourna d'un air écœuré.

— T'es encore plus nase que moi, bordel de chiotte !

— Tu devrais modérer ton langage, Jack. Y a des gens bien dans le coin.

Jack émit un grognement.

— Et toi, mon vieux, tu devrais y aller mollo sur la morale. Hé, vous là-bas !

Il brandit sa bière en direction d'une femme qui examinait des fleurs sur une table.

— Ouais, vous, la grosse ! Arrêtez de tripoter les pensées ! Et venez un peu par ici faire la connaissance du plus bel enculé des environs !

La femme écarquilla des yeux comme des soucoupes puis, pivotant, elle regagna à toute vitesse sa voiture.

— Très bien, Jack, fais-moi plaisir, tu veux ? Casse-toi. Et vite.

— Va chier, Marty.

— Bon sang, Jack, Lily est capable d'appeler les flics si tu ne sors pas du parking. Je te le demande gentiment pour la dernière fois : fiche le camp.

Jack finit sa bière d'un trait et écrasa la boîte contre sa jambe.

— Dis à Lily que si elle veut que son fils quitte les lieux elle vienne le lui demander elle-même. Sinon, je reste là jusqu'à ce que la glacière soit vide.

Marty Pullman avait toujours été un de ces hommes d'action qui font les choses, redressent les situations. Cet homme-là aurait empoigné Jack, l'aurait arraché à son transat et transporté ailleurs *manu militari* si nécessaire. Mais il s'aperçut, et cela lui parut bizarre, qu'il n'était plus ce genre d'individu, et qu'il ne le serait probablement plus jamais.

— Tu compliques les choses, Jack.

Jack le considéra un instant puis sourit.

— Vraiment ? Je m'offre une petite veillée mortuaire, c'est tout, Marty. Une petite veillée pour Morey Gilbert, l'homme le plus gentil de la terre, l'homme que tout le monde aimait, l'homme qui aimait tout le monde, à l'exception de son fils, évidemment. Et tu veux que je te dise un truc ? Je suis le seul à m'être pointé. Sans blague, Marty, regarde autour de toi. La pépinière devrait être fermée ; mais non, la vie continue, les affaires sont les affaires. Tu crois qu'on réussira à trouver cinq minutes pour le mettre en terre demain ?

Dégoûté, Marty lâcha le tuyau d'arrosage, prit une Bud dans la glacière et s'éloigna à grandes enjambées en direction de la serre.

— J'abandonne.

Jack s'esclaffa et s'écria :

— A ta santé !

13

Les cinq premières minutes qui suivirent leur départ de la scène de crime dans la petite maison bleue de Rose Kleber, Gino demeura assis normalement sur le siège du passager – par respect pour la défunte, supposa Magozzi –, mais, une fois qu'ils furent sur l'autoroute, il baissa sa vitre et se déplaça de façon que son torse passe à l'extérieur de la voiture. La position semblait inconfortable mais il avait les yeux fermés et il souriait.

— Tu as une tronche de golden retriever, dit Magozzi.

Gino aspira plusieurs goulées d'air frais.

— Encore cent kilomètres comme ça et je vais peut-être réussir à me sortir cette odeur des narines.

Il se laissa retomber sur son siège, déprimé.

— Merde. Maintenant, j'ai mauvaise conscience. C'est moche, tu sais. Tu meurs, c'est triste, et en plus tu sens tellement mauvais que les gens ne peuvent même pas supporter de rester dans la même pièce que toi. Les morts devraient sentir bon, qu'on puisse demeurer près d'eux, les regarder et se sentir triste.

— Je resterai près de toi, je te regarderai, je me sentirai triste même si tu sens mauvais, Gino.

— Sympa de ta part. Vraiment.

Magozzi s'engagea dans l'allée de la pépinière et, longeant la haie, déboucha dans le parking bondé.

— Regarde-moi ça, fit Gino. La veuve éplorée n'a même pas fermé boutique. Hé, ce lascar sur la chaise longue, est-ce que ce ne serait pas Jack Gilbert ?

— Ça m'en a tout l'air.

— Et il semble décidé à se piquer sérieusement la ruche. Je sens qu'on va se marrer.

Jack parut sincèrement ravi de les voir.

— Inspecteurs ! Je viens juste d'essayer de vous appeler. Vous l'avez arrêté ? Vous avez arrêté le type qui a descendu mon père ?

— On s'en occupe, monsieur Gilbert, dit Magozzi. On a encore quelques questions à vous poser, à vous et à votre famille.

— Pas de problème.

Jack essuya la mousse sur sa lèvre supérieure et s'efforça d'avoir l'air sobre.

— Tout ce que vous voulez. Je vous écoute.

— Qui est Rose Kleber ? demanda Gino à brûle-pourpoint tout en guettant un changement d'expression sur le visage de Gilbert.

N'en remarquant pas, il n'eut plus qu'à dissimuler sa déception.

— Eh ben, à vrai dire, j'en sais rien. Pourquoi ? C'est une suspecte ?

— Pas exactement. Elle habite dans le quartier. Nous nous demandions si ce n'était pas une amie de votre père.

— Vous me posez une colle. Peut-être que oui, si elle habite le quartier. Il connaissait pratiquement tout le monde.

Il fronça les sourcils et essaya de river son regard sur Magozzi.

— Qui est cette Rose... Kleber, messieurs ? Qu'est-ce qu'elle vient faire dans cette histoire ?

— Elle a été assassinée la nuit dernière, lui apprit Magozzi.

Jack battit des paupières, tentant d'assimiler la nouvelle.

— Seigneur, quelle horreur ! Merde, ils tombent comme des mouches, dans le secteur. Qu'est-ce que vous en pensez ? Vous croyez qu'il y a un lien ? Vous croyez que c'est le même gars qui a fait le coup ?

— Elle avait noté le numéro de téléphone de votre père dans son carnet d'adresses, dit Gino. Ça fait partie des choses qu'on doit vérifier.

— Merde...

Jack s'affaissa de nouveau dans sa chaise longue.

— La moitié des habitants de la ville ont le numéro de papa. Il distribuait des cartes de visite, même à la soupe populaire. Il était complètement siphonné.

— Alors ç'aurait pu être quelqu'un que votre père voyait tous les jours, non ? s'enquit Gino, mine de rien. Vu que vous n'avez pas été tellement là ces derniers temps...

Jack inclina pensivement la tête ; l'espace d'un instant, Magozzi se demanda si celle-ci n'allait pas se détacher de son cou.

— Ouais. C'est vrai. Je vous ai dit que depuis un an j'étais considéré comme *persona non grata* ici ?

Magozzi hocha la tête.

— Vous me l'avez dit. Hier. C'est une honte. Je déteste voir des brouilles comme ça dans les familles. Ce doit être particulièrement pénible pour vous, de perdre votre père avant d'avoir eu l'occasion de vous réconcilier avec lui.

— En fait, non. On n'avait aucune chance de se rabibocher.

— Vraiment ?

— On ne s'était pas brouillés à cause d'une broutille. Je n'ai jamais réussi à être ce que papa voulait que je sois, et comme si cela ne suffisait pas, j'ai aggravé mon cas en épousant une luthérienne. Mes parents n'ont jamais digéré ce mariage.

Gino émit un petit bruit de sympathie.

— Il était dur avec vous, Jack. Je connais ça. Je n'ai jamais réussi à plaire à mon père, moi non plus.

Magozzi resta de marbre en entendant ce mensonge. Le père de Gino était persuadé que son fils

122

unique était capable de faire des miracles. Marcher sur l'eau, par exemple.

— J'avais beau faire, poursuivit Gino, j'avais beau me décarcasser, je n'en faisais jamais assez. Qu'est-ce que ça pouvait m'énerver ! Des fois, j'aurais pu...

Jack le fixa d'un air incrédule.

— Bon sang, inspecteur, je suis avocat. Je ne suis pas con à ce point-là. Vous croyiez vraiment que j'allais avaler des bobards pareils ?

— Y a pas de mal à tenter le coup, fit Gino avec un haussement d'épaules fataliste, sans marquer la moindre gêne. Ç'aurait pu marcher.

— Sachez que je n'ai pas tué mon père.

Il s'effondra de nouveau dans le transat et ferma les yeux.

— Merde. Vous devriez peut-être reculer un peu. Des fois qu'il me viendrait à l'idée de vous lancer quelque chose à la figure.

— Alors c'était qui, cette Rose Kleber ?

Lily était campée devant la fenêtre de la serre, bras croisés, et elle contemplait Jack qui encombrait le parking avec sa chaise longue et sa glacière, allongé là telle une carpe assommée.

— Elle habitait à Ferndale, madame Gilbert, répondit Magozzi. Et deux ou trois détails ont attiré notre attention. Pour commencer, c'était une ancienne détenue de camp de concentration, comme M. Gilbert.

Il vit Lily fermer brièvement les yeux.

— Et elle avait noté son nom et son numéro de téléphone dans son carnet d'adresses.

Marty était au comptoir, frottant une vieille tache avec l'ongle de son pouce.

— C'est maigre, les gars.

— Oui. On vérifie, néanmoins.

Marty hocha la tête d'un air absent et Magozzi eut l'impression qu'il était ailleurs, pas concerné.

Lily prit une inspiration et se détourna de la fenêtre.

— Les gens nous achètent des plantes, Morey leur remet une carte, leur dit d'appeler en cas de problème. Vous avez une photo ? C'était peut-être une cliente ?

— Pas encore. On vous en montrera une dès que possible. En attendant, son nom ne vous dit rien ?

— Je n'ai pas la mémoire des noms, contrairement à Morey. Il n'oubliait jamais un nom. Ni un visage. Les gens, ça les touchait qu'il se souvienne d'eux, ils avaient l'impression qu'il leur faisait un cadeau.

Magozzi remisa son carnet.

— Vous avez une liste de vos clients ? Ou un Rolodex ?

— Dans le bureau derrière, près de la remise. Mais c'est surtout les numéros que je notais. Morey, lui, ne notait rien. Il retenait les numéros par cœur.

— Peut-être qu'on pourrait jeter un coup d'œil, si cela ne vous ennuie pas.

Près de la remise, ils tombèrent sur les deux jeunes employés à qui Magozzi avait parlé la veille lorsqu'ils s'étaient pointés devant la pépinière à l'occasion de l'hommage impromptu. Ils transbahutaient des sacs de vingt-cinq kilos d'engrais sur un chariot avec une aisance qui fit regretter à Magozzi sa jeunesse, toutefois ils se redressèrent respectueusement lorsque Lily s'approcha. Ils sourirent d'un air timide avant de se tourner vers Magozzi et Gino.

— Bonjour, inspecteurs, firent-ils en chœur, essuyant leurs mains sur leur jean avant de les tendre aux nouveaux arrivants.

Gino parut estomaqué à la vue de ces deux jeunes gens si bien élevés qui accueillaient leurs aînés avec une politesse surannée. « Salut » était à peu près tout ce qu'on pouvait espérer obtenir des jeunes de moins de vingt ans de nos jours, quand ils vous croisaient sans vous bousculer.

— Jeff Montgomery ?

Magozzi serra la main du grand blond en premier, puis celle de son camarade, plus petit et brun.

— Et vous, c'est Tim… ?

— Matson, monsieur.

— Est-ce que par hasard vous vous souviendriez d'une dame nommée Rose Kleber qui serait venue faire des achats ici ? s'enquit Gino.

Les ados réfléchirent un instant.

— On conseille un tas de clients mais on ne les connaît pas forcément par leur nom, dit finalement Jeff Montgomery. A quoi ressemble-t-elle ?

Magozzi se crispa intérieurement, évoquant le visage marbré, la robe tachée de sang.

— Agée, un peu forte, les cheveux gris…

Il regarda les deux jeunes gens et se dit que c'était probablement sans espoir. Ils devaient se souvenir des gamines, pas des personnes âgées.

— On a des tas de gens correspondant à cette description qui viennent ici, monsieur, dit Tim Matson. Elle est peut-être sur la mailing list. M. Gilbert envoyait des prospectus quand il faisait des ventes promotionnelles. Vous avez interrogé l'ordinateur ?

— Tu sais comment ça marche, Timothy ? fit Lily, énervée.

— Bien sûr. Ce n'est qu'un ordinateur.

— Bien. Viens avec nous. Jeffrey, on n'a presque plus de basilic. Occupe-toi d'en remettre sur la table aux fines herbes.

— Oui, madame.

Jeff s'éclipsa tandis que Lily les conduisait vers la remise où un petit espace était aménagé en bureau.

Une fine couche de poussière noire recouvrait tout – sans doute de la terre de la resserre adjacente, songea Magozzi. Elle tapissait une bibliothèque pleine de catalogues, une table jonchée de papiers, ainsi que le vieil ordinateur et l'imprimante qui étaient posés dessus. Grace MacBride en aurait fait une attaque.

— Ça peut pas être bon pour cet appareil, fit Gino en tapotant sur l'ordinateur. De le laisser près de la remise. Avec toute cette poussière.

Tim prit place sur l'unique siège et alluma l'ordinateur.

— Il est vieux, monsieur. Ils ne sont pas aussi fragiles que les derniers modèles. Le matériel ancien était nettement plus costaud. Et M. Gilbert ne s'en servait pas beaucoup. Seulement pour les factures, une fois par mois, et pour la mailing list.

— Pfft, fit Lily, croisant les bras sur sa poitrine d'un air de désapprobation. C'est ce que tu crois. Il jouait sur cette machine imbécile. On entendait les bips-bips de la serre. Un jour, je suis revenue histoire de voir ce qu'il fabriquait et je l'ai trouvé là, occupé à canarder des vaisseaux spatiaux. Un homme de cet âge, si ce n'est pas malheureux !

Tim retint un sourire tandis qu'il sortait une mailing list par ordre alphabétique. Il agita la main vers l'écran.

— Désolé, pas de Rose Kleber.

Gino soulevait des papiers, fouillant de-ci de-là.

— Vous n'auriez pas un Rolodex, madame Gilbert ?

Ses yeux s'étrécirent.

— Un de ces trucs avec des cartes ?

— Ouais.

— Jamais vu un bazar aussi grotesque ! On veut retrouver, mettons… Freddie Herbert ? On passe la moitié de la journée à passer en revue les cartes les unes après les autres…

Elle ouvrit un tiroir, en sortit un carnet d'adresses qu'elle posa rudement sur le bureau et ouvrit à la lettre H.

— Voilà. Tous les H sur la même page. Inutile de tourner toutes ces cartes. Une seconde suffit pour trouver Freddie Herbert.

Elle se reporta à la page des K, regarda les trois noms qui s'y trouvaient inscrits, haussa les épaules. Pas de Kleber.

— Autre chose dans l'ordinateur, Tim ? s'enquit Magozzi.

Tim appuya sur deux, trois touches et afficha le menu.

— Rien que la mailing list et les factures.

— Bon.

— Je peux l'éteindre ? Faut que j'aille donner un coup de main à Jeff.

— Vas-y, fit Lily, qui, d'un ton impatient, se tourna vers les deux policiers. Vous avez besoin d'autre chose, messieurs ?

— Pas pour le moment, dit Magozzi. Merci de votre aide, madame Gilbert.

— Quelle aide ? grommela Gino, quelques minutes plus tard, tandis qu'ils retournaient au parking.

— Elle nous a emmenés dans le bureau, elle a répondu à nos questions.

— Ouais, mais elle ne nous en a pas posé. On est restés là une bonne heure et elle ne nous a même pas demandé si on avait une piste. Au risque de passer pour un esprit cynique, je trouve ça suprêmement louche.

Ils s'arrêtèrent à l'endroit où Lily leur avait dit avoir trouvé le corps de son mari.

Gino se frictionna la nuque.

— Ça me chiffonne drôlement qu'elle ait ouvert la pépinière le lendemain du jour où son mari se fait buter. Est-ce qu'elle ne devrait pas être chez elle à recouvrir les miroirs d'un linge ?

Magozzi haussa les sourcils.

— Tu m'en bouches un coin, Gino. Tu as potassé un bouquin sur les traditions juives en rentrant chez toi hier soir ou quoi ?

— Non. J'ai vu ça au cinéma. Melanie, j'ai oublié son nom, la blonde canon, celle qui a une voix de bébé, tu vois qui je veux dire ?... Elle faisait un flic de la police de New York, qui bossait en sous-marin chez des juifs traditionalistes. Pas foutu de me rappeler comment on les appelle, mais les mecs se baladent tous avec des bouclettes...

— Les juifs hassidiques.

— Possible. Bref, quelqu'un casse sa pipe dans la communauté et ils recouvrent tous les miroirs avec des bouts de tissu. Elle devrait être chez elle en train de s'occuper de ça.

— Elle n'est pas hassidique, Gino, pas davantage orthodoxe. McLaren nous a dit qu'ils n'étaient même pas pratiquants.

— Pas la peine d'être pratiquant pour témoigner du respect aux morts.

Gino consulta sa montre, en tapota le verre.

— Quelle heure est-il ? J'ai dit à la fille de Rose Kleber qu'on serait là-bas à onze heures.

— Presque onze heures.

— On ferait mieux de se remuer, alors.

Marty n'avait pas bougé après le départ de la serre de Lily, Magozzi et Gino. La plupart des clients étaient encore dehors, raflant les plantes exposées sur les tables. Pendant dix minutes il s'était trouvé seul au comptoir, le regard dans le vide, se disant qu'il lui faudrait bien encore six ou sept bières de la glacière de Jack pour venir à bout de la migraine qui le taraudait depuis la veille. Il y avait maintenant plus de vingt-quatre heures qu'il n'avait rien bu et il ne se rappelait pas quand ça lui était arrivé pour la dernière fois. La sobriété n'avait pas que des avantages.

Jetant un coup d'œil par la fenêtre, il vit Jack vautré dans sa chaise longue, qui cuisait au soleil. Il esquissa un pas vers la porte pour lui hurler de se mettre à l'ombre, puis se ravisa.

Qu'il rôtisse donc, l'animal.

14

L'inspecteur Johnny McLaren était assis derrière des piles de papiers, d'où seules dépassaient des mèches de ses cheveux roux. Gloria remontait l'allée centrale en ondulant des hanches ; quand elle bougeait, il était impossible de se concentrer sur quoi que ce soit d'autre. C'était une grande et belle Noire un peu forte, et la plupart du temps elle s'habillait avec la discrétion d'une marquise de cinéma. Aujourd'hui elle arborait un sari d'un jaune claquant avec un serre-tête assorti, et Johnny avait l'impression de regarder le soleil en face.

— Qu'est-ce que tu mates comme ça, petit con d'Irlandais ?

Elle poussa vers lui un message d'un ongle long et laqué de jaune.

— La poésie en mouvement. La femme de mes rêves. Mon âme sœur. Mon destin.

— Du calme, McLaren.

— Impossible. Je te regarde. Je me regarde. Et c'est plus fort que moi : j'imagine une ribambelle de petits Noirs à cheveux roux...

— Hmmm, des rêves bien ambitieux pour un petit bonhomme comme toi...

Elle désigna le message du doigt.

— Ce type a appelé trois fois ce matin. Un Angliche avec un accent snob.

Le visage rougeaud de McLaren se plissa de perplexité tandis qu'il prenait connaissance du message.

— Pourquoi un Angliche m'appellerait-il ? J'en connais pas, moi, des Angliches...

— Eh bien, mon chéri, je n'en sais rien. J'espérais que c'était peut-être ton nouveau tailleur. Les British n'auraient jamais osé te vendre une veste pareille, ça c'est sûr.

— Qu'est-ce qu'elle a, ma veste ?

— McLaren, le madras était déjà démodé avant que tu viennes au monde. Autant te résigner. Encore un détail : si Langer réussit à sortir des chiottes avant la fin de la journée, le chef Malcherson serait heureux de le voir, et toi par la même occasion, dans son bureau sur le coup de trois heures. Il compte sur vous pour lui donner des infos sur le type de la voie ferrée. Infos qu'il pourra refiler aux médias pour le bulletin de cinq heures.

131

Ce meurtre les fait drôlement saliver, nos chacals de la presse.

— On est vernis, bougonna McLaren, tâtonnant sur son bureau à la recherche du dossier en question.

Gloria s'approcha quelque peu et le fixa d'un air rusé.

— Drôle d'affaire.

— Ouais.

— Cet Arlen Fischer, fit Gloria avec un claquement de langue, ce devait être un sacré salopard, pour finir comme il a fini.

Elle attendit une réaction, mais McLaren était plongé dans un mémo vieux d'un mois émanant de Malcherson et concernant la tenue vestimentaire recommandée pendant le service.

— Eh bien dis donc, McLaren, reprit-elle d'un ton irrité en balayant du regard le plan de travail, on enterrerait Jimmy Hoffa sous ce tas de merde...

— Saletés de mémos. Il en arrive de tous les côtés. Comment veux-tu que je trouve le temps de résoudre des meurtres quand je dois me farcir semaine après semaine des notes de cinq pages sur l'opportunité ou non d'utiliser des jurons pendant les interrogatoires ?

— Je suis sciée, fit Gloria, haussant un sourcil magistralement épilé. Et moi qui croyais que tu ne les lisais pas. Je me demande où je suis allée chercher une idée pareille.

Glissant la main sous un tas de circulaires, elle en retira le dossier d'Arlen Fischer.

— C'est ça que tu cherches ?

— Ouais, convint McLaren, interloqué.

132

Tout en se déhanchant, elle émit un bruit qui rappela à McLaren le son produit par un violoncelle. C'était toujours ce qu'elle faisait lorsqu'elle allait à la pêche aux infos, et ça marchait toujours.

— A propos de Jimmy Hoffa, je ne sais pas ce que vous en pensez, les mecs, mais ce serait un coup de la mafia que ça ne m'étonnerait pas.

Elle agita le dossier sous le nez de McLaren avant de le lui remettre.

McLaren lui adressa un sourire éclatant.

— Je n'arrête pas de le répéter, Gloria, on est des âmes sœurs ! C'est exactement ce que je me suis dit. Des gangsters venus d'un autre Etat pour faire leurs saletés dans notre beau Minnesota. Sûrement une affaire de vendetta. Dommage que ça ne colle pas.

— Pourquoi ?

— Pour commencer, Arlen Fischer est un monsieur de quatre-vingt-dix ans avec des hanches en mauvais état. Pas franchement un physique de gangster.

— Marlon Brando non plus. Et pourtant il en a joué un.

— Peut-être, mais c'était au cinéma. En outre, notre homme n'était pas le roi de l'aventure. Tu sais ce qu'il faisait pour gagner sa croûte ? Il réparait des montres. Il a travaillé dans la même bijouterie pendant une trentaine d'années, il vivait des allocations et d'une maigre retraite, il n'avait pas d'argent, pas de famille, pas d'amis. Ce type, je te le dis, c'était un zéro. Jamais attiré l'attention de quiconque sur lui.

— Hmm. Tu sais ce que je pense, McLaren ?

— Je suis tout ouïe.

— Ce que je pense, c'est qu'on n'attache pas un zéro à une voie ferrée pour qu'il meure de frousse ou se fasse couper en deux.

McLaren poussa un soupir.

— Ouais, là on a un problème, en effet.

Gloria croisa les bras sur sa vaste poitrine.

— N'oublie pas que la vieille Gloria t'a conseillé de fouiner du côté de la mafia. Quand tu auras serré Tony Soprano pour ce meurtre-là, tu n'auras plus qu'à me payer un somptueux dîner avec homard et tout le tralala.

McLaren se redressa sur son siège.

— Je t'emmène faire un dîner somptueux quand tu veux.

— Qui a dit que tu étais invité ?

McLaren lui jeta un regard empli de désespoir tandis qu'elle s'éloignait de sa démarche chaloupée, déposant mémos et messages sur les autres bureaux de la salle des inspecteurs. Lesquels étaient vides vu que Magozzi et Gino étaient sur le terrain et le reste des policiers occupés ailleurs.

McLaren détestait le silence des pièces vides. Il en avait suffisamment comme ça quand il rentrait chez lui le soir. Il eut un petit soupir de soulagement lorsque Langer débloula du couloir, puis grogna quand il vit la boîte en carton qu'il apportait avec lui.

— Oh, non, Langer, pitié ! Ne me dis pas que tu en as apporté un autre.

Langer déposa le carton sur une table placée entre leurs deux bureaux.

— C'est le dernier.

— Gloria pense que la mafia est dans le coup.

— C'est bien ce qui me fout les jetons : cette fille a plus souvent raison que nous. Je ne sais pas ce qu'elle attend pour lâcher l'administration et venir bosser avec nous sur le terrain.

— Je lui ai posé la question, une fois. Elle hait l'uniforme. Va vraiment falloir qu'on se farcisse ce carton ?

— Oui.

— C'est déprimant.

— A qui le dis-tu...

Langer se mit à fouiller dans les débris de la vie d'Arlen Fischer dans l'espoir bien mince de trouver quelque chose d'utile. Le contenu du bureau et des placards du vieil homme n'avait pas donné grand-chose jusque-là ; tout juste leur avait-il permis de constater qu'il classait des papiers sans intérêt au lieu de les mettre à la poubelle. Ils avaient déjà exploré le contenu de quatre cartons et ce qu'ils avaient exhumé de plus intéressant était une vieille boîte de Chicklets vide qui leur avait aussitôt évoqué des souvenirs d'enfance à tous les deux. Apparemment, les mamans de toutes les confessions avaient eu la même idée : distribuer en douce les précieux petits carrés de chewing-gum à leurs enfants pour qu'ils se tiennent tranquilles pendant le service.

Johnny se leva et s'étira, il jeta un coup d'œil dans le carton, s'empara d'un paquet sous Cellophane. Un paquet de crackers.

— Tiens, un indice...

Langer regarda le pathétique petit paquet et détourna vivement les yeux. C'était le genre de

135

choses qu'il avait découvertes chez sa mère après l'avoir enterrée l'année précédente. Des petits bouts de chewing-gum si vieux, si desséchés, qu'ils s'étaient effrités dans leur papier d'aluminium lorsqu'il les avait touchés ; des boîtes de bouts de bougie, des feuilles de papier d'emballage ; et ce qui l'avait le plus étonné, un sac plein de bas avec une jambe de mannequin. Les collections des morts étaient une des choses les plus tristes au monde.

— Un problème, Langer ?

Il fit non de la tête et feignit d'examiner un tract qu'il venait de retirer du carton. Il ne parlait à personne de la mort interminable de sa mère. Pas plus à son coéquipier qu'à son rabbin ou à sa femme, qui allait être son prochain échec. Sa mère ayant été le premier. Après une vie d'amour et de Chicklets, il l'avait abandonnée avec son Alzheimer, aux mains d'étrangers qui l'avaient laissée mourir seule.

— Langer ?

Et juste après avoir fait faux bond à sa mère, il avait enchaîné par un superbe ratage au boulot, laissant échapper le tueur de Monkeewrench dans le Mall of America alors que ce dernier poussait sa dernière victime dans un fauteuil roulant. Il était policier, bon sang, et il n'avait même pas été foutu de renifler un tueur à quelques mètres. Il lui arrivait encore de se réveiller au beau milieu de la nuit, en sueur, hoquetant, pensant aux vies qui avaient été perdues après ce jour-là, songeant qu'il aurait pu éviter tout ce gâchis.

Et puis, bien sûr, il y avait eu la mégagrosse boulette, quand il avait manqué à tout ce en quoi il avait jamais cru, et le plus drôle, c'est que ç'avait été l'affaire d'un instant. Même pas, d'ailleurs. Juste les quelques secondes qu'il lui avait fallu pour...

— Bon Dieu, Langer, qu'est-ce que tu as ?

Il sursauta lorsque Johnny McLaren lui posa la main sur l'épaule et il eut l'impression que son cœur s'était arrêté de battre, ce qui ne l'émut pas le moins du monde.

— Hé, mec, qu'est-ce qu'il y a ? Tu couves une grippe ou quoi ? Tu transpires comme un bœuf.

Langer se redressa et s'essuya le visage, huileux de peur et de regret.

— Désolé. Ouais, je couve peut-être une grippe.

— Eh bien, assieds-toi, pour l'amour du ciel. Je vais aller te chercher de l'eau. Après, tu pourras peut-être songer à rentrer chez toi.

McLaren l'observait, non sans inquiétude.

— T'as vraiment sombré, pendant une bonne minute, tu t'en es rendu compte ? Tu m'as flanqué les jetons.

Langer lui sourit parce que McLaren lui avait proposé d'aller lui chercher de l'eau. C'était un détail ridicule et pourtant ça le touchait vachement, à croire qu'il ne méritait pas pareille attention.

— Les bœufs ne transpirent pas.

— Hein ?

— Tu m'as dit que je transpirais comme un bœuf. Mais les bœufs ne transpirent pas.

— Vraiment ?

— Non.

McLaren eut l'air abasourdi.

— C'est idiot. C'est gonflant, même. Ces expressions qui ne veulent rien dire.

Le temps que McLaren revienne avec un mug ébréché plein d'eau et deux comprimés blancs, Langer était tranquillement assis à son bureau, à regarder pousser l'herbe de l'autre côté de la rue.

— Tu as l'air mieux.

— En fait, je me sens bien maintenant. Normal, en réalité. C'est quoi, ces comprimés ?

— De l'aspirine. Enfin, pas exactement. Je n'ai pas réussi à en trouver. Mais Gloria m'a dit qu'ils contiennent de l'acéta-je ne sais quoi. Au cas où tu aurais de la fièvre.

Langer prit un comprimé et sourit en reconnaissant le nom gravé dessus. C'était le produit que prenait sa femme en cas de règles douloureuses.

— Merci, Johnny, c'est sympa.

— De rien. Tu as ouvert ce carton et, toc, tu as eu un malaise. Si ça se trouve, il y avait des spores dans ces vieilleries. Comme quand ils ont ouvert les tombes égyptiennes. Et tu en as respiré une sacrée bouffée !

— Ah, fit Langer avec un hochement de tête. On devrait refermer le carton et ne plus y toucher sous prétexte qu'il renferme des spores dangereuses pour la santé, c'est ça l'idée ?

— Absolument.

McLaren, qui allait fermer le carton, s'arrêta avec un soupir à fendre l'âme.

— Le problème, c'est que si on fait ça, on n'a plus rien à se mettre sous la dent. On pourrait toujours réinterroger la gouvernante, mais je ne vois pas trop ce qu'elle pourrait nous apprendre de plus.

— Rien, probablement.

Langer jeta un coup d'œil au carton.

— Il semble qu'il n'y ait pas grand-chose à dire sur la vie de cet homme.

— C'est ce que je disais à Gloria, que c'était un zéro. Elle m'a rétorqué qu'un zéro ne serait pas mort de cette façon, et ça n'est pas faux. Quelqu'un savait qu'Arlen Fischer existait, et ça l'a mis en pétard dans les grandes largeurs.

Langer réfléchit une minute, sortit un bloc neuf de son tiroir et un stylo bille.

— Bon. Qui s'amuserait à torturer les gens qui l'ont mis en pétard ?

McLaren se mit à compter sur ses doigts.

— Eh bien, les mecs de la mafia, que nous avons déjà éliminés...

— D'accord.

— ... les serial killers, les dictateurs étrangers, les services de renseignement, les flics pourris, les racistes et autres fascistes... Merde, la liste est plutôt longue, non ?

— Drôle de monde dans lequel on vit, renchérit Langer.

— McLaren !

Gloria passa la tête dans le bureau.

— J'ai cet Angliche sur la deux. Et toi, Langer, prends la une tout de suite. Les W.-C. du rez-de-chaussée sont en rideau chez toi.

Langer grimaça en décrochant.

— J'étais censé les réparer la semaine dernière. J'ai oublié. Qui est « l'Angliche » ?

— Je sais pas. Un type avec une voix snob, d'après Gloria. Il a déjà appelé deux fois. Il doit être fumasse que je ne l'aie pas rappelé.

— Pas aussi fumasse que ma femme.

Il fallut au moins dix minutes à Langer pour calmer sa femme et donner ses instructions au plombier qu'elle avait convoqué – une de ces entreprises qui ne viennent chez vous qu'en cas d'urgence et vous demandent mille dollars pour titiller un robinet alors que vous pataugez dans l'eau jusqu'aux chevilles. Le temps qu'il ait fini, McLaren avait noirci trois serviettes en papier de gribouillis et remerciait son correspondant avec une politesse dont il n'était pas coutumier.

— Ton coup de fil a été moins pénible que le mien, dit Langer en reposant le combiné sur son support.

McLaren avait un petit sourire surexcité.

— Tu vas pas le croire, mec. Devine qui c'était ? Interpol. Ce putain d'Interpol. Le 45 a parlé…

Langer en eut des picotements dans les oreilles.

— Le 45 qui a transpercé le bras d'Arlen Fischer ?

McLaren, radieux, précisa :

— D'après leur service balistique, six correspondances ont été établies. Ce flingue est l'arme du crime dans six meurtres non élucidés commis au cours des quinze dernières années. Qu'est-ce que tu dis de ça ?

140

Magozzi s'engagea avec la voiture banalisée dans son allée, songeant que son entretien avec la famille de Rose Kleber avait été l'un des plus difficiles de sa carrière. C'était gênant de s'entretenir avec des parents éplorés et presque hystériques qui gémissaient si fort qu'il fallait crier pour se faire entendre. Troublant de questionner ceux dont le regard était encore vitreux suite au choc, dont les voix étaient vides et monotones. Cela lui avait fendu le cœur d'interroger cette famille de gens bien élevés qui pleuraient sans discontinuer, le plus souvent sans faire de bruit, tout en répondant poliment aux questions qu'on leur posait.

Phénomène bien compréhensible, les deux étudiantes qui avaient découvert le corps inanimé de leur grand-mère étaient les plus éprouvées, retenant désespérément leurs sanglots tout en caressant machinalement le chat blotti entre elles deux sur le canapé. Mais leur mère, la fille de Rose Kleber, avait sur le visage une expression de chagrin encore plus marquée. Son mari rôdait autour de sa petite famille, tapotant épaules et têtes, distribuant des embrassades comme s'il s'agissait de potions magiques, mais il pleurait également tout en tâchant de garder un air digne. Rose Kleber, visiblement, avait été profondément aimée des siens.

Non, aucun d'eux n'avait connu Morey Gilbert personnellement, et à leur connaissance Rose non plus. La fille – qui rendait visite à sa mère tous les jours – ne pouvait croire qu'elle aurait manqué de remarquer des liens d'amitié entre les deux vieillards s'il en avait existé.

« On faisait des courses de temps en temps à la pépinière, il nous a peut-être servies une, deux fois. Franchement je ne m'en souviens pas.

— Votre mère avait-elle une raison d'avoir son numéro dans son carnet d'adresses ? s'était enquis Gino.

— Ils mettent une petite étiquette en plastique avec leurs coordonnées dans les plantes qu'ils vendent. Elle a dû les recopier. »

Ils avaient encore posé quelques questions. Que faisait Rose Kleber de son temps ? A quelles organisations appartenait-elle ? Et la dernière, la plus délicate de toutes, concernant le tatouage qu'elle avait au bras. Mais la famille ignorait tout de son passé dans les camps, plus d'un demi-siècle plus tôt. Elle avait toujours refusé d'en parler.

Gino ouvrit sa portière à l'instant où Magozzi immobilisait la voiture.

— On s'est plantés, grommela-t-il, brisant le silence lugubre qui régnait dans le véhicule depuis qu'ils étaient sortis de chez la fille de Rose Kleber. Mais tu veux que je te dise ? Ces gens-là étaient sincèrement effondrés. Pas comme Lily Gilbert et son bon à rien de fils. A croire que l'un des deux a descendu le pauvre vieillard.

Magozzi poussa un soupir tout en détachant sa ceinture.

— Le chagrin ne s'exprime pas tout le temps de la même manière, Gino.

— Ça, c'est une connerie. On voit quand les gens sont effondrés à la mort de quelqu'un. Et crois-moi, les Gilbert ne l'étaient pas. Marty, si, un peu. Je commence à penser qu'il était le seul de la bande à s'intéresser vraiment à ce vieil homme. Bon sang, Leo, j'ai déjà dû te le dire, mais j'ai l'impression que ton jardin est le plus moche, le plus pelé que j'aie vu de ma vie…

Sur ces mots, abandonnant le sujet du chagrin de la famille de Rose Kleber, les meurtres et l'enquête, Gino replongea dans l'ici et le maintenant, entraînant Magozzi avec lui :

— Tu me l'as déjà dit, oui, fit Magozzi, avec un sourire à son équipier.

Ils descendirent de voiture et traversèrent une bande de terrain où poussaient çà et là des touffes de végétation hirsute.

— Tu sais à quoi ça ressemble ? A la tête de Viegs, avec tout ce cuir chevelu qu'on aperçoit entre les implants.

— C'est l'effet recherché, rétorqua Magozzi sur le ton de la défensive. C'est censé avoir l'air naturel. C'est ce qu'on obtient quand on laisse pousser des plantes locales qui ne nécessitent pas beaucoup d'entretien.

— Les pissenlits et le chiendent, tu veux dire ?

— Exactement.

Magozzi déverrouilla la porte et fit signe à Gino d'entrer.

— Sors les saucisses pendant que j'allume le gril.

Le temps que Magozzi fasse partir le feu et que les braises rougeoient gentiment dans le Weber rafistolé tant bien que mal, Gino en avait fini avec ses préparatifs culinaires et s'était rendu dans le séjour. Il examina les murs nus, le fauteuil de cuir, la table surmontée d'une lampe qui avait dû coûter trois francs six sous.

— Et ça, c'est de la déco « naturelle » ?

— Non, c'est du minimalisme.

— Pathétique, souligna Gino. Ça n'a pas bougé depuis le jour où ton ex s'est tirée en emportant les meubles. Tu devrais faire quelque chose…

— Tu n'étais pas obligé de venir déjeuner chez moi. Si tu n'aimes pas l'ambiance, rentre casser la croûte chez toi.

— Impossible. Pour commencer, j'ai laissé mes saucisses et mon cheddar de douze ans d'âge ici hier. Secundo, mes beaux-parents n'en sont qu'au troisième des dix conteneurs de photos qu'ils ont rapportés de leur dernière croisière. Je les adore, mais il y a quatre jours qu'ils sont là et je ressens comme un léger mais impérieux besoin de souffler. Sans blague, Leo, combien de temps encore vas-tu vivre dans cet endroit qui ressemble à un entrepôt abandonné ? C'est comme si ta vie s'était arrêtée le jour où Heather a décampé. Ce n'est pas sain.

— Primo, ma vie s'est arrêtée le jour où j'ai épousé Heather. J'ai commencé à aller mieux le jour où elle a mis les voiles. Deuzio, les célibataires ne passent pas leur temps libre à suivre des séminaires de feng shui chez Wally's. Ce n'est pas viril.

— Chez toi, on ne peut pas dire que la déco soit macho, grogna Gino. Macho, c'est un écran de télé géant et un bar correctement approvisionné. Ici, c'est tout bonnement le vide. On croirait que ce n'est pas habité. Tu connais l'expression : l'intérieur d'un homme est un reflet de cet homme ?

— D'après ce que j'ai pu voir, l'intérieur d'un homme est surtout le reflet de la femme avec laquelle il vit.

— Tu parles de chez moi ?

— Non, mais de cet endroit, du temps où Heather y habitait.

Mais en fait, oui, il pensait à Gino qui vivait dans une maison aux meubles accueillants, avec des fleurs séchées et des guirlandes d'herbes. Une maison de petite fille. La maison d'Angela. Pas le moindre grand écran ni le plus petit bar en vue. Cela sentait toujours l'ail et la sauce au basilic qui mijotait tout le temps sur la cuisinière, et parfois aussi le talc pour bébé.

— Et ça me fait penser un peu à ta baraque aussi, ouais.

Gino ne put s'empêcher de sourire.

— C'est ce que je voulais dire. Ma maison est le reflet exact de ce que je suis. Je suis l'homme qui aime Angela.

Une demi-heure plus tard, Magozzi finissait sa troisième saucisse.

— Absolument délicieux…

— Je te l'avais dit, fit Gino, mastiquant avec conviction. Tout le secret est dans la précuisson. Il faut les faire revenir dans la bière et l'oignon avant de les passer au gril. Sinon, on a l'impression de manger du tofu. Tu veux la dernière ?

Magozzi porta la main à son cœur.

— Je crois que j'ai suffisamment maltraité mes artères comme ça. J'aime prendre des risques mais je ne suis pas suicidaire.

Gino considéra la dernière saucisse deux petites secondes avant de l'embrocher au bout de sa fourchette.

— C'est pour ça que Dieu a inventé le Lipitor... A propos de suicide, tu ne crois pas qu'on devrait se faire de la bile pour Pullman ? Je ne l'ai pas trouvé en si grande forme que ça, aujourd'hui.

Magozzi se laissa aller contre le dossier de son siège pour réfléchir.

— Difficile à dire. Il y a une différence entre se faire du mauvais sang et se demander s'il est utile de s'en faire. Mais il n'est pas bien, c'est sûr. S'il continue comme ça, il risque de se tuer, à boire comme un trou.

— Tout comme son beau-frère. Quelle famille... J'aurais bien aimé pouvoir penser que Gilbert avait flingué son père, mais à dire vrai je ne crois pas qu'il ait le *schtupa*.

— *Chutzpah* et pas *schtupa*. Et un conseil : renonce à parler yiddish aux obsèques demain. T'es loin d'être au point.

— Comme tu voudras. Il n'a pas les couilles, en tout cas.

Gino mastiqua pensivement un moment. Puis :

— En outre, j'ai résolu l'affaire, et je m'en tiens à mon coupable originel.

— Lily Gilbert ?

— Qui d'autre ? Seulement maintenant, c'est pour deux meurtres qu'on va la coincer. Celui de son mari et celui de Rose Kleber.

Magozzi roula les yeux.

— Je donne ma langue au chat. Explique-moi pourquoi Lily Gilbert tuerait une vieille dame qu'elle n'a sans doute jamais rencontrée ?

— Parce que son mari lui faisait les yeux doux, à la mamie gâteau. Voilà pourquoi. Crime passionnel gériatrique. C'est limpide.

— Je croyais qu'on avait passé la moitié de la matinée à établir que Morey Gilbert et Rose Kleber ne se connaissaient même pas...

— C'est pas parce que les familles n'étaient pas au courant que ça n'avait pas lieu. Réfléchis. Tu ne commets pas l'adultère pour aller ensuite t'en vanter auprès de ta famille.

— Lâche-moi les baskets, Gino. Ces gens-là sont âgés, bon sang.

— Et alors ? Tu crois que les vieux n'ont pas de vie sexuelle ? Tu devrais passer la nuit chez moi. J'ai dû repeindre le mur derrière la tête du lit dans lequel dorment les parents d'Angela...

— Tu déconnes ?

— Pas du tout.

— Quel âge ils ont, soixante-dix ans ?

— Ouais.

— Hé bien, sourit Magozzi. C'est plutôt encourageant, non ?

— C'est ce que je me suis toujours dit.

— C'est quand même la théorie la plus loufoque que tu m'aies jamais sortie.

— Très bien, monsieur le génie. T'en as une meilleure à me proposer ?

— Si tu veux relier Morey Gilbert et Rose Kleber, ce sont deux survivants de camps de concentration. Ça pourrait être un crime raciste. Ça collerait.

— Des allumés de néonazis ?

— Pourquoi pas ? Ils se manifestent à l'occasion. On a eu notre quota de vandalisme dans les synagogues, ce genre de trucs. Et puis il y a eu ce groupe à Saint Paul qui collait des affiches antisémites en ville…

— Les gogols qui ont dessiné la croix gammée à l'envers ? grogna Gino. Bon Dieu, Leo, ils n'étaient que trois, et ce n'étaient pas des lumières si j'ai bien compris.

— Ils ne sont pas les seuls dans ce cas-là.

— On peut étudier la question sous cet angle, c'est sûr. Mais en général ces abrutis laissent des mots quand ils pissent sur le trottoir, sinon quel intérêt ? En outre, d'après leurs proches, ni Gilbert ni Kleber ne mettaient les pieds à la synagogue. Ils ne risquaient donc pas d'attirer sur eux l'attention des néo-nazis. Et les scènes de crime étaient nickel. Du travail de pro. Pas de traces, pas d'empreintes, pas de témoins… Notre tueur en connaît un rayon. Ce pourrait être une vieille dame qui pète la forme et regarde les séries policières à la télé.

— Je ne marche pas, dit Magozzi.

— Alors, propose-moi autre chose.

— Merde, je sais pas. C'est peut-être un dingue qui choisit ses victimes au supermarché le jour de la fête des vieux et qui essaie de gagner son quart d'heure de célébrité…

Gino fit les gros yeux.

— Tu charries. On a deux armes différentes, des victimes des deux sexes, nomme-moi un seul serial killer qui s'attaque aux anciens. Le FBI refuserait d'y toucher, lui qui veut fourrer son nez partout. En outre, si on pense en termes de tueur en série, il nous faut considérer qu'Arlen Fischer fait partie du lot. Or ce meurtre ne colle absolument pas avec ceux de Gilbert et de Kleber.

Et ce n'était pas là le seul problème. Imaginer l'existence d'un tueur qui liquidait les vieux pour prendre son pied était une horreur que Magozzi se refusait à envisager. Comme il refusait qu'on puisse faire du mal à des enfants ou à des animaux. Mais imaginer deux vieillards comme Morey Gilbert et Rose Kleber impliqués dans une affaire qui ferait d'eux des cibles était tout aussi difficile.

Il commença à débarrasser la table.

— Peut-être qu'on est sur la mauvaise piste en essayant de relier les meurtres. On est dans un quartier juif, il y a un tas de personnes du troisième âge, quelle conclusion tirer du fait que Rose Kleber a le numéro de téléphone de Gilbert dans son carnet ? Elle jardinait. Ceci explique peut-être cela.

— Alors pour toi c'est une coïncidence si deux vieux juifs sont tués dans le même quartier à une journée de distance ?

Magozzi poussa un soupir de frustration.

— Non. Ce n'est pas une coïncidence. Les deux crimes sont liés. Je ne vois pas comment, c'est tout.

Gino se leva de son siège et s'étira, les mains sur les reins, le ventre en avant.

— J'avais tout solutionné, c'était clair et net, avec Lily Gilbert dans le rôle du tueur. Mais ma théorie ne te plaît pas. Tu la trouves trop simple, c'est ça ? Tu as tort de chercher midi à quatorze heures, Leo.

Magozzi s'esclaffa, se mit à rincer les assiettes et à les ranger dans le lave-vaisselle.

— Si je me souviens bien, tu avais « solutionné » l'affaire Monkeewrench de façon tout aussi claire et nette avec Grace MacBride dans le rôle du meurtrier...

— Elle faisait un suspect parfaitement logique. Mais j'étais à côté de la plaque, je le reconnais. Ce n'est pas pour autant que j'ai tort sur ce coup-ci. Tu n'aurais pas un Tums par hasard ? Cette dernière saucisse m'est restée sur l'estomac.

— Dans le placard, avec les verres.

— Tu as des verres ? Et tu m'as laissé boire à même la boîte ?

— Tu aurais voulu un verre ?

— Bon sang, Leo, je ne suis quand même pas un sauvage !

Il trouva les Tums, en avala une poignée, s'appuya contre le plan de travail et mastiqua d'un air pensif.

— A propos des Monkeewrench, on pourrait leur demander de mettre Gilbert et Kleber dans le logiciel qu'ils ont utilisé pour traiter les affaires non résolues. Histoire de voir si ça ne donne pas quelque chose. Ce programme, c'est vraiment un truc du tonnerre. Il ne lui faut que quelques secondes pour établir des liens entre des trucs sur lesquels on planche depuis des années…

— Pas une mauvaise idée. Je vais communiquer les noms à Grace ce soir, lui demander de les passer dans la machine.

Gino le gratifiant d'un long regard scrutateur, Magozzi comprit et fit la grimace : il allait encore avoir droit à un sermon. Il n'eut pas longtemps à attendre :

— Tu sais que j'aime beaucoup Grace MacBride, n'est-ce pas ?

Magozzi ne dit mot.

— Je ne veux pas te casser les couilles mais, honnêtement, dis-moi quel genre d'avenir tu te vois avec elle. Regarde les choses en face, Leo : cette petite est traumatisée. Paranoïaque comme c'est pas possible. Les relations normales, elle ne connaît pas. Je sais pas si tu te rends compte, le dernier type dont elle a été amoureuse était un serial killer !

Magozzi lui jeta un regard furibond.

— Elle s'améliore, Gino.

— Vraiment ? Comment se fait-il qu'elle soit allée au cinéma avec son flingue la semaine dernière ?

— Y a des tas de dingues qui vont au ciné…

— Voyons, Leo, vous êtes allés à une séance de l'après-midi voir un dessin animé. Ne te méprends pas, mon vieux. Je suis partant pour travailler avec les Monkeewrench – ils sont super. Mais je crois que tu devrais faire gaffe, ne pas mélanger le plaisir et le business.

— Tu as fini ?

— Oui, oui. Fin du sermon.

— Merci. Et ne les appelle pas les Monkeewrench.

Gino eut une petite crispation du visage.

— C'est vrai, j'oubliais. Merde, j'arrive pas à m'ôter ce nom de la tête.

Tu n'es pas le seul, le reste de la ville non plus, songea Magozzi.

— Ils en ont trouvé un autre ?

— Pas à ma connaissance.

Gino redressa le menton.

— Je vais y réfléchir. Histoire de leur donner un coup de main.

16

Il était une heure et demie et il faisait une chaleur infernale lorsque Magozzi et Gino arrivèrent devant l'entreprise de pompes funèbres Biederman. Chacun d'eux mijotait doucement dans la veste qu'il avait enfilée pour dissimuler son arme.

Sol Biederman les attendait devant la porte. Il avait l'air un peu mieux que la veille, lorsqu'ils s'étaient retrouvés près du corps de Morey Gilbert, mais ses yeux étaient toujours bordés de rouge. Encore un inconvénient de la vieillesse, songea Magozzi. Les tissus mettaient plus de temps à récupérer des crises de larmes et du reste.

Sol les conduisit dans un vaste salon meublé dans un style qui avait été à la mode trente ans plus tôt. L'air sentait les fleurs fanées et le café brûlé, sans parler de l'eau de Cologne dont avait dû s'asperger un précédent visiteur.

L'air conditionné, s'il y en avait, fonctionnait au ralenti. Gino se laissa tomber dans un siège marron, attrapa un mouchoir en papier dans une boîte et s'essuya vivement le front.

— Qui aurait cru que le mois d'avril serait aussi chaud ? soupira le croque-mort. J'ai quelqu'un qui est en train de réparer la clim. En attendant, tombez la veste, messieurs. Mettez-vous à l'aise.

— Merci, ça va, dit Gino dont le visage cramoisi contredisait les paroles.

— Je n'attends personne avant cinq heures. Nous sommes entre nous ici. Je serai seul à voir vos armes, et je sais garder un secret, comptez sur moi.

Gino se débarrassa de sa veste avant que Magozzi, plus respectueux du règlement, ait eu le temps de l'empêcher de violer les règles de bonne conduite vestimentaire du département. Il venait de décider, pour faire honte à Gino, de continuer à suer à grosses gouttes dans sa veste lorsque Sol lui montra ses bras nus sous les manches courtes de sa chemise.

— Si vous ne retirez pas votre veste, inspecteur Magozzi, je vais être forcé de remettre la mienne. Je suis un vieil homme. Je risque fort d'en mourir.

Magozzi sourit et ôta son veston tandis que Sol prenait place dans un siège voisin.

— Je suppose que vous avez d'autres questions à me poser. J'ai bien peur de ne pas vous avoir été d'une grande aide hier.

Gino sortit son carnet.

— Vous avez été parfait, monsieur Biederman. Compte tenu de l'état dans lequel vous étiez. Le problème, c'est que la situation s'est un peu compliquée ce matin.

Sol hocha tristement la tête.

— J'ai appris, pour Rose Kleber. Sa fille m'a téléphoné peu de temps avant votre arrivée. C'est terrible, incroyable. Y aurait-il un malade mental qui s'amuserait à tuer de vieux juifs ?

Son regard passa de Gino à Magozzi.

— C'est pour ça que vous êtes ici, n'est-ce pas ? Vous vous posez la même question.

— Nous nous posons des tas de questions, monsieur Biederman, dit Magozzi. Vous connaissiez Rose Kleber ? C'était une amie à vous ?

Sol fit non de la tête.

— Pas exactement une amie, mais nous formons une petite communauté. Tout le monde passe ici un jour ou l'autre. C'est moi qui me suis occupé du mari de Mme Kleber quand il est mort, il y a dix ans.

— Etait-elle une amie de M. Gilbert ?

— Pas à ma connaissance.

— Et vous l'auriez su étant donné que vous étiez le meilleur ami de Morey Gilbert, n'est-ce pas ?

Sol cligna des paupières, le regard lointain. Il demeura un moment sans répondre.

— C'est exact. J'aurais donné ma vie pour sauver celle de Morey.

C'était dit si calmement, d'un ton si prosaïque, que Magozzi le crut immédiatement.

Gino se pencha en avant.

— Laissez-moi vous expliquer, monsieur Biederman. Ces deux meurtres n'ont pas été commis au hasard. Ce n'étaient pas des accidents. Quelqu'un voulait liquider Morey Gilbert et Rose Kleber. Et si c'est la même personne qui les a tués, cela signifie qu'ils avaient un point commun que nous n'avons pas encore découvert. Un élément qui pourrait nous conduire au tueur. C'est pourquoi le moindre petit détail dont vous pourriez vous souvenir, le fait que Morey Gilbert ait mentionné le nom de Mme Kleber au hasard d'une conversation, par exemple, pourrait nous aider...

Sol réfléchit un moment.

— Désolé, je ne vois pas, dit-il enfin.

— Ils étaient tous les deux en camp de concentration pendant la guerre. Vous le saviez, j'imagine, ajouta Magozzi.

Sol leva le bras gauche, montrant des chiffres tatoués sur la face interne de son bras.

— Bien sûr que je le savais.

Gino, interdit, contemplait le bras du vieil homme.

— Je suis resté toute ma vie sans rencontrer une seule personne sortie d'un camp de concentration et voilà qu'en vingt-quatre heures vous êtes le troisième...

Sol eut un petit sourire.

155

— On ne s'en vante pas mais nous sommes certainement plus nombreux que vous ne le pensez. Particulièrement dans ce quartier.

— Je suis désolé, fit Gino.

— Merci, inspecteur Rolseth.

Il contempla les grosses veines de ses vieilles mains.

— Je me demande ce qui pourrait bien pousser quelqu'un à tuer des survivants des camps. Quel intérêt ?

Il écarta les mains en un geste poignant.

— Nous sommes tous vieux. Nous n'en avons plus pour longtemps, de toute façon.

Que répondre à ça ? songea Magozzi, sidéré par l'absence de circonlocutions de cet homme.

— On essaie de déterminer s'il ne s'agirait pas de crimes racistes.

Sol croisa son regard et le soutint avec tant de force que Magozzi n'aurait pu détourner les yeux s'il l'avait souhaité.

— Quand on hait les juifs suffisamment pour les tuer, on tue les reproducteurs, inspecteur, vous me comprenez ?

Magozzi voulut hocher la tête mais il avait l'impression que son cou était figé.

— Ce sont les nazis qui nous ont appris ça. C'est comme ça qu'ils appelaient les plus jeunes d'entre nous – les reproducteurs –, comme si nous étions des animaux. Certes, ils tuaient des vieillards, mais seulement parce qu'ils étaient inutiles. Je crois qu'il s'agit d'autre chose dans cette affaire.

Gino était resté immobile pendant que le vieil homme parlait. Il laissa échapper un long soupir et dit doucement :

— Alors il nous faut trouver un autre lien entre votre ami Morey et Rose Kleber. Un point commun qui aurait attiré l'attention du tueur. Peut-être s'étaient-ils connus au camp, peut-être avaient-ils gardé le contact au fil des années ?

— Mme Kleber était à Buchenwald, fit Sol. C'est tout ce qu'elle m'a dit le jour où elle est venue prendre ses dispositions pour les obsèques de son mari, et c'est à peine si elle arrivait à prononcer ce nom. Morey était à Auschwitz, tout comme moi. Il m'a sauvé la vie là-bas, vous le saviez ?

— Non, monsieur, dit Gino.

— C'était tout Morey, ça. Il aidait déjà les gens, à cette époque. Je vous raconterai peut-être un jour.

Il jeta un coup d'œil à Magozzi puis regarda de nouveau Gino, ses yeux sombres s'embuant.

— Cet homme était un héros. Qui pourrait bien vouloir tuer un héros ?

17

Le soleil se couchait presque lorsque Magozzi posa le pied sur le paillasson de Grace MacBride, écoutant bourdonner la caméra de surveillance au-dessus de sa tête, se retenant de ramener en arrière ses cheveux qui lui tombaient sur le front. Noirs, épais, ils étaient beaucoup trop longs et lui cachaient le visage. Il aurait dû les faire couper le samedi précédent, avant que les habitants de Minneapolis ne commencent à s'entre-tuer.

Un discret aboiement retentit de l'autre côté de la porte blindée tandis que les verrous étaient poussés et Magozzi ne put s'empêcher de sourire. Charlie, le grand chien de race indéterminée que Grace avait recueilli dans la rue, était tout juste un peu moins paranoïaque que sa maîtresse. Il lui avait fallu des semaines avant qu'il se décide à attendre de l'autre côté du battant quand Magozzi sonnait, aboyant un bonjour au lieu d'aller se terrer dans un coin. Magozzi avait dû faire le deuil de plusieurs de ses chemises, que les pattes boueuses et les bisous canins baveux avaient réduites à l'état de loques, mais il s'en fichait complètement.

Lorsque la porte s'ouvrit finalement, il eut un gros plan de la chevelure noire dansante et des yeux bleus souriants de Grace avant que les pattes de Charlie se retrouvent sur ses épaules et que sa longue langue se mette à lui lécher la figure. Cela le faisait toujours rire ; ces manifestations lui donnaient toujours à penser que le monde était meilleur. Il se demanda s'il ne ferait pas bien de sortir avec le chien.

« Ne le laissez pas faire, disait toujours Grace. Il n'a pas le droit de se précipiter sur les visiteurs. Vous lui donnez de mauvaises habitudes. »

Magozzi lui sourit par-dessus l'épaule de Charlie.

— Ne dites rien. C'est le seul câlin que j'ai eu de la journée.

— Vous êtes impossible, tous les deux. Entrez.

Grace portait un sweat et des tennis noirs, signe qu'ils n'allaient pas sortir – jamais elle n'aurait fait un pas dehors sans ses bottes d'équitation anglaises –, mais son Sig Sauer était bien au chaud dans son étui d'épaule, signe qu'ils iraient dans le jardin soigneusement clôturé. Le Derringer, elle le gardait pour la maison. Si elle l'avait porté dans son étui de cheville, par-dessus les épaisses chaussettes qui l'empêchaient de frotter contre sa peau, il aurait su qu'il n'était pas question de respirer un bol d'air frais de la soirée car Grace n'ouvrait jamais les fenêtres, malgré les barreaux de fer qui donnaient à la petite maison l'allure d'une prison.

Tandis que Charlie s'ébrouait, gambadant autour de Magozzi, ongles cliquetant sur le parquet, Grace ferma la porte, tira les trois verrous et entra le code pour réarmer le système de sécurité.

Magozzi observa la manœuvre avec une tristesse qui se mua bientôt en une résignation amère. Le danger qui avait hanté la vie de Grace était de l'histoire ancienne maintenant, il s'était éteint l'année précédente, en octobre, dans une terrifiante salve de coups de feu, mais sa paranoïa était toujours aussi virulente, effaçant toute possibilité de vie normale. Gino avait probablement raison. Se rapprocher de Grace MacBride, s'attendre à ce qu'elle fasse ne fût-ce qu'un petit pas dans cette direction, était sûrement un rêve impossible. Jamais elle ne se sentirait en sécurité. Pas plus avec lui qu'avec quiconque.

— La force de l'habitude, Magozzi, c'est tout.

Elle lui tournait le dos tandis qu'elle entrait le code de l'alarme, et pourtant elle avait deviné à quoi il pensait.

— Vraiment ?

Elle pivota et lui planta doucement un doigt dans la poitrine.

— Vous avez un complexe d'homme de Neandertal gros comme ça. Vous voulez que je laisse la porte déverrouillée parce que vous êtes là pour me protéger...

— Ce n'est pas vrai, mentit-il. Si vous laissiez la porte non verrouillée, je mourrais de peur.

Elle se tourna avec un petit sourire et s'engagea dans le couloir en direction de la cuisine. Magozzi et Charlie la suivirent à distance respectueuse.

— J'ai une bouteille de bourgogne à trois cents dollars qu'il faut décanter, et un chardonnay à huit dollars au frigo. Qu'est-ce que vous préférez ?

— Je ne sais pas trop. Les deux ont l'air bien. On peut les mélanger ?

Dix minutes plus tard, Magozzi mettait le pied sur le perron de derrière, verre de vin en main, lorsqu'il s'arrêta net.

Le jardin de Grace avait son allure habituelle – un petit carré de gazon hirsute ceint d'une barrière de bois de deux mètres cinquante de haut, avec en son milieu un vieux magnolia couvert de bourgeons qui commençaient à s'ouvrir.

Seule différence, il y avait trois fauteuils Adirondack disposés maintenant sous l'arbre, alors qu'il n'y en avait d'habitude que deux – un pour Grace et un pour Charlie, le chien, qui était persuadé que des monstres grouillaient sur le sol et ne s'asseyait jamais par terre s'il pouvait faire autrement.

Ressaisis-toi, Magozzi. Ce n'est qu'un fauteuil. Cela ne signifie rien. Et c'est probablement pour Jackson, qui passe ici tous les jours après l'école, qu'elle l'a acheté...

— C'est pour vous, un petit cadeau, dit-elle derrière lui.

— Oh ? fit-il, feignant l'indifférence.

— Le fauteuil, idiot. Cela évitera à Charlie de sauter sur vos genoux quand on est dehors.

— Je croyais que c'était pour Jackson.

— Les gamins de neuf ans n'ont pas besoin de meubles, Magozzi. Je l'ai acheté pour vous parce que j'aime bien vous avoir chez moi et que je veux que vous soyez à l'aise.

— Très bien, dit Magozzi, ravi qu'elle ne puisse voir son sourire stupide.

Un petit pas en avant. Elle s'améliore, Gino.

La chaleur, surprenante pour la saison, dura encore un peu après le coucher du soleil, et ils dégustèrent leur premier verre dans le jardin sous l'arbre. Ils restèrent assis en silence à siroter leur vin, écoutant les bruits de la nuit dans le quartier – portière qui claque, plus bas dans la rue, bruit des assiettes du dîner des voisins émergeant de leur fenêtre ouverte, pépiement brusque d'un oiseau persuadé que les branches du magnolia étaient un refuge sûr où dormir. Grace n'abattit

161

pas l'oiseau, elle ne tressaillit pas non plus lorsqu'il fit du bruit.

Elle s'améliore, si, si.

— Regardez à travers les branches, Magozzi. On voit les étoiles. Dans une semaine les feuilles s'ouvriront, ce ne sera plus possible.

— Je n'ai jamais vu de feuilles sur cet arbre.

— Ah bon ? fit Grace après un temps de silence.

— Non. La première fois que je me suis assis ici, c'était pour Halloween. Le pauvre arbre n'avait plus que trois feuilles, et elles étaient jaunes.

— C'est drôle, j'ai l'impression de vous connaître depuis plus longtemps que ça...

Il n'était pas assez stupide pour lui demander si c'était bon signe. Il tendit le bras vers la bouteille posée sur le sol entre leurs fauteuils et remplit leurs verres. Il but une gorgée, s'adossa contre son fauteuil Adirondack tout neuf, sentit le stress de la journée le quitter et se dissoudre sur la pelouse non entretenue du jardin de Grace.

Il se dit qu'il était pathétique. Il était plus heureux ici, avec cette femme qu'il connaissait depuis six mois sans l'avoir jamais embrassée, qu'il ne l'avait été de toute sa vie. Frustré, certes, par l'absence éprouvante de contact physique ; mais heureux, ça, oui. Il n'était pas à la hauteur de la réputation de séducteur des Italiens, il s'en fallait de beaucoup. Le lien qui l'unissait à Grace était si profond qu'il n'arrivait pas à le comprendre. Il l'avait éprouvé la première fois qu'il s'était assis dans ce jardin avec cette femme et son chien – un sentiment de bien-être, l'impression d'être chez lui.

C'est pour cela que je n'ai pas de meubles, Gino. Je n'habite pas vraiment chez moi.

— A quoi pensez-vous ?

— Je suis heureux.

Il ne lui était même pas venu à l'idée de mentir.

— C'est bien. J'ai lu les journaux, suivi les infos à la télé. Vous voilà avec une nouvelle énigme à résoudre. C'est ça, votre raison de vivre.

— Cela n'a rien à voir avec le fait que je suis heureux.

— Je sais. Parlez-moi donc de cette affaire.

— En fait, il y en a deux. Morey Gilbert, le propriétaire de la pépinière. Et Rose Kleber, mais nous n'avons rien qui nous permette de les relier...

— Et l'homme qu'on a retrouvé attaché à la voie ferrée ?

— Langer et McLaren planchent dessus. Pas de lien avec les nôtres. Nos victimes sont deux vieux juifs tués sur le coup. La leur était un luthérien que quelqu'un haïssait assez pour le torturer.

— Vous avez donc deux enquêtes. Vous avez un tas d'inspecteurs qui n'ont pas de crime à se mettre sous la dent, et Gino et vous, vous enquêtez sur deux meurtres ? Quelqu'un doit penser qu'ils sont liés, c'est sûr.

— Le lien est mince, à vrai dire.

— Comment cela ?

Soudain mal à l'aise, il remua sur son fauteuil.

— Cela fait partie des infos que nous gardons pour nous...

— Allez, Magozzi. Vous n'avez pas envie que je passe les noms de vos victimes dans notre nouveau logiciel ? Histoire de voir ce que ça donne ?

— Eh bien, avec Gino, on s'est dit que ça vaudrait peut-être le coup d'essayer...

— Très bien. Vous avez vu ce que ça a donné avec vos affaires non élucidées. Vous savez très bien que notre programme peut explorer des centaines de bases de données, chercher des liens. Mais si vous voulez que ça prenne moins de temps, il faudra me fournir quelques précisions pour restreindre le champ des recherches...

Ce n'était pas qu'il n'avait pas confiance en Grace. Avec Gino, elle était la personne en qui il avait le plus confiance au monde. Mais de là à violer le règlement du département... C'était contraire à la mentalité de Magozzi, qui n'était pas un rebelle.

— Je ne dispose pas de beaucoup de temps, Magozzi.

Elle croisa les bras, l'air impatiente.

— On charge les ordinateurs dans le camping-car après-demain.

Il ferma les yeux en l'entendant lui rappeler qu'elle s'en allait.

— D'accord... Ils avaient tous deux des tatouages au bras. Morey Gilbert était à Auschwitz, et Rose Kleber à Buchenwald.

Il devinait ses yeux sur lui dans l'obscurité, puis il les sentit qui s'éloignaient.

Grace resta un long moment silencieuse.

— Ça pourrait être une horrible coïncidence, dit-elle enfin.

— Certes.

— Mais vous n'êtes pas de cet avis.

Magozzi poussa un soupir.

— Les éléments dont je dispose sont minces, très minces.

— A quoi pensez-vous, Magozzi ? Que quelqu'un tue des juifs, ou des juifs qui étaient en camp de concentration ?

C'était une habitude chez elle. Elle disait tout haut ce que l'on n'avait pas envie d'entendre, parce que c'était trop épouvantable à considérer.

Il se pencha en avant, les bras appuyés sur ses genoux, son verre vide entre les doigts.

— Je n'ai envie d'envisager aucune de ces deux possibilités... Ce que j'aimerais vraiment, c'est que vous introduisiez ces deux noms dans votre logiciel et que vous découvriez que c'étaient des gens peu recommandables qui se sont rendus coupables d'un méfait qui a causé leur mort.

— Un cartel de la drogue du troisième âge, un truc dans ce goût-là ?

— Ce serait l'idéal. En outre, l'histoire des camps ne colle pas. Comme nous l'a fait remarquer un vieux monsieur cet après-midi, pourquoi tuer de vieux juifs ? Ils ne vont pas tarder à mourir, de toute façon.

— Pas très sympa, comme remarque.

Magozzi haussa les épaules.

— Lui aussi est un rescapé des camps. Ça lui donne le droit de dire certaines choses.

Grace resta un moment silencieuse, tapotant du bout des doigts un petit air martial sur le bras de son fauteuil. Une manie quand elle réfléchissait.

— Je ne sais pas, Magozzi. D'après ce que j'ai entendu dire aux infos sur Morey Gilbert, il ne donne pas spécialement l'impression de s'être adonné à des activités criminelles.

— Et vous ne savez pas tout. Il a passé sa vie à aider les gens. Saint, héros, les qualificatifs pleuvent. Je les ai tous entendus. C'était quelqu'un de bon, Grace.

— Trop bon pour être vrai ?

Magozzi réfléchit une minute.

— Je ne crois pas. Je dirais qu'il était vraiment bon.

— Et l'autre, Rose Kleber ?

— Grand-mère Kleber. Petits biscuits, jardinage, un chat, une famille qui l'adorait...

— Pas une criminelle, elle non plus.

— On tourne en rond, fit Magozzi avec un soupir.

Grace lui versa les dernières gouttes de vin.

— Alors il ne s'agit pas de quelque chose qu'ils ont fait, Magozzi. Peut-être qu'ils se sont trouvés ensemble au même endroit au même moment, qu'ils ont vu quelque chose ou quelqu'un qu'ils n'auraient pas dû voir.

— Ce serait mon scénario favori, fit Magozzi. Mais comment diable s'y prend-on pour chercher un truc de ce genre ?

— C'est là que j'interviens.

Il la regarda se lever de son fauteuil, silhouette gracieuse dans le noir.

Grace sourit et s'étira, ses doigts effleurant une branche du magnolia.

L'oiseau s'égosilla.

18

Tandis que Magozzi et Grace sirotaient du vin sous le magnolia, Marty Pullman éclusait du scotch comme si sa vie en dépendait. Il était assis sur le lit d'une chambre qui avait naguère été celle de Hannah, bien avant qu'elle fût devenue sa femme. L'endroit avait changé au fil des années, et de chambre de jeune fille était devenue une pièce triste sans destination bien définie. Il y avait un bureau que personne n'utilisait, un lit dans lequel nul ne dormait, un placard avec des cintres vides qui s'entrechoquaient quand on ouvrait la porte. Et pourtant la trace de Hannah était encore perceptible entre ces murs, comme elle l'était partout, et il n'y aurait pas assez de scotch au monde pour l'effacer.

Il but une grande gorgée, fixa l'obscurité par la fenêtre. C'était sa seconde nuit dans cette maison et il lui semblait que cent ans s'étaient écoulés depuis qu'il s'était assis dans sa baignoire, un revolver dans la bouche.

Il avait bien compris quand Lily lui avait demandé de rester chez elle. Emanant d'une autre femme dont le mari venait d'être assassiné, la requête aurait été parfaitement compréhensible. Le chagrin emplit une maison vide, et Marty savait mieux que quiconque que la seule chose pire que la mort était la survie en solitaire. Mais ce n'était pas pour cela que Lily voulait qu'il soit là. Morey mort, elle allait s'employer à tenir Marty à l'œil, et ils le savaient tous les deux. La vieille sorcière savait ce qu'il mijotait. Elle l'avait toujours su – à l'exception de ce jour-là.

Il tressaillit lorsque le gémissement de l'aspirateur se fit de nouveau entendre. Ces quatre dernières heures, Lily avait cuisiné et astiqué la maison en prévision des visiteurs qui allaient s'y presser le lendemain à l'occasion des obsèques. Il avait essayé de l'aider pour qu'elle puisse aller se coucher ; à un moment donné ils avaient failli en venir aux mains à propos de l'aspirateur. « Sois gentil, Martin », lui avait-elle dit. C'est alors qu'il avait compris que le but de la manœuvre n'était pas de finir le ménage. Marty avait sa bouteille ; Lily, son aspirateur ; et il était hors de question qu'on leur retire l'une ou l'autre.

Il empoigna ladite bouteille, alla prendre deux verres propres dans la cuisine et les apporta dans le séjour, débranchant l'aspirateur au passage.

— Pour l'amour du ciel, Lily, asseyez-vous et soufflez un peu. Il est près de onze heures.

Il s'attendait à ce qu'elle résiste, ou fasse un commentaire aigre sur sa consommation d'alcool, mais apparemment il y avait des limites, même pour Lily. Elle s'effondra sur le canapé près de lui et fixa machinalement l'écran de télé. Elle portait toujours sa salopette mais elle avait noué un foulard de coton bleu sur ses cheveux argentés coupés court, comme toujours lorsqu'elle faisait du ménage. Le foulard étonnait Marty. Il se demandait si elle avait les cheveux longs étant petite et si elle avait porté un foulard pour les retenir en arrière. Il essaya de l'imaginer avec les cheveux longs, mais avec son petit visage ridé, ses yeux agrandis par ses lunettes, et quatre scotches dans l'estomac, tout ce qu'il voyait c'était E. T. avec sa perruque.

— Je crois que la maison est suffisamment propre, décréta-t-elle pour bien faire comprendre à Marty que c'était uniquement pour cette raison qu'elle avait accepté de s'asseoir et pas parce qu'il le lui avait demandé.

— On distingue presque la trame du tapis, ouais. Pour être propre, c'est propre.

Marty lui versa un doigt de scotch.

Elle le gratifia d'un regard désapprobateur.

— Vous ne voulez pas boire seul, c'est ça ?

— Boire seul ne me gêne pas le moins du monde. Vous avez besoin de vous détendre.

— Je n'aime pas le scotch.

— Vous voulez autre chose ?

Elle fixa le verre un long moment puis finit par en prendre une petite gorgée et fit la grimace.

— Comment pouvez-vous boire ça ? C'est horrible.

— On s'y habitue, dit Marty.

Lily fit une nouvelle tentative :

— Le scotch de Morey est meilleur que ça. Meilleur que le vôtre. C'est du bon marché que vous avez acheté là ?

— Ouais, acquiesça-t-il dans un sourire.

Lily se leva et disparut dans la cuisine. Quelques instants plus tard, elle revint, portant une bouteille de Balvenie vingt-cinq ans d'âge.

Marty écarquilla les yeux.

— Bon Dieu, Lily, vous savez combien ça coûte, ce truc-là ?

— Vous voulez dire qu'on ne devrait pas le boire ?

Marty n'en revenait pas qu'elle lui ait sorti une bouteille de scotch à deux cents dollars.

Ils restèrent assis en silence, buvant et fixant la télé muette, et parce que l'atmosphère était au calme et à la détente, Marty faillit tout lui raconter.

Crache le morceau, oublie les conséquences...

A cet instant, il vit Jack Gilbert qui lui souriait sur l'écran de la télé. Il cligna à plusieurs reprises des paupières, se demandant s'il n'hallucinait pas, mais le visage souriant ne disparut pas pour autant.

— Hé, c'est Jack. Mettez le son !

Lily attrapa la télécommande sur la table et éteignit le téléviseur.

— Voyons, Lily !

Il s'empara de la télécommande, ralluma l'appareil et regarda défiler les scènes touchantes de la pub : Jack sur une route, venant en aide à la victime d'un accident de voiture ; Jack sur un chantier de construction, parlant aux ouvriers ; Jack au chevet d'un blessé à l'hôpital, l'air attentif et compatissant. Une voix off s'éleva tandis que sur l'écran on voyait un charismatique Jack au tribunal : « Si vous avez besoin d'un avocat qui prenne votre affaire à cœur, appelez Jack Gilbert, au 1-800-555-5225. Ne vous laissez pas faire. »

— Quelle andouille, marmonna Lily.

— Je ne suis pas d'accord. Je trouve ça pas mal, sa pub. Vous ne le considériez pas comme une andouille dans le temps. Vous étiez fière de lui.

— C'était mon fils dans le temps, dit-elle d'un ton acerbe.

Marty soupira. Il avait décidé de faire abstraction de sa vie par respect pour Morey et de faire son possible pour aider Lily. C'est ce que Hannah aurait souhaité. Mais il n'allait pas faire ça éternellement, ce qui signifiait que cette querelle familiale absurde devait prendre fin. Jack devrait prendre la suite auprès de sa mère, nom d'un chien.

— Seigneur Jésus, Lily, vous êtes la femme la plus têtue sur cette terre !

— Pourquoi jurez-vous ? Vous savez que j'ai horreur de ça.

— Voyons, on est juifs. Quand je dis « Jésus », ça ne signifie rien.

— Ça signifie quelque chose pour quelqu'un. Vous pourriez vous montrer respectueux.

— Bien, dit Marty avec un soupir. J'arrête de jurer, vous arrêtez de détourner la conversation. On va bientôt être à court de Gilbert, Lily. Il ne reste plus que vous et Jack maintenant ; il serait temps que vous enterriez la hache de guerre. Il a épousé quelqu'un qui n'était pas de la même religion ? En voilà une affaire ! Morey et vous ne mettiez jamais les pieds à la synagogue ! Qu'est-ce que ça peut vous faire que Jack ait épousé une luthérienne ?

Lily lui jeta un regard incrédule.

171

— Parce que vous croyez que c'est à cause de ça qu'on s'est brouillés ?

— Ce n'est pas le cas ?

— Pfft. Vous avez la tête pleine d'idées fausses. Vous êtes tellement occupé, aussi…

Marty serra les dents.

— N'essayez pas de me faire le coup de la culpabilité, Lily. Ça faisait un bout de temps qu'on n'avait pas vu Jack, il raccrochait au nez de Hannah quand elle l'appelait, j'ai demandé à Morey ce qui se passait. Il m'a dit que Jack avait épousé une luthérienne et qu'il était hors de question qu'on en parle. Point final. Une semaine après environ, Hannah a été assassinée ; excusez-moi si je n'ai pas cherché à en savoir davantage.

Il prit une profonde inspiration et coula un regard vers la bouteille de Balvenie. Dix dollars la gorgée, voilà ce que ça devait coûter. Une honte de gâcher tout cet argent juste pour se procurer un aller simple et rapide vers l'oubli.

— Allez-y, buvez, dit Lily. Mieux vaut mourir d'une maladie de foie que de trous dans l'estomac. Ce qui ne manquera pas de se produire si vous continuez d'absorber ce produit détergent…

Si elle croyait qu'elle allait devoir le lui répéter, elle se trompait. Il s'empara de la bouteille, remplit son verre.

Lily le regarda avaler une longue gorgée.

— Alors, vous voulez savoir ce qui s'est passé avec Jack, ou non ?

— Bien sûr que oui.

Elle s'adossa contre les coussins du canapé. Ses pieds ne touchaient pas le sol quand elle s'asseyait ainsi, et elle avait l'air d'une vieille petite fille avec ses jambes toutes droites à l'horizontale.

— Jack venait déjeuner tous les jours, vous vous en souvenez ? C'était avant cette pub inepte, quand je pouvais encore dire aux gens sans rougir que mon fils était avocat et que je me moquais pas mal qu'ils le voient faire le clown à la télé. Et puis un jour, pfft. Il disparaît de la surface de la terre. Pas de déjeuner, pas de coup de fil, rien. J'appelle son cabinet, je tombe sur un répondeur ; j'appelle chez lui, je tombe de nouveau sur un répondeur. Morey me dit qu'ils se sont disputés.

— A quel propos ?

— Qui sait ? Les disputes entre pères et fils, ce sont des choses qui arrivent. Ils restent un moment sans se voir, le temps d'oublier les bêtises qu'ils ont pu se dire quand ils étaient en colère et c'est fini. Seulement pas cette fois. Cette fois-là, Jack nous a envoyé une photo. Et sur cette photo, des petites filles en robe blanche, des petits garçons en costume, et au milieu ce grand abruti, et ils sont tous agenouillés devant une croix sur laquelle ce pauvre juif est crucifié...

Marty cligna des paupières, se demandant si son dernier verre ne lui avait pas fait cramer les neurones parce qu'il y avait quelque chose qui lui échappait.

— De quoi parlez-vous ? Quelle photo ?

Lily ignora la question.

— Et en bas de la photo, cette légende : *Jack Gilbert, première communion, église luthérienne.*

— Quoi ? Jack s'était converti ?

Elle but une petite gorgée et ne dit rien.

— Ça n'a pas de sens. Jack n'a jamais cru en Dieu.

Lily le regarda comme s'il était idiot.

— A quoi pensez-vous ? Ça n'avait rien à voir avec Dieu. Jack nous administrait une bonne claque et tournait le dos à sa famille parce qu'il s'était stupidement querellé avec son père. Une ou deux semaines plus tard, on reçoit une photo de mariage. Même endroit, même croix, une grande fille dans une grande robe blanche. Nouvelle claque. Tout ça avec des photos, le lâche.

Marty se passa les doigts dans les cheveux comme pour stimuler les cellules de son cerveau et essayer de comprendre ce qu'on venait de lui dire. Jack avait ses défauts mais Marty n'avait jamais pensé qu'il était du genre à faire du mal à quelqu'un délibérément, encore moins à ses parents. En outre, cela n'avait pas de sens de punir Lily pour une prise de bec qu'il avait eue avec Morey.

— Je ne comprends pas...

— Tiens donc. Moi, j'ai essayé pendant plus d'un an et je n'ai toujours pas compris.

— Vous auriez dû interroger Jack.

— Je viens de vous le dire, Jack refusait de me parler. Morey aussi. Vous, les hommes, vous faites des choses stupides et c'est nous, les femmes, qui en subissons les conséquences.

Marty la regarda prendre une nouvelle gorgée, le visage de la vieille dame était impénétrable.

Il savait sans l'ombre d'un doute qu'elle éprouvait quelque chose, mais il savait également qu'elle ne le montrerait jamais. Si Lily Gilbert se mettait un jour à pleurer, il y avait gros à parier qu'elle ne s'arrêterait jamais.

— Je vais lui parler, moi, à ce petit salopard.

— Bien.

— Je suis désolé qu'il vous ait fait de la peine.

— Et c'est moi qui passe pour la méchante, dans l'histoire. A propos, Sol a appelé ce soir pendant que vous fermiez la serre. Vous allez faire partie des porteurs.

— Je sais.

— Morey a choisi son cercueil il y a des années, ajouta-t-elle avec un sourire. Il se rendait à l'entreprise de pompes funèbres pour jouer au poker avec Sol, et un jour il rentre et me dit : « Lily, j'ai choisi mon cercueil. C'est du bronze, il est lourd, les reins des porteurs vont être mis à rude épreuve. Tant mieux pour Harvey, le chiropracteur, qui a besoin d'étoffer sa clientèle. »

Marty eut une moue amusée : c'était du Morey tout craché.

— Je ne savais pas qu'il jouait au poker.

— Seulement avec Sol, parce qu'il pouvait le battre. Et aussi parfois avec un certain Ben.

— Qui est Ben ?

— Personne.

— Vous n'avez pas l'air de l'aimer beaucoup.

— C'est un connard.

— Et Morey l'aimait bien ?

— Morey était un cas désespéré, fit Lily avec un haussement d'épaules. Il aimait tout le monde.

175

Que les gens le méritent ou non. Et puis il y avait un bout de temps qu'ils se connaissaient.

— Bizarre que je ne l'aie jamais rencontré...

— Ils n'étaient pas si proches que ça. Ils allaient à la pêche ensemble. Deux, trois fois par an. Et à l'occasion ils faisaient un poker.

Marty se tourna lentement vers elle.

— Morey pêchait ?

— Bien sûr... Oh, mettez le son. Vite.

Elle se redressa, posa les pieds par terre et, les coudes en appui sur les genoux, fixa la télé.

— Vous vous intéressez au base-ball ? fit Marty, les yeux écarquillés.

— Evidemment que je m'intéresse au base-ball ! dit-elle en s'emparant de la télécommande pour mettre le son. Les joueurs de base-ball sont des gentlemen. Ils ne se bousculent pas et ils sourient quand ils ont réussi quelque chose de bien.

Il l'observa pensivement tandis qu'elle s'absorbait dans le match, se disant qu'il en savait décidément bien peu sur Lily. Il avait passé la plupart de son temps avec Morey. Les hommes avec les hommes ; les femmes avec les femmes. Lily était le mystère qui régnait dans la cuisine. Mais Morey, l'homme, était l'ami, le père de substitution qu'il avait appris à aimer et à connaître.

A ceci près qu'il ne savait pas que Morey pêchait, et cela lui donna à réfléchir. Peut-être qu'il ne l'avait pas connu si bien que ça, finalement.

Il laissa vagabonder son esprit pour revivre une journée, un an plus tôt, peu de temps avant que sa vie ne se brise. Morey et lui avaient conduit

Hannah et Lily à soixante-quinze kilomètres de la ville, jusqu'à un magasin d'antiquités qui pratiquait des prix ahurissants. Sur le chemin du retour, ils s'étaient arrêtés dans une supérette-station-service pour manger des glaces et boire quelque chose.

« Marty, amenez-vous. Regardez-moi ça. »

Morey était près d'une armoire réfrigérée contenant du lait, du fromage et d'autres denrées périssables, et il regardait un réservoir plein d'eau en hochant la tête.

Marty avait jeté un coup d'œil et fait la grimace en voyant des sangsues agglutinées en une remuante masse noire. Sur le réservoir étaient posées des soucoupes pleines de sciure et de terre où s'agitaient des vers de toutes sortes.

« C'est dégoûtant. Qu'est-ce qu'ils ont, ces vers ? Pourquoi les blancs sont-ils dans la sciure ?

— Comment voulez-vous que je le sache ? »

Morey avait fait signe à un petit vendeur d'approcher du réservoir.

« Est-ce que ce n'est pas contraire aux règles les plus élémentaires d'hygiène ?

— Euh… Vous êtes envoyé par les services sanitaires ou quoi ?

— Non. Mais c'est du bon sens. Il y a des sangsues à côté du lait.

— Et des vers, avait ponctué Marty.

— Ce sont des appâts vivants, avait expliqué le vendeur. On les met dans le réservoir. Sur le dessus, ce sont les appâts séchés.

— Evidemment qu'ils sont vivants. Ils se tortillent. C'est dégoûtant.

177

— Ben… on a beaucoup d'amateurs de pêche dans la région.

— La pêche… avait soupiré Morey. Et ça se prend pour des sportifs, ces gens-là. C'est quoi, ce sport où on empale de pauvres créatures sans défense sur un hameçon pour le jeter dans l'eau et attraper d'autres pauvres créatures sans défense, mais plus grosses, celles-là ?

— Oh, c'est juste des vers, et des sangsues.

— Pour vous, peut-être. Dites, vous avez vu le film de Spielberg ?

— Ouais, je les ai tous vus.

— Sans blague. Donc, vous avez vu *La Liste de Schindler* ?

— Euh… vous êtes sûr que c'est de Spielberg ?

— Tant pis. Celui dont je parle, c'était celui avec les dinosaures.

— Ouais, *Jurassic Park*. Je l'ai vu quatre fois. Le premier était génial ; les suivants, plutôt nuls.

— Vous vous rappelez quand ils ont attaché la chèvre pour appâter le gros dinosaure ?

— Oh, ouais.

— Ça ne vous a pas fait mal au cœur pour cette petite chèvre ?

— Ben, si. Elle était terrifiée, elle se débattait, tout ça.

— Un appât vivant. Comme ces vers. »

Le vendeur avait décoché un regard vide à Morey.

Qui avait ajouté, agitant le doigt :

« Que ça vous serve de leçon. Le ver d'un homme est la chèvre d'un autre. Souvenez-vous-en. »

Elle se trompe, songea Marty, s'arrachant à sa rêverie. Lily a beau dire, Morey Gilbert n'était pas un pêcheur.

19

La chaleur, exceptionnelle pour la saison, continua de sévir le matin des obsèques de Morey Gilbert, et les météorologues annonçaient encore une journée de ciels ensoleillés et de températures élevées. Les vieux de la vieille, assis sous les porches écrasés de soleil, feuilletaient leur *Almanach du fermier* tout corné comme s'il s'agissait des écrits de Nostradamus, à la recherche d'une vague de chaleur similaire dans le Minnesota au mois d'avril, et n'en trouvaient aucune trace. Mais à deux cent cinquante kilomètres au nord, en plein Canada, un énorme front froid commençait à descendre vers le Midwest américain. Un changement se préparait.

Le commissariat d'Uptown avait réclamé cinq patrouilles supplémentaires pour régler la circulation convergeant vers la synagogue où devait se tenir le service funèbre à la mémoire de Morey Gilbert. A dix heures du matin, il n'y avait plus de places assises à l'intérieur ; à onze heures, lorsque le service commença, la foule s'était répandue sur la pelouse, le trottoir et finalement dans la rue. Il y avait là des centaines de personnes, et il avait fallu bloquer le périmètre sur trois pâtés de maisons. Personne, ni les riverains ni les automobilistes, ne se plaignait. Même les flics, agacés au début qu'on leur demande de régler la circulation, finirent par se laisser gagner par l'émotion que manifestait cette foule recueillie et se transformèrent en garde d'honneur, venue là assister au décès d'un grand homme. Sans qu'ils fussent capables de se l'expliquer clairement, ils déclarèrent ensuite : « Il fallait être là. »

Trois heures plus tard, Magozzi et Gino étaient assis dans la voiture banalisée devant chez Lily Gilbert, derrière la pépinière, observant une petite armée de gens en deuil et vêtus de noir qui franchissaient la porte d'entrée.

— Je crois que la moitié de la ville s'est rendue au cimetière. Je me demande comment elle va faire tenir tout ce monde là-dedans, commenta Gino.

— La réception aura lieu en petit comité. Famille et amis uniquement. C'est-à-dire les gens qui le connaissaient le mieux. Ceux qui ont quelque chose à dire.

Gino poussa un soupir et se mit à desserrer son nœud de cravate.

— Tu as déjà vu une telle couverture médiatique pour un enterrement ?

— Pour un homme politique ou une star de rock, oui. Autrement, non.

— Tu ne trouves pas ça triste ? Tu as entendu tous ces gens qui ont raconté comment Morey les avait aidés ? On avait l'impression de traverser un quartier de haute sécurité. Il y avait de tout : des dealers, des violeurs en réunion... Tous les créneaux du crime étaient représentés. Ex-dealers, ex-violeurs...

— « Ex », c'est ce qu'ils disent, grogna Gino. Mais imagine que l'un d'eux soit retombé dans ses vieilles habitudes, soit allé trouver ce bon Morey pour le taper et se soit mis en pétard quand il a vu que l'autre refusait de le sortir de nouveau de la merde ?

— Tu es un type bien, fit Magozzi. Plein de respect et tout. Presque bien élevé. Jusqu'au moment où tu desserres ton nœud de cravate. Après, ça se gâte.

— C'est possible, non ? insista Gino.

Magozzi soupira, posa les bras sur le volant.

— Qu'un type qu'il aurait dépanné se soit retourné contre lui ? Je suppose que oui. Mais si tel est le cas, on va avoir drôlement de mal à lui mettre la main dessus. Il y avait plus de mille personnes à l'enterrement. En outre, ça foutrait par terre la théorie selon laquelle c'est le même tueur qui a liquidé Rose Kleber. Or, cette théorie me botte assez.

Il se pencha en avant et loucha à travers le pare-brise.

— Qui est ce type en complet marine qui serre Jack Gilbert dans ses bras ?

— Aucune idée, mais il ne l'étreint pas, il l'aide à tenir debout. Tu ne l'as pas vu osciller devant la tombe ? Merde, l'espace d'une minute, j'ai cru qu'il allait atterrir dans la fosse avec son père...

— Ouais, j'ai vu.

181

Magozzi s'adossa contre le siège et scruta l'homme au costume marine qui aidait Jack à garder l'équilibre. Lorsqu'il fut à peu près stable sur ses jambes, il se dépêcha de s'éloigner, comme s'il ne voulait pas être dans les parages au cas où il tomberait. Personne n'avait apparemment envie de se trouver près de Jack Gilbert.

— Il est tout le temps tout seul, tu as remarqué ?

— Gilbert ?

— Ouais.

— Ce n'est pas surprenant. Il a une tête à faire peur, dit Gino avec un haussement d'épaules.

— Lily est soigneusement restée à trois mètres de lui aujourd'hui. Marty aussi. Il était planté là tout seul, comme le jour où on a enterré Hannah, si j'ai bien compris ce que nous ont dit Langer et McLaren. Sa femme aurait quand même pu l'accompagner...

— J'ai entendu des gens qui parlaient de ça à la sortie du cimetière. Elle est sur le point de demander le divorce, si ce n'est déjà fait. L'amour entre ces deux-là, c'est de l'histoire ancienne.

— Elle aurait quand même dû venir, dit Magozzi, serrant la mâchoire. Ç'aurait été plus correct.

— Allons, Leo. Jack Gilbert est un pochetron et un connard. On récolte ce qu'on sème. Pas la peine de te sentir triste pour lui.

— De loin seulement. Quand je m'approche de lui, je le hais.

— Voilà qui est bien dit, partenaire.

— Mais c'est l'histoire de l'œuf et de la poule.

— Pardon ?

— Eh bien, oui : c'est un pochetron parce que sa famille lui a tourné le dos, ou sa famille lui a-t-elle tourné le dos parce qu'il était un pochetron ?

— J'opte pour la seconde proposition, fit Gino avec un soupir d'exaspération. On peut entrer maintenant ?

Magozzi ne semblait guère pressé.

— On devrait peut-être attendre encore un moment avant de se pointer. Par respect.

— Du respect, on en a montré suffisamment comme ça, Leo. On ne fait pas partie des hordes à magnétophones et micros qui se sont précipitées à la porte d'entrée. Et puis dans une foule de cette importance, personne ne remarquera deux beaux gars comme nous en tenue de deuil hyper-chic.

Quinze minutes plus tard, Magozzi se demandait s'ils avaient été bien avisés d'assister à cette réception, même si au départ le raisonnement lui avait paru sain. La théorie était que personne, pas même Morey Gilbert, n'était bon à cent pour cent, et il était impossible qu'un homme qui avait vécu quatre-vingt-quatre ans ait réussi à ne se faire aucun ennemi. Ils espéraient qu'en tendant l'oreille ils apprendraient quelque chose qu'ils ignoraient encore sur le défunt ; quelque chose qui mériterait d'être approfondi.

Mais jusqu'à présent Magozzi n'avait recueilli que des témoignages larmoyants – si Gilbert n'avait pas été un saint, il n'en avait pas été loin, et cela commençait à l'indisposer. Morey Gilbert avait distribué tout ce qu'il avait à profusion –

temps, argent, conseils, nourriture, logement. Non seulement il avait dépanné les gens sur lesquels il était tombé, mais il était même allé à leur rencontre. Cela ne semblait pas naturel.

Soudain, un mouvement se fit de l'autre côté de la salle qui attira son attention. Jack Gilbert passait en titubant d'invité en invité telle une boule de machine à sous ivre, gommant la sympathie que Magozzi avait éprouvée pour lui peu de temps auparavant, se faisant remarquer de tous comme le seul échec de Morey Gilbert.

Leo trouva Gino en train de remplir son assiette pour la seconde fois au buffet, lequel surpassait apparemment ses espérances gastronomiques les plus folles.

— C'est génial, fit Gino, ravi. Faut que tu essaies les pâtes aux raisins...

Ce disant, il se fourra une saucisse cocktail dans la bouche, mastiqua, tenta quelques mots :

— Alors, tu as récolté quelque chose d'intéréchant ?

— Je crois qu'il faut qu'on s'intéresse sérieusement à Jack Gilbert...

Gino haussa un sourcil, seule mimique possible avec la bouche pleine.

— C'est l'unique faille dans l'auréole de Morey Gilbert, Gino.

— Ouais. Ch'est une lavette. Et un pochetron.

— On l'a considéré comme un suspect possible et puis on a renoncé à cette idée, qui ne nous plaisait pas. Mais suppose que ce soit lui, le lien ? Qu'il ait été impliqué dans un truc qui a coûté la vie à son père ?

Gino enfourna une autre saucisse, visiblement déterminé à continuer à parler et à manger simultanément.

— Kèche qu'il a fait, Jack ?

— Bon sang, j'en sais rien...

Gino déglutit, renonçant provisoirement à mener deux activités de front.

— Rappelle-toi ce que Langer et McLaren ont dit, quand ils nous parlaient de Morey repoussant Jack aux obsèques de Hannah. Peut-être qu'il a été mêlé à un truc vraiment moche, un truc que Morey trouvait inacceptable, peut-être que le vieux monsieur a essayé de le sortir du caca, et qu'il s'est fait rectifier pour sa peine. Il a dit lui-même qu'il y avait des gens qui souhaitaient sa mort. Il le pensait peut-être vraiment. Mais Rose Kleber, qu'est-ce qu'elle vient faire là-dedans ?

Magozzi prit un cure-dents orné d'une frise en Cellophane pour embrocher une saucisse sur l'assiette de Gino.

— J'ai un nouveau plan. Un meurtre à la fois. Si Rose Kleber y est liée, ça finira par se savoir. Allons parler à la femme de Jack, fouiller dans ses papiers au bureau, examiner les gens qu'il représente, ce genre de choses...

— Ça peut peut-être donner un résultat, acquiesça Gino, l'air pensif.

Il s'approcha. Son haleine fleurait la charcuterie.

— Et puis, pour tout te dire, je commence à en avoir ma claque d'entendre tous ces gens chanter les louanges de Morey Gilbert. Il y a deux semaines je me suis fendu de vingt dollars à la

Société protectrice des animaux, je me sentais bien, j'avais l'impression d'être la charité incarnée. Aujourd'hui, à côté de Morey Gilbert je me fais l'effet d'être un moins que rien. Tu connais Jeff Montgomery, le jeune qui bosse à la pépinière ? Ses parents ont été tués dans un accident de voiture après son entrée à l'université. Tu sais quoi ? Gilbert a payé ses droits d'inscription. Tu te rends compte ?

— Pas étonnant que le gosse pleure depuis deux jours.

Magozzi regarda par-dessus l'épaule de Gino et vit s'approcher Lily dans sa longue robe noire. Marty était près d'elle, attentionné, jouant le rôle qui aurait dû revenir à son fils. Magozzi le trouva épatant.

Lily s'arrêta et d'un air songeur fixa les mains vides de Magozzi avant de féliciter d'un sourire Gino et son assiette pleine.

— Vous avez bon appétit, inspecteur.

— Le buffet est sublime, madame Gilbert. On m'a dit que vous en avez préparé la plus grande partie.

— C'est exact.

— Vous devriez vous débarrasser de la pépinière et ouvrir un restaurant.

Elle ne sourit pas exactement, mais l'expression de son visage s'altéra imperceptiblement : le compliment la touchait.

— J'ai vu la photo de cette femme qui a été assassinée dans le journal de ce matin.

— Rose Kleber, précisa Magozzi.

— J'ai pensé qu'il fallait que je vous le dise, son visage m'a semblé familier. Elle est peut-être venue chez nous à deux ou trois reprises, mais ce n'était pas une cliente régulière. Les clients réguliers, je mémorise bien leurs visages...

— Lily ?

C'était Sol Biederman, qui poursuivait :

— Vous avez vu Ben ?

— Ben qui ?

— Voyons, Lily. Ben Schuler.

Sol était visiblement inquiet, impatient aussi.

— Il n'était pas aux obsèques et s'il n'est pas ici, c'est que quelque chose cloche. Son cœur n'est pas fameux, et il ne répond pas au téléphone...

— S'il n'est pas ici, c'est parce qu'il n'est pas le bienvenu chez moi et qu'il le sait, rétorqua sèchement Lily.

Sol lui effleura la main.

— Vous avez beau intimider tout le monde, Lily, vous ne l'auriez pas empêché d'assister à l'enterrement de son vieil ami. Je vais faire un saut là-bas, histoire d'en avoir le cœur net. Je ne m'absente pas longtemps.

— S'il n'est pas mort, faites-lui savoir qu'il n'est toujours pas le bienvenu chez moi.

Lily pivota. Voyant Jack faire mouvement vers elle, elle opéra un demi-tour et s'éloigna dans la direction opposée.

Gino siffla tout bas dès que Sol et Lily furent partis.

— Il ne fait pas bon être sur sa liste noire. Qu'est-ce qu'elle a contre ce Ben ?

— Impossible de savoir, avec Lily, fit Marty. Excusez-moi, les gars. Je retourne près d'elle.

— Il y a environ une cinquantaine de personnes autour d'elle, Marty, dit Gino. Soufflez un peu, prenez quelques minutes de répit. J'ai là une saucisse dont vous me direz des nouvelles...

Gino se cassa la tête pour essayer de faire la conversation à Marty. Etant un garçon poli, Marty faisait mine de s'intéresser à ce que Gino lui racontait. Mais ça n'allait pas tout seul. Au bout de quelques minutes, Magozzi en eut assez.

— On devrait s'en aller, Gino... commença-t-il.

A cet instant précis, Jack Gilbert se pointa en trébuchant, renversant une boisson presque aussi rouge que son visage sur le plastron de sa chemise blanche. Il passa un bras autour des épaules de Marty.

— Hé, les mecs ! Quelle foule, hein ?

Il fit un geste avec son verre, répandant le reste de son punch alentour.

— A croire que c'est ce putain de pape qui est mort !

Avec une rapidité sidérante, Marty se dégagea de l'étreinte de Jack et lui arracha son verre. L'espace d'une minute, Magozzi crut voir resurgir le vieux Gorille.

— Déconne pas, Jack. Pas aujourd'hui.

Jack recula en titubant, faillit perdre l'équilibre.

— Seigneur, Marty, je ne voulais pas te choquer. Calme-toi. Tu veux boire quelque chose ?

Une femme lourdement charpentée aux cheveux auburn s'approcha et tendit à Marty un portable.

188

— Un appel pour vous.

Lorsque Marty prit l'appareil et s'éloigna, elle se tourna vers Gilbert.

— Jack Gilbert, regardez dans quel état vous vous êtes mis. Comment pouvez-vous faire une chose pareille à votre mère ?

La tête de Jack oscilla légèrement sur son cou tandis qu'il essayait de reconnaître la femme.

— Sheila... c'est vous ? Vous ressemblez à Dennis Rodman. Qu'avez-vous fait à vos cheveux ?

Etrécissant les yeux, elle se rapprocha de lui :

— *Farshtinkener paskudnyak*, siffla-t-elle avant de s'éloigner, apparemment hors d'elle.

Gino ouvrait des yeux comme des soucoupes. Il n'avait pas compris l'insulte mais il aurait parié que Jack la méritait.

— Vous voulez que je vous dise, monsieur Gilbert ? Vous devriez mettre la pédale douce. Allez vous asseoir sur ce canapé là-bas, buvez une tasse de café...

— Une super idée, inspecteur, vraiment. Seulement, je viens de verser ma meilleure bouteille de bourbon dans le bol à punch et il y a un dicton juif qui dit que si on verse de l'alcool à des obsèques on doit le boire en totalité sinon c'est un manque de respect pour les morts...

Gino le dévisagea. Il était à peu près certain que l'autre lui racontait des conneries, mais avec la religion on ne savait jamais. Qui pourrait croire par exemple que les catholiques mettent certains jours de la cendre sur leur front ? Eh bien, c'est pourtant le cas.

— Il blaguait, Gino, dit Magozzi.

— Je sais. Barrons-nous.

Magozzi et lui allaient dépasser Jack lorsque la main de Marty se posa sur le bras de Gino.

Il a encore de la poigne, songea Gino, tandis que Marty le maintenait, murmurant des paroles de réconfort dans le téléphone avant de l'éloigner de son oreille et d'appuyer sur la touche pour mettre fin à la conversation.

— J'ai pensé que vous voudriez être mis au courant, dit-il en regardant autour de lui pour s'assurer qu'aucun des invités ne pouvait les surprendre. C'était Sol. Schuler a été abattu.

— Il est mort ? fit Magozzi, les traits crispés.

Marty acquiesça d'un air lugubre.

— Qui est mort ? demanda Jack trop fort en s'approchant.

— Plus bas, Jack, dit Marty. Ben Schuler.

— Sans blague ? Pauvre vieux. Crise cardiaque ?

Marty hésita. Un vieux réflexe de flic. Pas très chaud pour partager l'info avec un non-flic.

— Non. Une balle dans la tête. Comme Morey.

Ces quelques mots eurent un effet instantané sur Jack, qui parut retrouver d'un coup toute sa lucidité.

— Suicide ?

Marty fit non de la tête.

Le visage de Jack Gilbert afficha alors une drôle d'expression : celle d'un homme qui a la frousse.

— Seigneur Dieu, murmura-t-il.

— Vous le connaissiez ? s'enquit Gino.

— Ouais, dit Jack.

Qui pivota et s'éloigna, le dos étonnamment droit.

Marty le trouva quelques instants plus tard debout devant la table de la cuisine, fixant la photo de Rose Kleber parue dans le journal du matin. Il tremblait de tous ses membres.

20

Un certain nombre de quartiers à Minneapolis avaient jadis été à la mode avant que les autoroutes ne commencent à grignoter l'immobilier à belles dents. La maison de Ben Schuler se trouvait dans l'un de ces quartiers, perchée sur une colline où des ormes centenaires ombrageaient dans le temps un boulevard que la municipalité garnissait de fleurs au printemps. La maladie de l'orme avait fait périr la plupart des arbres au cours des vingt dernières années, une nouvelle autoroute avait dévoré le reste, et les habitants du coin n'avaient désormais pour tout horizon que les six voies rugissantes qui passaient au bas de la colline. Magozzi et Gino perçurent le grondement d'un dix-huit roues à l'instant où ils descendirent de voiture.

— C'était sympa, ici, avant, dit Magozzi, regardant une longue fissure dans le stuc de la villa de Ben Schuler puis le porche affaissé de la maison de brique voisine. Ma grand-tante possédait une immense demeure victorienne, à quelques pâtés de maisons d'ici.

— Dans ce cas comment se fait-il que tu aies mis autant de temps pour localiser celle-ci ? grogna Gino, ôtant sa veste et sa cravate et les posant sur le siège.

— Ça fait des années que je ne suis pas venu par ici. On n'a dû venir qu'une ou deux fois, et j'avais dans les six, sept ans. C'était une vieille dame pas commode. D'après mes parents, elle n'a jamais rencontré de gens qu'elle trouvait sympas, pas plus dans la famille qu'ailleurs. Elle refusait de parler anglais, et mon père refusait de parler italien, rien que pour la faire bisquer. La dernière fois qu'on est venus, elle m'a collé une claque magistrale sous prétexte que j'avais empoigné ma fourchette avant qu'elle ait dit le bénédicité...

Gino pinça les lèvres en une grimace rectiligne. Qu'un adulte frappe un enfant, c'était l'une des choses qui dépassaient son entendement.

— Bon sang, c'est moche. J'espère que ton père lui a collé un pain !

— Mon père ne lèverait jamais la main sur une femme même si elle l'écorchait vif.

Magozzi sourit en se rappelant la scène.

— Ma mère ne s'est pas gênée, elle.

Gino fit une petite grimace amusée et envoya un baiser en direction de Saint Paul, où les parents de Magozzi vivaient encore dans la maison où il avait grandi.

— J'ai toujours eu un faible pour ta mère.

— Et elle te le rend bien. Tu comptes te désaper complètement ou on peut y aller maintenant ?

192

— Tu sais combien ça coûte d'envoyer un costume au pressing ?

— Jamais fait attention.

— Merde, il y a des moments où je hais les célibataires. J'ai payé une fortune pour faire nettoyer ce vêtement, j'ai pas envie qu'il pue la scène de crime.

— Tu n'as pas retiré ton pantalon, dis donc.

— J'le fais pas à tous les coups.

Il claqua la portière de la voiture et ils remontèrent l'allée.

— On dirait qu'Anant et la balistique nous ont devancés.

— Pas étonnant.

Gino jeta un coup d'œil à l'affreuse fourgonnette du médecin légiste et à la camionnette garée juste derrière.

— Ces engins sont équipés d'un GPS. Quand je pense qu'on n'a même pas une climatisation qui fonctionne. Il n'y a pas de justice dans ce bas monde.

Jimmy Grimm tomba sur Magozzi et Gino à l'arrière de la villa de Ben Schuler.

— Faut absolument que vous réussissiez à serrer ce type, tels furent les premiers mots qui sortirent de sa bouche.

— Mince de bonne idée, Jimmy, dit Gino. Je ne sais pas pourquoi on n'y a pas pensé plus tôt.

Jimmy s'écarta pour laisser entrer Gino dans la minuscule cuisine.

— Qu'est-ce qu'il a ? demanda-t-il à Magozzi. Il a pas l'air de bon poil.

— Son teinturier vient d'augmenter ses tarifs. Et tu as un GPS et pas nous.

Magozzi aperçut un dessin au crayon fixé sur la porte du frigo. Impossible de savoir ce que ça représentait. Ce qui était sûr, c'est que personne n'avait encore pris le temps de brimer la créativité du gosse, les couleurs étaient géniales.

— C'est moche jusqu'à quel point, là-dedans ?

Il inclina la tête en direction de ce qu'il supposa être la chambre.

Jimmy gonfla les joues et défit le col de son costume blanc propre.

— Question gore, ça va encore. C'est surtout pathétique. Anant semble très éprouvé. Il a une sorte de vénération pour les personnes âgées, ce qui n'aide pas, en l'occurrence. Tu crois que c'est un truc hindou ?

— Plutôt quelque chose comme de la décence, dit Gino.

— Quoi qu'il en soit, ces meurtres à répétition sont stressants. Ce zigoto qui descend les vieux commence à me taper sur le moral à moi aussi. J'entre dans ces maisons, je regarde les photos des petits-enfants, les flacons de médicaments, les factures de Medicare, ce genre de choses, et j'ai l'impression d'être chez mes vieux. Ces gens sont en fin de vie, ils essayent de survivre... ça n'a pas de sens. Et celui-ci, c'est le pire.

Gino secouait la tête.

— Ça peut pas être pire que Rose Kleber. Je vois encore la petite pancarte « Jardin de grand-maman » dans mes rêves ; ça et l'assiette de biscuits qu'elle venait de faire pour ses petites-filles.

Jimmy le fixa l'espace de quelques secondes. Puis :

— Je crois qu'il en a pris un. Un biscuit.

Magozzi haussa les sourcils.

— Ce n'était pas noté dans le rapport.

— Je ne l'ai pas mentionné. C'est juste une supposition. On n'a pas de preuves. Elle les avait disposés avec soin sur l'assiette, protégés avec un morceau de film plastique, mais le plastique était légèrement de traviole d'un côté et il y avait un vide là où aurait dû se trouver un biscuit. J'ai imaginé ce salopard en train de tuer la vieille dame et de prendre un gâteau en partant.

Il s'arracha un faible sourire.

— C'est ça qui vous tue au bout d'un moment, ces images dont on n'arrive pas à se débarrasser. Et celle-ci, croyez-moi, elle est gratinée. Ben Schuler savait ce qui allait lui arriver, il était mort de trouille. On a l'impression que le tueur a fait mumuse avec lui ; il l'a pourchassé à travers la maison, il lui a parlé, je ne sais pas exactement. Mais toujours est-il que le pauvre homme a rampé à travers la chambre pour essayer de sauver sa peau. C'est l'image que j'emporterai de cette maison.

Gino le regardait d'un air mauvais, s'efforçant d'effacer la vision que Jimmy Grimm venait d'évoquer. Il se ferait sa propre vision de la scène quand il y serait. Si on s'appesantissait sur des images de vieillards terrorisés rampant pour échapper à leur tueur, on se liquéfiait, et on ne pouvait plus faire le boulot. Et Grimm le savait.

— Bon sang, Grimm, qu'est-ce qui te prend de raconter des histoires comme ça ? Tu cherches à faire peur dans les chaumières ?

— Reste derrière moi, dit Grimm en enfilant le couloir. On a dégagé une entrée mais c'est tout ce qu'on a eu le temps de faire pour l'instant. Anant veut que tu examines la scène de crime avant de prendre les photos, de passer la poudre à empreintes et de mettre le corps dans la housse.

Les lames de parquet anciennes craquaient sous leurs pas tandis qu'ils dépassaient une impressionnante collection de photos de famille en noir et blanc qui devaient dater d'au moins cinquante ans. A mi-couloir, Magozzi et Gino s'arrêtèrent pour regarder les clichés devant lesquels ils étaient passés et ceux qui étaient devant eux.

Jimmy jeta un coup d'œil par-dessus son épaule.

— Pourquoi vous vous arrêtez ? Vous ne touchez à rien, j'espère ?

— On promène nos sales pattes sur le mur, on efface les empreintes ! rouspéta Gino. Bon sang, Grimm, calme-toi un peu. C'est quoi, ces photos ? C'est le truc le plus dingue que j'aie jamais vu.

Jimmy rebroussa chemin et les rejoignit.

— Tu peux le dire. Ce sont des tirages de la même photo. Soixante en tout. Ça fout les jetons, hein ? Son ami… le vieux qui l'a trouvé…

— Sol Biederman ?

— Ouais, c'est ça. Il était encore ici quand je suis arrivé. Il m'a expliqué que c'était la seule photo que Ben Schuler avait de sa famille. Ses parents, lui et sa petite sœur. Apparemment, il faisait encadrer un autre tirage chaque année.

— Il a dit pourquoi ?

— Ils sont morts dans les camps, reprit Jimmy. Pas lui. Culpabilité de survivant, mémorial, qui sait ?

Magozzi et Gino échangèrent un regard navré.

— Ben Schuler était dans un camp de concentration ? demanda Magozzi.

— C'est ce que m'a dit Biederman.

Jimmy Grimm rencontra le regard de Magozzi.

— Ouais, ça en fait trois, et ce n'est pas fini.

Anantanand Rambachan se tenait au milieu de la chambre de Ben Schuler, tête baissée, paumes pressées l'une contre l'autre sous le menton. Il ressemblait davantage à une personne en deuil qu'à un médecin légiste. Magozzi hésita sur le seuil se demandant si Anant priait, s'il ne commettrait pas une horrible faute de goût en l'interrompant.

Gino n'avait pas autant de tact :

— Hé, Anant, vous êtes en transe ou quoi ?

Anant eut un étroit sourire en se tournant vers eux. Ce soir, il ne dévoilait pas ses dents.

— Bonsoir, inspecteur Rolseth, inspecteur Magozzi. Pour répondre à votre question, inspecteur Rolseth, je n'étais pas en transe. Si tel avait été le cas, je n'aurais pas entendu votre question. J'étais simplement…

Ses sourcils sombres se froncèrent tandis qu'il ouvrait les mains puis les refermait et les plaquait contre sa poitrine.

— Vous vous imprégniez du spectacle ? voulut savoir Gino.

— Oui, c'est exactement le terme qui rend ce que j'étais en train de faire. Merci.

Il leur fit signe d'entrer dans la pièce.

— Rejoignez-moi directement, s'il vous plaît. Vous voyez la bande de parquet foncée, par terre ?

Magozzi baissa les yeux vers une bande de parquet d'un mètre de large où l'on distinguait encore des traces du vernis d'origine que ni le soleil ni l'usure n'avaient effacé.

— Il y avait un tapis à cet endroit-là ?

— Oui. M. Grimm l'a fait enlever pour l'examiner avant notre arrivée afin de nous permettre de nous frayer un chemin au cœur de cette terrible histoire.

Magozzi et Gino avancèrent avec précaution l'un derrière l'autre, marchant là où s'était trouvé le tapis. Arrivés au milieu de la pièce, ils s'immobilisèrent et regardèrent autour d'eux, sans dire un mot.

La chambre était sens dessus dessous et, heureusement, l'odeur qui dominait était celle de l'après-rasage bon marché. Des flacons qui avaient dû être posés sur la commode jonchaient le sol, et les liquides qu'ils avaient contenus s'étaient répandus partout. Une table de nuit près du lit était renversée, une lampe cassée gisait sur le parquet, son abat-jour de verre vert réduit en miettes. Ce qui restait du téléphone fracassé se trouvait dans un coin de la pièce, le dessus-de-lit en chenille aux tons fanés avait été arraché du lit.

Les chaussures se remarquaient nettement au milieu de ce chantier, elles avaient échappé à la violence qui s'était manifestée en ces lieux. Noires, impeccablement cirées, soigneusement disposées devant une chaise, elles attendaient d'être enfilées.

Gino poussa un long soupir. Il jeta un coup d'œil dans le placard ouvert, à un tas de vêtements étalés par terre qui avaient été délogés de leurs cintres.

— Où est-il ? Là-dedans ?

Anant, ayant suivi la direction de son regard, dit :

— Plus maintenant. M. Schuler est sous le lit.

Magozzi ferma brièvement les yeux et évoqua l'image d'un vieillard terrifié se traînant d'une cachette à l'autre dans un atroce jeu du chat et de la souris, essayant désespérément de sauver sa peau jusqu'au bout. Ou peut-être avait-il accepté son sort et avait-il cherché instinctivement à s'abriter sous le lit tel un animal blessé afin de mourir dans une paix relative – si cela était possible compte tenu du fait qu'il était poursuivi par un sadique armé d'un flingue.

— Je ne vois pas de sang. On lui a tiré dessus alors qu'il était sous le lit ?

— Je crois bien que vous avez raison, inspecteur, dit Anant, en s'agenouillant et en leur faisant signe de l'imiter.

Il sortit une minitorche Maglite de la poche de sa veste et éclaira le carnage sous le sommier.

— Messieurs, si vous voulez bien vous donner la peine...

Magozzi et Gino s'accroupirent près de lui et fixèrent ce qui restait de la tête de Ben Schuler. Le haut de son crâne n'était plus qu'un magma de sang et d'os, mais son visage, d'une pâleur épouvantable sous le halo de la torche, était horriblement intact et figé dans une expression grotesque, comme un portrait de Picasso qu'on aurait passé au chalumeau.

Gino se détourna brièvement.

— Seigneur... Son visage. Pourquoi est-il aussi déformé ?

— C'est l'expression qu'il avait quand il est mort, inspecteur. A nous de la déchiffrer. Je crois que c'est de la terreur.

Anant baissa la lumière vers les vêtements de Schuler – un blazer de laine qui n'était plus de la première jeunesse, une chemise éclaboussée de sang, une cravate dont le nœud n'était pas terminé.

— Il se préparait à sortir, apparemment.

— Pour aller aux obsèques de Morey Gilbert, dit tranquillement Magozzi. Il se rendait aux obsèques de son ami.

Jimmy Grimm passa la tête par l'entrebâillement.

— Les médias sont dehors. Les quatre stations de télé et les deux journaux. Ça va fumer.

21

La nouvelle du meurtre de Ben Schuler s'était répandue comme une traînée de poudre parmi les invités réunis chez les Gilbert. Les voix avaient baissé, les sens s'étaient aiguisés, un pressentiment funeste s'était emparé de la foule. La police était peut-être encore en train de patauger, de chercher un lien entre tous ces meurtres, mais tous ceux, hommes et femmes, qui se trouvaient rassemblés dans cette maison connaissaient la vérité. Quelqu'un tuait des juifs.

Personne n'exprimait cette pensée terrible à haute voix mais les gens restèrent là plus long-temps qu'ils ne l'eussent fait d'habitude, formant des petits groupes, cherchant le réconfort dans le fait qu'ils étaient nombreux. Il faisait nuit noire lorsqu'ils commencèrent à prendre congé, et même alors, ils s'attardaient devant la porte, se répandant en condoléances qui n'en finissaient plus.

Tandis que la file des invités sortait par la grande porte, Jack s'éclipsa par-derrière et dis-parut dans l'ombre du jardin.

Ce n'étaient pas les obstacles qui manquaient pour atteindre l'abri de jardin situé derrière la serre, herbes folles, petites bosses dans la pelouse, mais Jack atteignit sa destination sans trop de dommages. Quelques chutes et des taches d'herbe. Il espérait que c'étaient des taches d'herbe, qu'il n'était pas tombé sur une grenouille.

Il s'arrêta devant la porte et s'appuya du dos contre le bois rugueux, tendant l'oreille. Il faisait très sombre à cet endroit-là et, à l'exception du chant de ces fichues grenouilles, le calme régnait. Les seuls bruits qu'il percevait étaient le cogne-ment de son cœur dans sa poitrine et le léger cra-quement des échardes abîmant la laine de son costume tandis qu'il se laissait glisser le long du battant pour s'accroupir. Il se prit la tête dans les mains.

Il lui fallait se ressaisir, se détendre, mettre une stratégie au point et, ensuite, dénicher encore quelque chose à boire.

Il ne tenait pas très bien sur ses jambes lorsqu'il se releva et ouvrit la porte d'une poussée, tressaillant quand les gonds grincèrent. Il pénétra en flageolant dans la pièce, agita les mains autour de sa tête pour trouver la chaîne permettant d'allumer l'unique ampoule nue.

Une fois éclairé, l'abri lui apparut, aussi bien rangé que d'habitude. Il regarda autour de lui les choses qui lui faisaient peur quand il était petit : les pelles avec leur bord coupant à l'extrême, les lames luisantes des sécateurs, les truelles pointues, les râteaux dont les dents brillaient dans la lumière mouvante. Des monstres, à l'époque où Jack avait six ans.

Son père avait une grande main mais bizarrement elle ne pesait pas. Elle était tiède, réconfortante.

« Allez, Jackie. Entre. »

Le petit Jackie a six ans, il fait non de la tête.

« Ah... Ça n'a pas la même allure la nuit, n'est-ce pas ? »

Un petit hochement de tête mal assuré.

« Et tous ces outils, ça fiche la frousse, hein ? »

Le mouvement de tête est plus accentué maintenant qu'on parle ouvertement de la peur.

« Tu crois que je laisserais quelque chose faire du mal à mon fils, à mon précieux petit garçon ? »

Les bras vigoureux le soulevaient, le plaquaient contre la laine rugueuse de la chemise qui sentait la sueur, la terre et l'air.

« Rien ne te fera du mal ici ni nulle part. Il ne t'arrivera jamais rien, j'y veillerai. Tu me crois, n'est-ce pas, Jackie ? »

Jack ne comprit qu'il pleurait que lorsqu'il perçut le son déchirant de ses sanglots. Il se plaqua la main sur la bouche pour étouffer ce bruit et, à moitié aveuglé par le puissant cocktail de bourbon et de larmes, il se traîna jusqu'au coin où des sacs de fumier de mouton étaient entassés sur un chariot. Il lui fallut dix minutes pour décharger les sacs pesants et écarter du mur la palette. Ses larmes avaient cessé de couler.

Il trouva la fissure dans le sol de ciment immédiatement, il attrapa une truelle et se mit à desceller le béton, sentant des gouttes de sueur de nervosité perler sur son front.

Le sac en plastique était là, noir d'huile, les chiffons à l'intérieur, humides, exhalaient une odeur douceâtre. Le mal enveloppé dans des langes.

Jack baissa les yeux sur le revolver si familier au toucher dans sa main, fasciné par la façon dont la lumière faisait luire le canon. Il ouvrit la chambre et compta les balles, il allait l'empocher lorsqu'il entendit la porte s'ouvrir en grinçant derrière lui. Sans réfléchir, il empoigna l'arme et pivota, dans l'attitude du tireur. Chose qu'il savait très bien faire.

L'un des jeunes qui travaillaient à la pépinière se tenait dans l'encadrement de la porte, les yeux tels des œufs au plat, fixant le revolver.

— Oh mon Dieu, oh mon Dieu... monsieur Gilbert ? C'est moi, Jeff Montgomery ? Ne tirez pas, je vous en prie !

Jack tomba assis sur son derrière et ferma les yeux, tremblant sous l'effet de l'adrénaline. Seigneur, il avait bien failli le descendre.

— Bordel de merde, marmonna-t-il, l'alcool ralentissant son débit. Je ne vais pas te tuer. On ne t'a jamais dit qu'il ne fallait pas surprendre un type qui a une arme à la main ?

— Je... je ne savais pas que vous aviez une arme. J'ai vu de la lumière, je me suis dit qu'il fallait que je jette un coup d'œil...

Les jambes flageolantes, Jack parvint à se redresser et vit le gamin figé devant la porte, qui jetait des coups d'œil de droite et de gauche, tel un lapin sur le point de détaler. Il comprit alors combien il avait dû lui faire peur.

— Ecoute, ce n'est pas ce que tu crois. Je déteste les armes à feu mais il y a un salopard qui rôde dans le coin et descend des gens du voisinage, alors j'ai besoin de ça, tu comprends ?

— Oui, m'sieur, oui, bien sûr, je comprends. Euh, je crois que je vais y aller maintenant ?

— Non, attends une minute.

Jack agita le revolver et le gamin recula contre la porte, terrifié. Le regard de Jack passa des yeux du jeune homme au flingue qu'il avait à la main.

— Seigneur, désolé.

Il fourra l'arme dans sa poche, tendit les mains, paumes ouvertes.

— N'aie pas peur... Jeff, c'est ça ?

Le jeune hocha la tête avec circonspection.

— Très bien, Jeff, maintenant écoute-moi. Je suis navré de t'avoir fait peur. Je suis un peu bourré et j'ai pas mal la trouille moi-même, j'ai pris cette arme pour me protéger, tu comprends ? Le problème, c'est que je n'ai pas de permis. Ça ne serait pas génial si on apprenait que j'ai ce flingue. Surtout Marty. Alors pour l'amour du ciel, pas un mot à Marty, d'accord ?

— D'accord, pas de problème, monsieur Gilbert.

— Excellent.

Jack claqua dans ses mains et le gamin sursauta.

— Bon ! Tu veux bien m'aider à empiler ces sacs sur le chariot ?

— Avec plaisir, monsieur Gilbert.

Jack lui adressa un grand sourire.

— Tu es un brave garçon, Jeff.

22

Une fois le dernier des invités parti de chez Lily, Marty trouva Jack avachi au volant de sa Mercedes, le regard perdu dans le noir par-delà le pare-brise, une flasque en argent vide laissant échapper ses dernières gouttes de bourbon sur le siège de cuir moelleux. Marty se baissa vers la vitre ouverte et faillit tourner de l'œil.

— Bon sang, Jack, ça pue là-dedans ! C'est quoi, cette odeur ?

— Du fumier de mouton, dit Jack sans même le regarder. Tu devrais aérer dans la resserre, Marty. Ça cocotte.

Il avait une voix anormalement sobre pour un homme qui buvait probablement depuis le lever du soleil.

— Qu'est-ce que tu fabriquais dans la remise ?

— Je m'offrais un petit voyage dans le passé. Papa m'y emmenait quand j'étais môme. Il me laissait rôder dans le coin pendant qu'il affûtait ses outils. Tu veux que je te dise un truc ? Je crois que j'ai un peu trop bu pour prendre le volant, et qu'une bonne douche ne serait pas du luxe. Tu te sens d'attaque pour me ramener chez moi, Marty ?

— Pas dans cette voiture !

Vingt minutes plus tard, ils étaient dans la Chevy Malibu 66 de Marty, capote baissée pour laisser se dissiper l'odeur, et se dirigeaient vers l'ouest par l'autoroute qui longeait Minneapolis. La circulation était fluide, l'air de la nuit était empreint d'une douceur presque sexuelle, et sur le siège du passager, contrairement à son habitude, Jack se montrait bien silencieux.

Marty finit par prononcer les mots qu'il avait cru ne jamais pouvoir articuler :

— Allez, Jack, vas-y, parle.

— Pas de problème, mon vieux. Choisis un sujet.

— Commençons par ce que tu as fait à ta mère.

— Pardon ?

— Arrête tes conneries, Jack. Tu te fous éperdument de la religion et tout d'un coup tu décides de laisser tomber la kippa pour devenir chrétien.

Foutaises. Cette photo de ta confirmation – et vraisemblablement celle de ton mariage également –, c'était un coup de poing dans la figure de tes vieux.

— Et alors ?

— Alors c'était puéril, et impardonnable.

— Tu as fini ? fit Jack avec un soupir bruyant.

— Non, bon sang, je n'ai pas fini. Tu t'es engueulé avec ton père. Lily ne savait même pas à quel propos. Pourquoi ne pas l'avoir mise au courant ?

— C'est compliqué. Et t'as pas besoin d'être au parfum.

— Détrompe-toi, j'ai envie de savoir. Que diable Morey a-t-il bien pu te dire pour que tu réagisses aussi violemment ?

Jack se redressa quelque peu dans son siège et regarda Marty d'un air surpris.

— Tu sais quoi, Marty ? Tu es le premier à penser que j'aie pu avoir une raison d'agir comme je l'ai fait. Que je ne me suis pas seulement conduit comme un con.

Il fit de nouveau face à la route et secoua la tête.

— Merde, tu peux pas savoir quel effet ça me fait...

— Génial. Ravi de t'avoir fait plaisir. Alors, la raison ?

— Je t'aime, Marty, c'est vraiment sympa de le prendre comme ça.

— Pour l'amour du ciel, on ne peut pas te parler quand tu es dans cet état...

— C'est bon, Marty, je ne veux pas parler de cette connerie. L'eau a coulé sous les ponts...

— Putain, Jack, pas suffisamment, parce que Lily en souffre toujours. Et toi aussi, d'ailleurs. Il faut que tu trouves un moyen de redresser la situation.

— Impossible, fit Jack.

— Alors, raconte. Peut-être que moi, j'arriverai à arranger le coup.

— Seigneur, quel arrogant tu fais ! On se demande bien de quel droit tu te montres aussi sûr de toi. Tu n'es même pas capable de t'occuper de tes propres affaires ! Alors laisse tomber. Il est hors de question que je te parle de ça.

Les doigts de Marty se crispèrent sur le volant tandis qu'il s'engageait sur l'autoroute menant à Wayzata.

— Très bien. Tu ne veux pas parler de ça ? Alors parlons de Rose Kleber.

— Je ne la connaissais pas, dit Jack, croisant les bras sur la poitrine.

— Arrête de raconter des conneries, Jack. J'ai bien vu la tête que tu faisais quand tu regardais sa photo dans le journal.

Jack resta une minute sans bouger ni prononcer un mot, mais Marty le sentit qui se raidissait.

— Bon, très bien. Je l'ai rencontrée une fois. Et alors ? Je rencontre des tas de gens. C'est pas pour autant que je les connais. Je ne crois même pas avoir entendu prononcer son nom de famille. C'est le choc, c'est tout. Seigneur, trois vieux juifs se font rectifier en l'espace de trois jours, et il s'avère que je les connaissais tous les trois...

— Dans quelles circonstances l'avais-tu rencontrée ?

— Je ne sais pas mais c'est quoi, ces questions ? Un interrogatoire ?

Marty savait qu'il ne fallait pas lui laisser le temps de réfléchir.

— Je vais t'expliquer, Jack. Les flics cherchent un lien entre les victimes, et il se pourrait que ce soit toi.

— Foutaises. Je parie qu'il y a au moins une centaine de personnes qui les connaissaient, tous les trois.

— Ils étaient proches, non ? Morey, Ben et Rose ?

— Comment veux-tu que je le sache, putain ?

— Tu le SAIS, bon sang ! Tu as failli faire dans ton froc quand tu as appris que Ben Schuler s'était fait descendre. Gino et Magozzi ne sont pas tombés de la dernière pluie et ils s'en sont aperçus. Tu crois qu'ils ne vont pas se demander pourquoi tu t'es mis à baliser ? Et encore, ils ne t'ont pas vu te décomposer quand tu as eu la photo de Rose Kleber sous le nez... Bon Dieu, Jack, tu sais quelque chose concernant ces meurtres. Pourquoi ne craches-tu pas le morceau ? Des gens meurent pendant ce temps-là.

— Qu'est-ce qui se passe ? fit Jack, pivotant vers lui, furieux. Hier tu te foutais pas mal de savoir qui avait tué ton beau-père, et aujourd'hui voilà que tu te remets dans la peau du flic ! C'est quoi, ce plan ?

— Et toi, Jack ? Hier tu me harcelais pour que je trouve le meurtrier de Morey, et maintenant que je te pose quelques malheureuses questions tu refuses d'en parler... Tu peux m'expliquer ?

De frustration, Jack appuya sa tête contre le dossier ; il déchiffra le grand panneau vert et blanc au passage.

— Merde, Marty, c'était l'embranchement pour Jonquil. Tu l'as raté. Prends la prochaine sortie.

— Il faut que tu me parles, Jack. Tu ne t'en tireras pas comme ça.

Jack resta silencieux un moment puis, bizarrement, alors qu'ils ralentissaient pour prendre la sortie et allaient s'engager dans des rues plus sûres, il boucla sa ceinture.

— Tourne à droite. Trois pâtés de maisons plus loin, la route fait une fourche ; là, tu prendras à gauche.

Marty regarda sa main droite crispée sur le volant. On aurait dit un poing, il se demanda quel effet cela lui ferait de frapper Jack. Il dut faire appel à toute sa volonté pour ne pas montrer son exaspération quand il reprit la parole :

— Ecoute-moi, Jack. Essaie de réfléchir. Si tu sais quelque chose qui peut aider les flics à mettre un terme à cette épidémie de meurtres, tu dois le leur dire. Si tu ne le fais pas et que quelqu'un d'autre meurt, ce sera comme si tu avais toi-même pressé la détente.

Jack se tourna vers lui avec un étrange sourire.

— Ça ne risque pas de se produire, Marty. Ne te bile pas. Tu as toujours ton 357 ?

Marty jeta un regard incrédule à Jack et faillit emboutir une voiture en stationnement.

— Bon Dieu, Jack, tu vas me rendre dingue ! Je ne te reconnais plus.

— Moi non plus, je ne me reconnais plus. Bon, ce flingue, tu l'as toujours ?

Marty freina, Jack fut projeté contre le tableau de bord, la voiture s'arrêta dans un atroce grincement au milieu de la chaussée.

— Oui, je l'ai toujours, ce putain de flingue ! Tu veux me l'emprunter ? Te tirer une balle dans le caisson ? Bonne idée. Ça m'évitera de le faire !

— Voyons, Marty, relax.

Jack secoua la main avec laquelle il s'était heurté au tableau de bord.

— Tu as failli me péter le poignet… Heureusement que j'avais ma ceinture. Tu savais que quatre-vingt-dix pour cent des accidents de voiture ont lieu en ville et non sur l'autoroute ? Tout le monde croit que les autoroutes sont des cimetières mais ce n'est pas le cas…

Marty ferma les yeux et appuya le front contre le volant.

— D'accord… fit Jack. Revenons au flingue. Je veux que tu me fasses une fleur. Va chez toi, prends-le, garde-le sur toi et va passer quelques jours près de maman. Tu peux faire ça pour moi ?

Marty tourna vers lui une tête résignée.

— Jack, il faut que tu me dises ce qui se passe.

— Des gens se font descendre, voilà ce qui se passe. Des vieux. Des juifs. Comme maman. Fais gaffe, c'est tout.

Marty soupira, redémarra doucement. Arrivé non loin de la rivière, il tourna à gauche, contournant un lotissement boisé, avec l'impression de conduire dans un rêve, de ne pas avoir la moindre prise sur les événements.

— Tu ne crois pas que je laisserais des gens se faire plomber si je pouvais l'empêcher, hein, Marty ?

— Non, lâcha Marty sans même réfléchir. Mais je crois que tu as des emmerdes et que tu ne veux pas que je t'aide.

— Personne ne peut plus m'aider, Marty ! s'esclaffa Jack. Mais c'est gentil de me le proposer.

Il appuya sa tête contre le dossier, de nouveau, et regarda les nuages.

— Hannah l'aimait, cette voiture. Parfois, quand tu étais de nuit, on allait chez *Porky's* manger du gâteau au chocolat chaud, et puis on faisait le tour des lacs, la capote baissée. C'était vraiment le bon temps.

Marty ferma les yeux un instant. S'il les gardait fermés, ils quitteraient peut-être la route et percuteraient un arbre, ils y laisseraient leur peau tous les deux et le monde n'en serait pas plus triste pour autant.

— Tu étais le centre de son univers, Marty, tu le sais, pas vrai ? C'est aussi pour ça que je t'aime. Tu rendais Hannah heureuse.

— Elle est morte par ma faute.

— Non, Marty. Ne te colle pas ça sur le dos.

Jack tendit le bras et lui ébouriffa les cheveux d'un geste étrangement paternel, et pour la première fois depuis bien longtemps, Marty crut qu'il allait se mettre à pleurer.

Jack se tenait au bout de son allée bordée d'arbres et regardait Marty s'éloigner. Il attendit que les feux arrière aient disparu au tournant avant de sortir précautionneusement le revolver de sa poche. Il avait passé tout le trajet à se demander si ce putain de truc n'allait pas partir tout seul et lui bousiller la queue. Tout ça parce qu'il était infoutu de se rappeler s'il avait ou non mis le cran de sûreté.

Il avait toujours l'arme à la main quand il perçut un petit bruit derrière lui, dans les arbres. Un chevreuil, songea-t-il, ou peut-être un de ces putains de ratons laveurs. Cela n'empêcha pas ses cheveux de se dresser sur sa nuque.

23

Gino et Magozzi attrapèrent la dernière moitié des infos de vingt-deux heures alors qu'ils étaient attablés dans un box sombre du *Sports Bar with No Name*. Gino mangeait une enchilada de la taille d'une batte de base-ball, trempée dans de la sauce piquante ; Magozzi se contentait d'un bol de soupe au poulet. Il avait l'estomac à l'envers.

Sur l'écran au-dessus de leur tête, ils suivirent une séquence écœurante de sentimentalité sur les obsèques de Morey Gilbert. Une séquence aux images suffisamment racoleuses pour mettre l'eau à la bouche des téléspectateurs et les inciter à regarder ce qui allait être diffusé incessamment : un documentaire intitulé : *Saint Gilbert d'Uptown.*

Après quoi, ils eurent droit à des plans de la maison de Ben Schuler, suivis d'un gros plan de Magozzi déclarant, selon la formule ambiguë d'usage, que les enquêteurs n'avaient pas de suspects en garde à vue, qu'ils exploitaient toutes les pistes possibles, et qu'ils n'avaient pas eu confirmation de l'existence d'un lien entre les meurtres de Morey Gilbert, Rose Kleber et Ben Schuler. A ce moment-là, la voix aiguë de Kristen Keller, la poupée Barbie de Channel Ten, s'éleva hors champ : « Inspecteur Magozzi ! Les trois victimes de ces meutres étaient des survivants de camps de concentration. En ce qui me concerne, je trouve que c'est un sacré lien ! »

— Regarde-moi ça, fit Gino, pointant sa fourchette vers l'écran. Ils nous passent la pub juste après que cette garce nous a flanqué un coup de pied dans les couilles. Nom de Dieu, je ne peux pas la sacquer, cette bonne femme. Tu sais ce qu'on devrait faire ? La coincer dans une ruelle obscure, un soir, et la tondre. Ça l'empêcherait de venir montrer sa tronche sur le petit écran pendant un bon bout de temps. Ce que je n'arrive vraiment pas à piger, c'est comment ils ont fait pour découvrir si vite que Ben Schuler était un rescapé d'un camp de la mort...

— Les voisins, probablement, fit Magozzi, plongeant sa cuiller dans sa soupe. Jimmy m'a dit que les mecs de la télé étaient là-bas une demi-heure avant nous, qu'ils étaient allés frapper aux portes, tirer les vers du nez aux voisins.

214

— Ça ne va pas plaire à Malcherson, cette interview.

Magozzi reposa sa cuiller.

— Tu n'aurais pas des Tums, par hasard ?

Il était presque vingt-trois heures lorsque Gino et Magozzi montèrent d'un pas lourd les marches de l'hôtel de ville. Leurs costumes étaient sévèrement froissés, leurs cravates desserrées, des restes de la cuisine de Lily Gilbert et de l'enchilada qu'il venait d'ingurgiter décoraient la chemise de Gino qui, au départ, avait été blanche. Le vaste couloir menant à la Criminelle était désert, les lumières tamisées, et le bâtiment si silencieux qu'ils entendirent la voix de Johnny McLaren avant d'ouvrir la porte du bureau.

Il parlait au téléphone devant le poste de travail de Gloria, sans doute parce qu'il n'avait pas réussi à retrouver le sien sous la pile de documents qui jonchait sa table. Il leur sourit et leur adressa un signe de la main ; ils suivirent la direction de son geste et aperçurent au fond de la pièce Langer qui dépiautait une aile de poulet avec le plus grand soin.

— Waouh ! fit Gino. Langer s'est remis à manger des ailes de poulet au barbecue... C'est la fin du monde.

Il jeta un coup d'œil aux os entassés sur une serviette.

— Je croyais que tu étais végétarien.

— Je l'étais jusqu'à hier soir. J'adore le poulet. Tu en veux une ?

Il désigna le sac luisant de graisse posé sur son sous-main.

— Non, merci. Qu'est-ce que vous fabriquez ici tous les deux, à une heure pareille ?

Langer s'essuya les coins de la bouche avec une serviette.

— On passe des coups de fil à l'étranger à des flics qu'on n'a pas réussi à joindre pendant la journée. Tu ne le croiras peut-être pas, mais McLaren tente de joindre un type qui est à Johannesburg.

McLaren raccrocha et regagna son bureau.

— La prochaine fois qu'on a une période creuse à la Criminelle, on fait nos bagages et on va en Afrique du Sud. Chaque fois que j'essaie d'avoir ces gars-là, ils sont sortis enquêter sur un autre meurtre. Ils ne chôment pas, eux.

Il posa un message sur le bureau de Langer.

— Et tu vas me faire le plaisir d'appeler celui-là parce que je suis incapable de prononcer un nom sans voyelles. J'ai essayé, on m'a raccroché au nez.

— Que se passe-t-il ? demanda Magozzi. C'est quoi, ces coups de fil à l'étranger ?

McLaren fit une drôle de tête.

— Tu te fous de ma gueule ? Tu n'as pas regardé les infos de dix-huit heures ? Oh, merde...

Il leva les yeux au ciel.

— Pour une fois qu'on donne une conférence de presse du tonnerre, tu trouves le moyen de la rater ! Malcherson nous a laissés en placer une ce coup-ci, et ce n'est pas parce que c'est moi qui le dis, mais je me suis plutôt bien débrouillé. Pas vrai, Langer ?

— Il avait sa veste en madras, commenta Langer.

Magozzi fit la grimace.

— Ils ont tenté de nous déstabiliser, évidemment. McLaren remua les sourcils.

— Notamment cet enfoiré de nouveau, le permanenté qui présente le dernier bulletin. Mais on est restés fermes comme le roc. Cool, intraitables, de vrais héros.

— Que s'est-il passé, bon sang de merde ? s'enquit Gino, plongeant le bras dans le sac où reposaient les ailes de poulet. Du nouveau sur le macchab de la voie ferrée ?

— Oh, ouais, et comment ! fit McLaren avec un sourire. Le 45 qui a failli faire perdre son bras à Arlen Fischer est sacrément chaud. Brûlant, même. Il est ressorti à plusieurs reprises dans les bases de données d'Interpol. Johannesburg, Londres, Paris, Prague... et une ou deux autres villes.

— Milan et Genève, lui souffla Langer.

— Exact. Channel Three a une source au FBI qui a appris qu'il y avait un lien avec Interpol, et la presse s'est déchaînée. On ne parle plus que d'intrigues internationales...

— Et donc ? fit Magozzi.

— Pour Interpol, il s'agirait de contrats. Six meurtres échelonnés sur quinze ans... sept, en comptant celui d'Arlen Fischer, toujours avec la même arme. Même mode opératoire, une balle dans la tête. Pas de témoins, pas de traces.

— Arlen Fischer n'a pas été tué d'une balle dans la tête, lui rappela Magozzi.

— Interpol semble croire que c'est le même tueur qui a fait le coup, et que le meurtre d'Arlen Fischer avait peut-être un motif plus... personnel. Les tueurs à gages ne torturent pas des étrangers, en général.

— Alors il connaissait Fischer... dit Magozzi.

— C'est la théorie. Fischer a croisé le chemin du tueur à un moment donné, et si j'arrive à faire le lien, on pourra peut-être mettre un nom sur ce type.

— Merde, les mecs, dit Magozzi avec un sourire rêveur. Vous allez serrer un tueur à gages qui opère à l'échelle internationale !

— Ce serait chouette, non ?

McLaren sourit à son tour.

— L'embêtant, c'est qu'Interpol veut qu'on mette le FBI sur le coup. Ils veulent salement le coincer, le gars. Le chef Malcherson les fait poireauter en attendant qu'on ait examiné les six victimes à l'étranger, histoire de voir si on ne peut pas les relier à Fischer d'une manière ou d'une autre. A propos...

McLaren tendit le message à Langer.

— Voilà le mec au nom imprononçable, avec sa kyrielle de consonnes. Pas question que je l'appelle.

— Il parle probablement anglais, tu sais, fit Langer.

— Ça me fera une belle jambe s'il me raccroche au nez sous prétexte que j'arrive pas à prononcer son putain de nom...

— Bon, bon.

Langer prit le bout de papier où était noté le message et lui en refila un autre en échange.

— Tu appelles Paris, alors. Je suis sûr que ces gens-là prétendront ne pas parler anglais rien que pour nous faire chier.

Gino émit un grognement.

— Parce que McLaren parle français ?

— Couramment, dit Langer.

— C'te bonne blague !

— Je me débrouille en français, renchérit McLaren. C'est les langues germaniques qui me donnent du fil à retordre.

Il regagna son bureau d'un pas vif et commença à composer le numéro, appuyant sur une succession de touches. Gino et Magozzi ouvrirent des yeux ronds lorsqu'il se mit à jacter dans une langue qu'ils ne comprenaient ni l'un ni l'autre.

— Incroyable, murmura Gino. Et moi qui pensais que McLaren n'était qu'un minet sans cervelle.

— Alors, les mecs, qu'est-ce que vous faites là ? demanda Langer.

Gino et Magozzi échangèrent des regards sinistres. Ils étaient crevés, découragés, et peut-être aussi un peu effrayés, avec l'impression que les choses leur échappaient.

— On a perdu encore un ancien, dit Magozzi.

Le visage de Langer parut s'affaisser.

— Tu déconnes ?

— J'aimerais bien, fit Magozzi d'un air lugubre. Quatre-vingt-sept ans, tué par balle chez lui, et lui aussi tatoué.

Langer souffla et secoua la tête.

— Qu'est-ce qui se passe, bon Dieu ? C'est quoi, ce bordel ?

— C'est la question que les journalistes de la télé se posent, grommela Gino. Tu as eu les honneurs du bulletin de dix-huit heures. Nous, ceux du vingt-deux heures. Ils ne nous ont pas fait de cadeaux, tu peux me croire.

— Je vais passer les coups de fil, dit Magozzi à Gino en regagnant son bureau.

Gino hocha la tête mais resta derrière avec Langer.

— Qui est la victime ? voulut savoir Langer.

— Un certain Ben Schuler. Tu as entendu parler de lui ?

— Je ne crois pas, dit Langer.

— Apparemment, Morey et lui se connaissaient assez bien.

— Tu as trouvé ton fil conducteur, alors, commenta Langer.

— Le début d'un fil, mais seulement entre Schuler et Gilbert. Rien qui colle avec Rose Kleber. On a vu ses proches hier, on cherchait un lien entre elle et Morey Gilbert, on a fait chou blanc. Leo est en train de voir avec eux si elle connaissait Ben Schuler. Peut-être qu'on réussira à les relier en s'y prenant comme ça.

Il jeta un regard à Magozzi. Ce dernier avait le téléphone à l'oreille mais il faisait non de la tête et du pouce lui fit signe que son appel n'avait rien donné.

— Ou peut-être que non.

220

Magozzi raccrocha et approcha un fauteuil à roulettes du bureau de Langer. Il n'avait pas l'air aussi déprimé que Gino s'y attendait.

— La famille de Rose Kleber n'a jamais entendu parler de Ben Schuler.

— Ouais, c'est ce que j'ai cru comprendre, fit Gino, abattu.

— Mais je me disais que c'est bizarre, on a une série de meurtres sur les bras, et il s'avère que Langer et McLaren bossent aussi sur une série...

— Je t'arrête tout de suite, coupa Gino. On se casse les couilles à essayer de relier trois meurtres et tu veux prendre un quatrième en compte ? Allons, Leo, souviens-toi, on a émis cette hypothèse et on l'a rejetée le premier jour. Les meurtres sont trop différents, et les victimes aussi.

— Elles sont toutes âgées, Gino. Et trois d'entre elles habitaient le même quartier si l'on compte Arlen Fischer.

Langer, le menton dans la main, fixait McLaren.

— Les armes ne collent pas. Les profils des victimes ne collent pas. Les tiennes sont des juifs, des rescapés de camps de concentration. La nôtre était luthérienne.

Magozzi grimaça et se gratta la nuque.

— Ouais, je sais. Quand on regarde les choses en gros, on voit quatre personnes âgées toutes exécutées en l'espace de quelques jours et à quelques kilomètres l'une de l'autre ; mais quand on considère les détails, c'est... bizarre. Les victimes sont aussi semblables qu'elles sont différentes.

Langer fronça les sourcils.

Gino avait son air rusé, il se tapota la lèvre d'un index boudiné.

— Et si Jack Gilbert était à la tête d'un gang d'assassins internationaux ?

Langer éclata bruyamment de rire.

— Jack Gilbert ? Tu te fous de nous ?

— Je ne sais pas. Y a quelque chose qui ne tourne pas rond chez ce mec. Quand il a appris qu'on avait descendu Ben Schuler, il est devenu blanc comme un linge, et j'ai bien cru qu'il allait tomber dans les pommes...

— Peut-être qu'il le connaissait.

— C'est ce qu'il m'a dit, mais je suis sûr qu'il y avait autre chose. Tu aurais dû voir sa tronche, Langer. C'était celle d'un gars qui pète de trouille.

24

Marty rentra chez lui avec l'impression d'être un intrus. Il ne s'était absenté que deux jours, mais la cuisine avait déjà l'air étrangère. Il lui semblait être dans la cuisine de quelqu'un d'autre.

« Tu devrais vendre la maison, Marty. Te trouver un appartement, peut-être, venir ici avec Lily et moi. Tu pourrais nous donner un coup de main à la pépinière, ce ne serait pas du luxe.

— C'est impossible, Morey. C'est ici que je me sens chez moi.

— Non. C'est avec Hannah que tu étais chez toi. Tous les deux. Il te faut maintenant trouver un endroit où te sentir bien sans elle.

— Ce n'est pas possible.

— Bien sûr que si. L'affaire est classée. Le sauvage qui a assassiné ma fille est mort. C'est dans l'ordre. J'en remercie Dieu. Dans le fond de mon cœur, je danse sur sa tombe. Et maintenant nous pouvons vivre de nouveau. »

Cette discussion remontait à plusieurs mois. Il n'avait jamais revu Morey vivant depuis.

Le 357 était toujours dans la corbeille à linge, enterré sous les vêtements moisis qu'il avait jetés là lorsque Jeff Montgomery était venu lui dire que Morey était mort.

Il descendit à la cave, passa trente minutes à démonter, nettoyer, huiler le revolver et à le remettre en état. Ce n'était pas une arme de service. Elle ne tenait pas dans le holster de ceinture qu'il avait porté à la hanche pendant les quelque quinze années passées dans la police, aussi la fourra-t-il vivement dans la poche de son veston.

Il n'avait jamais eu l'intention de se trimballer avec ce flingue. Il l'avait acheté pour une seule et unique raison, et le ranger dans un étui n'avait jamais fait partie de ses projets. Les morts n'ont pas besoin de holster.

Mais il ne pouvait pas suivre Lily toute la journée avec un 357 dans sa poche de veste. Non qu'il pensât vraiment en avoir l'utilité, ni qu'elle eût besoin d'être protégée. Il était à demi persuadé que Jack avait franchi le premier pas qui sépare la santé mentale de la folie, et qu'il voyait des monstres partout. Toutefois, il n'y avait pas de mal à l'écouter un moment, en attendant de savoir ce qui se mijotait vraiment.

Il fronça les sourcils en remettant son matériel dans le nécessaire, se demandant s'il réussirait à aller chez l'armurier se procurer un holster sans laisser Lily seule, et sans l'effrayer en donnant corps à la paranoïa de Jack. Le dilemme semblait insoluble, et il décida d'attendre le lendemain matin pour y réfléchir.

Il transporta la corbeille sur le trottoir pour que les éboueurs puissent l'enlever, avec les vêtements désormais inutilisables et les chaussures, et ensuite il se rendit dans la grande chambre du fond pour faire ses bagages. Il avait déjà porté presque tout ce qu'il avait fourré à la hâte dans son sac de voyage, le matin de son suicide avorté. S'il comptait rester chez Lily un moment, autant faire les choses sérieusement, il ne pourrait pas se permettre d'effectuer des aller et retour entre son domicile et le sien pour récupérer des vêtements propres.

La penderie était encore imprégnée de l'odeur de Hannah. Légèrement citronnée. Il faillit en tomber à la renverse quand il ouvrit les portes. Il resta planté là, les bras ballants, ses épaules massives voûtées comme s'il venait de recevoir un coup de poing dans l'estomac, fixant les soies froufroutantes et les cotons légers qui voletaient encore dans le courant d'air provoqué par la porte en s'ouvrant. Coquilles vides et tristes de couleurs tendres qui avaient autrefois emprisonné le corps de sa femme. L'homme qui l'avait tuée, mort depuis sept mois maintenant, le tuait toujours. Encore et encore.

Elle portait la longue robe blanche aérienne qui lui donnait l'air de flotter quand elle marchait. Il l'avait repérée dans une vitrine ce même jour, accrochée sans vie à un mannequin, l'envie s'était emparée de lui de voir les formes moelleuses de Hannah l'habiter. Elle enfilait son vieux tailleur noir lorsqu'il était arrivé dans la chambre avec la robe drapée sur son bras musclé, telle une nappe d'autel arachnéenne. Elle avait pleuré en la mettant, ce qui avait fait sourire Marty. Hannah pleurait toujours quand elle était comblée.

Ils fêtaient un heureux événement, ce soir-là. Après sept années d'efforts, Hannah était enceinte.

— Enceinte, je n'aime pas ce mot.

— Pourquoi ?

— Il sonne bizarrement, je trouve. Pourquoi utiliser un si vilain mot pour désigner une chose si merveilleuse ? Je ne suis pas enceinte, j'attends un enfant.

— Comme tu voudras.

Son rire était une musique, sur la rampe du parking presque désert. Ils s'étaient un peu trop attardés au restaurant, après dîner, et maintenant les ombres les enveloppaient. Une forme jaillie de derrière un pilier avait empoigné Hannah par-derrière, plaquant la vilaine lueur d'un couteau contre sa gorge laiteuse.

Il s'était montré drôlement malin, ce gamin filiforme aux yeux fous, l'air prêt à tout, cheveux blonds et bras tavelés de traces de piqûres. Il s'était jeté en premier lieu sur Hannah, sachant que cela stopperait Marty dans son élan.

Seulement, Marty était flic. Et il travaillait à la brigade des stupéfiants, bon sang ! Des gars comme ça, il en rencontrait tous les jours. Il savait ce qu'ils voulaient. Il savait comment les prendre.

— Du calme, petit. J'ai près de cinquante dollars dans mon portefeuille. Ce n'est pas beaucoup mais c'est tout ce que j'ai. Prends-les. Lâche-la.

— Le fric d'abord. Jette-le-moi.

— Pas de problème. Je vais plonger la main dans ma poche intérieure, d'accord ? Tu vois ? Je vais y aller doucement, je vais jeter l'argent, ensuite on fera demi-tour et on s'éloignera, la dame et moi. Ça te va ?

L'ado avait des yeux bleus dans lesquels brillait une faim que peu de gens étaient capables de comprendre et, l'espace d'un instant, Marty songea qu'il se trompait peut-être. Les yeux de l'ado étaient trop bleus, trop perçants. Ce n'était pas l'effet de l'héro, ni du crack. Marty se dit qu'il s'agissait de quelque chose de pire, un de ces nouveaux mélanges effrayants qui provoquaient des explosions nucléaires dans les cerveaux fragilisés par la drogue.

Il écarta le revers de sa veste lentement pour montrer au gamin sa poche intérieure, la forme rectangulaire du portefeuille couché contre la soie. Mais il avait oublié. Seigneur Dieu, il avait vu le couteau contre la gorge de Hannah et il avait oublié tout ce qu'il avait appris. Il avait oublié de dire au gamin qu'il avait un flingue qu'il devait porter en permanence, qu'il fût en service ou pas, et c'est alors qu'il lut le choc et la peur dans les yeux luisants du jeune, puis il vit le couteau mordre dans la chair et le flot de la vie de Hannah s'écouler en un déluge qu'il n'aurait jamais cru possible.

Il tenait Hannah dans ses bras tandis que sa robe blanche virait au rouge, appuyant frénétiquement sur les touches de son portable, contactant les secours, rejetant le téléphone et la berçant doucement. L'entaille sur sa gorge était si profonde qu'elle n'avait plus de voix, mais elle réussit à porter la main à son ventre et à lui poser la question avec ses yeux.

— Ça va, Hannah, lui dit-il, une main pressée aussi fort qu'il l'osait sur son cou, essayant de retenir la vie qui s'enfuyait. Le bébé va bien. Le bébé va bien.

Il continua de lui dire cela jusqu'à ce que ses yeux s'éteignent et que sa main glisse, inerte, sur le béton.

L'ambulance arriva dans les cinq minutes. Trois minutes trop tard.

Marty n'avait pas même entendu le bruit des pas de l'ado qui s'enfuyait. Mais il se souvenait de son visage.

Il resta un bon moment immobile devant la penderie, respirant fort. Les images de cette nuit l'accompagnaient en permanence. Il en visualisait des extraits chaque jour. Mais jamais le souvenir n'avait été aussi complet, les images aussi cruelles et vivaces. Il avait toujours su que le souvenir finirait par refaire surface dans toute son horreur, dans sa totalité, et il avait vécu avec la certitude que quand cela se produirait il serait enfin capable de presser la détente.

Cela lui coupa le souffle lorsqu'il comprit qu'il n'en était rien. Il avait une arme dans sa poche, et aucun désir de s'en servir. Il avait contemplé ce que son esprit pouvait lui offrir de pire, et maintenant, miraculeusement, il avait l'impression de pouvoir lâcher prise.

Lily était assise dans son fauteuil, un livre sur les genoux, quand il arriva chez elle. Elle était enveloppée dans une robe de chambre en éponge violette et buvait de l'eau dans un verre à rayures multicolores. Elle tapota le bras du canapé près de son fauteuil.

— Asseyez-vous une minute. Vous vous êtes absenté longtemps. J'étais inquiète.

Marty se posa sur le canapé puis s'enfonça dans les coussins qui avaient accueilli les gens qu'il avait aimés.

— Minneapolis n'est plus une ville sûre. Vous ne pouvez pas vous permettre d'être dehors à n'importe quelle heure. Evidemment, avec ce flingue dans votre poche, vous vous dites que vous n'avez rien à craindre.

Marty eut un petit sourire. Lily n'en ratait décidément pas une.

— Mais les armes à feu, c'est dangereux. Vous pourriez vous tuer accidentellement.

— Je n'ai pas l'intention de me tirer une balle dans la tête, Lily.

Tête inclinée, Lily le fixa un instant. Puis :

— Ravie de l'apprendre, Marty. Autrement dit, pendant tous ces mois, je me suis fait du mauvais sang pour rien.

Marty riva son regard dans les yeux d'un bleu lumineux.

— J'y ai songé, fit-il, histoire de tâter le terrain.

— Vous y songez toujours, si vous portez une arme.

— C'est Jack qui m'a demandé de la prendre. Ces meurtres l'inquiètent, il veut que je vous surveille.

Lily but une gorgée d'eau sans le regarder.

— Il a dit ça ?

— Oui.

— Bof. Alors me voilà nantie d'un garde du corps, maintenant ? Vous allez venir vous installer ici pour un bout de temps ? C'est une grosse valise que vous avez apportée.

Marty lui adressa un sourire las et jeta un coup d'œil à la vieille Samsonite de tweed que Hannah et lui avaient achetée pour leur lune de miel.

— Je vais rester jusqu'à ce que les flics découvrent l'auteur des meurtres.

Elle posa son verre avec soin sur la table, se leva de son fauteuil.

— Dans ce cas, vous feriez mieux de défaire vos bagages.

Marty suspendait son dernier pantalon kaki dans la penderie de la chambre lorsqu'il entendit frapper un coup discret à la porte. Sans attendre de réponse, Lily entra avec une pile de vêtements soigneusement pliés et les déposa sur le lit.

Il regarda d'un air incertain le caleçon d'un blanc éblouissant qui se trouvait sur le haut de la pile.

— C'est à moi ?

— J'ai dû les faire tremper dans l'eau de Javel.

Il traversa la pièce et s'empara des sous-vêtements. Ils avaient des plis irréprochables.

— Vous avez repassé mes sous-vêtements ?

— On n'est pas des bêtes. Bien sûr que je les ai repassés.

Elle s'approcha de la penderie, examina les pantalons qu'il venait de suspendre.

— Ce n'est pas comme ça qu'on plie les pantalons, dit-elle en les sortant pour les plier à son idée.

Lorsqu'elle eut fini, elle se tourna et constata que Marty, assis sur le lit, la regardait faire avec un triste sourire.

— Quoi ?

— Hannah faisait ça.

Lily pinça les lèvres, détourna les yeux.

— On a tous des blessures au cœur, dit-elle en croisant cette fois son regard. Mais cela ne nous empêche pas de marcher.

— Je me demande parfois pourquoi. Pourquoi on s'obstine à fonctionner quand tout va mal.

Il jeta un coup d'œil au tatouage estompé sur son bras.

— Vous avez dû vous demander plus d'une fois si ça valait le coup, non ?

Redressant les épaules sous sa robe de chambre, elle le dévisagea.

— Pas une seule fois. A aucun moment. La vie vaut toujours la peine d'être vécue.

Marty resta assis sur le lit un long moment après que la porte se fut refermée derrière elle ; il se sentait un peu honteux en pensant à cette vieille femme fragile qui était en fait tellement plus forte que lui.

Finalement, il se dirigea vers le bureau à cylindre qui était dans l'angle, tira la chaise et s'assit. Le tiroir du haut était presque vide, à l'exception d'un bloc et de quelques stylos à bille. Il posa le bloc avec soin sur le bureau, choisit un stylo et demeura assis là, attendant. Sa main finit par prendre le stylo, il dessina un cercle avec des rayons autour, tel un soleil. Au milieu du soleil, il écrivit *Jack*.

Une heure plus tard, il se laissa aller contre le dossier de son siège, frotta ses yeux brûlants et, pour la première fois depuis longtemps, fut pris d'une envie de café et non de scotch. Il avait rempli trois pages de notes et de questions, et les pensées continuaient d'affleurer dans son cerveau, demandant à être transférées sur le papier.

C'était là sa façon de procéder lorsqu'il était sur une affaire particulièrement ardue, et cela lui rappela les nuits où Hannah se glissait telle une ombre dans la bibliothèque et lui entourait les épaules de ses bras, le grondant gentiment de la laisser seule dans le grand lit glacial.

Il sentait presque le poids de ses bras graciles, le citron du savon qu'elle utilisait pour se débarbouiller le visage, ses cheveux soyeux qui lui frôlaient la nuque.

Un sourire d'étonnement fleurit sur ses lèvres. Pendant toute une année, les seuls souvenirs qu'il avait eus de Hannah étaient ceux de sa mort. Aujourd'hui, pour la première fois, il se remémorait un pan de sa vie.

C'est signe que je vais mieux, se dit-il en tournant une nouvelle page du bloc.

25

Le soleil commençait à se lever au-dessus des falaises lorsque Gino et Magozzi se retrouvèrent à traverser le Mississippi sur le Lake Street Bridge. Les rais de rose et d'or du ciel se reflétaient sur la surface sombre de l'eau, ondulant tels des rubans de champagne.

— Bon sang, j'aimerais bien pouvoir traduire cela sur la toile, murmura Magozzi. Regarde l'eau, Gino. Ça miroite. C'est beau.

Gino grogna. Il avait des valises sous les yeux et ses cheveux blonds et ras semblaient hérissés de colère.

— Beau, mon cul ! Tu ne serais pas de cet avis si tu avais passé une nuit comme la mienne…

Mon aîné a été malade toute la nuit, il a vomi des arcs-en-ciel pendant près de trois heures. Ça ressemblait à cette eau... Quoi qu'il en soit, j'ai une de ces dalles ! Tu peux me dire pourquoi la circulation est au point mort au milieu du pont à six heures du matin ?

L'étendue d'eau qu'ils traversaient marquait la frontière entre Minneapolis et sa jumelle, Saint Paul, et après que Magozzi eut regardé une seconde mouture du bulletin de Kristen Keller ce matin-là, il avait compris pourquoi Malcherson avait choisi comme lieu de rendez-vous un snack discret de Saint Paul pour y tenir son briefing d'urgence. Le bruit courait que la presse s'était déjà massée autour de l'hôtel de ville de Minneapolis. Les journalistes ne penseraient pas à aller les chercher à Saint Paul.

— Oh, la barbe, grommela Gino en descendant de voiture. Il y a des gens qui se pressent sur la route, là-bas. Mets le gyrophare, je vais aller voir de quoi il retourne.

Il s'éloigna à grandes enjambées entre les files de voitures à l'arrêt. Magozzi récita une prière silencieuse pour les automobilistes qui avaient eu le mauvais goût de s'interposer entre Gino et son petit déjeuner.

Il fut de retour dans les cinq minutes, se glissa dans la voiture avec un petit sourire rusé.

— Ç'a été cool.

Magozzi lui décocha un regard de biais.

— Tu as des plumes sur ta chemise.

— Ouais, bizarre, non ?

— Tu n'as pas avalé un volatile ?

— Non. Figure-toi que c'était une maman canard suicidaire qui faisait traverser le pont à ses petits, à croire qu'il lui appartenait. T'as une idée de la vitesse à laquelle ces bestioles peuvent courir ? On a eu un mal de chien à les attraper. Y avait un gars qui avait une caisse de bières vide dans son camion, on les a fourrées dedans, et il leur fait traverser le pont. La circulation devrait repartir dans une minute…

Basil's Broiler était un boui-boui mal éclairé qui restait ouvert toute la nuit. La plupart des clients étaient rentrés se coucher, s'il fallait en croire les tabourets et les tables déserts. La seule personne au comptoir était un ado à cheveux hérissés et bardé d'un nombre incalculable de piercings aux oreilles, aux sourcils, aux lèvres et au nez. Il leva brièvement la tête lorsque Magozzi et Gino entrèrent, puis replongea dans sa tasse de café.

— Tu vois ce gosse ? chuchota Gino lorsqu'ils furent hors de portée. Drôle d'allure, non ? Voilà ce qui arrive quand on autorise son môme à se faire percer les oreilles. Pour commencer, c'est un joli petit clou en or, après c'est un anneau, deux anneaux, et il n'y a plus de raison que ça s'arrête. Regarde, il a des trous partout !

— Helen s'est fait percer les oreilles ?

— Quoi ? ! Ah, non, alors !

Ils trouvèrent Malcherson à une table du fond. Il avait un bloc-notes, deux portables et un de ces dossiers rouges des homicides devant lui.

Il leva la tête lorsqu'ils approchèrent.

— Bonjour, messieurs.

— Bonjour, patron, répondirent-ils en chœur, tels des écoliers saluant un directeur rébarbatif.

— Vous êtes en retard.

— Maman canard traversait le pont avec ses petits, expliqua Gino, s'attirant un des rares sourires de Malcherson.

Quiconque avait passé un printemps dans le Minnesota savait que les canards traversaient la route, que la circulation s'arrêtait sur l'autoroute, et que les automobilistes même les plus énervés, qui se seraient volontiers tiré dessus, se métamorphosaient instantanément en un groupe de volontaires qui n'avaient rien de plus pressé que de secourir les volatiles.

— Vous leur avez fait traverser la route sans encombre, je suppose ?

— Oui, monsieur.

— Parfait.

Il leur fit signe de s'asseoir et poussa vers eux une cafetière métallique.

— Il n'y a pas de menu. Pas de serveuse. Mais il y a à la cuisine une grosse brute qui a dit qu'elle allait apporter trois petits déjeuners. Je n'ai pas la moindre idée de ce qui va se passer...

— Ce sera sûrement génial, dit Gino. Viegs m'a parlé de cet endroit. Ils font tout cuire dans de l'huile d'agneau.

— Original, commenta Malcherson avec un soupir.

Gino se versa une tasse de café, but une gorgée avec bruit, puis examina le costume du patron d'un air légèrement étonné. Il portait son gris tourterelle à double boutonnage, assorti d'une cravate bleu ciel.

Ne lui pose pas de question, s'intima Malcherson, faisant mine de ne pas remarquer que Gino l'étudiait. Mais il n'y tint bientôt plus :

— Bon alors, Rolseth, qu'est-ce que vous lui trouvez, à mon costard ?

— C'est l'un de mes préférés, patron, mais ce n'est pas un de ceux que vous portez d'habitude, lors d'un meurtre.

— Parce que j'ai des costumes pour meurtre... Lesquels, je vous prie ?

— Les agressifs. Le noir, l'anthracite, les très fines rayures aussi, quand vous êtes décidé à cavaler après un malfaisant. Mais celui-ci est plutôt optimiste. Plein d'espoir. Vous ne portez le gris tourterelle, d'ordinaire, que quand vous êtes sur le point de mettre la dernière main à une affaire.

Malcherson laissa échapper un soupir de lassitude.

— Je trouve bizarre qu'un homme qui décore de taches de nourriture ses vestons de sport à quarante dollars se préoccupe autant de mes choix vestimentaires...

— Vous êtes mon idole en matière de mode, chef.

Les yeux de Malcherson étaient de la couleur de son complet. Il les braqua vers Magozzi. Il était vraiment trop tôt dans la matinée pour parler à Rolseth.

— Je n'arrête pas de recevoir des coups de fil depuis le dernier bulletin d'infos. Je croyais qu'on devait garder pour nous le truc des tatouages...

— Ouais, on devait. Seulement, Kristen Keller et ses troupes étaient là-bas à interroger les voisins avant même qu'on ne ferme la housse où se trouvait le cadavre de Ben Schuler, dit Gino. En outre, on savait depuis le début qu'on n'allait pas pouvoir garder ce détail au secret pendant bien longtemps. Tous ceux qui connaissaient les victimes savaient que c'étaient des rescapés des camps de concentration. Tous ceux qui les avaient vues en manches courtes avaient vu les tatouages, c'est le genre de choses qui s'ébruite rapidement quand les médias se mettent à interviewer les amis et les voisins...

Malcherson ponctua d'un léger mouvement de tête.

— C'est vrai. Mais maintenant on a la pression. Toute la ville sait que nous avons trois survivants de camps qui ont été assassinés sans raison apparente, et tous les bulletins d'infos que j'ai entendus ce matin... y compris celui de CNN, suggèrent qu'il s'agit de crimes racistes.

— On a déjà écarté cette hypothèse, monsieur, dit Gino d'un ton ferme. Le crime raciste, ça ne colle pas, pour un tas de raisons. En outre, deux des trois victimes se connaissaient, et nous avons le sentiment qu'elles étaient impliquées dans une affaire qui a causé leur perte...

Malcherson sourit à Gino, spectacle en soi assez effrayant.

— Je brûle de vous entendre, inspecteur Rolseth. Expliquez-moi dans quelles activités vous pensez que ces vieillards ont pu être impliqués pour finir comme ça ?

— Eh bien... nous n'en savons encore rien...

Il fut interrompu par le bruit impressionnant de la chaussure de la grosse brute heurtant la porte battante de la cuisine. Plus le cuisinier approchait et plus Magozzi devait lever le menton pour voir le visage cousu de cicatrices du mastodonte. Il devait bien faire dans les deux mètres minimum. Avec la musculature noueuse du taulard qui monopolise les haltères dans la cour de la prison. Il se délesta de l'énorme plateau qu'il transportait, déposant une assiette devant chacun d'eux. Œufs, saucisses, frites, biscuits et sauce, le tout fumant, s'y entassaient.

Gino se lécha les babines à la vue de ce festin puis leva les yeux vers le cuistot.

— Putain, mec, c'est des balafres de coups de couteau que vous avez sur le visage ?

Malcherson et Magozzi se crispèrent. Gino attaqua son repas tranquillement.

— Ouais, grogna le cuisinier. Des lascars m'ont planté avec leurs lames.

— C'est moche. Vous étiez au trou ?

— Ouaip. Et vous ?

Gino embrocha une rondelle de pomme de terre et se la fourra dans la bouche.

— Pas encore été au ballon. Pour l'instant, je joue dans l'autre camp... Putain de moine, ces patates sont canon ! Leo, goûte-moi ces frites, et demande à ce gars s'il est maqué...

La grosse brute sourit à pleines dents. Se disant que cela signifiait qu'elle n'allait peut-être pas les tuer, Malcherson examina sa fourchette, prit une

238

bouchée de pomme de terre, l'enfourna, cligna des yeux de bonheur.

— Seigneur, du romarin frais... C'est une merveille.

— Merci. Ici, personne fait gaffe au romarin. Bon, vous m'appelez si vous avez besoin de quelque chose...

D'un commun accord, ils gardèrent le silence pendant qu'ils mangeaient. Magozzi et Malcherson avaient liquidé un tiers de leur assiette, lorsqu'ils la repoussèrent simultanément.

— Vous finissez pas ? demanda Gino, qui poursuivait le dernier petit morceau de saucisse sur son assiette vide. Vous n'allez pas laisser perdre tout ça. Le cuisinier risquerait de se vexer, et là, on serait mal...

— Bien vu, dit Malcherson en poussant son assiette vers Gino avant de consulter sa montre. Si vous êtes persuadés que Morey Gilbert, Rose Kleber et Ben Schuler avaient autre chose en commun que leur situation de rescapés des camps, j'imagine que vous épluchez leurs papiers, factures de téléphone, relevés bancaires, ce genre de choses...

Effectivement, songea Magozzi.

Sauf qu'ils ne passaient pas exactement par les canaux officiels.

— On s'en occupe, monsieur.

— Tiens donc ? Expliquez-moi ça. Je n'ai pas vu le moindre document ressemblant à un mandat de perquisition atterrir sur mon bureau...

Il s'arrêta net, regarda Magozzi.

— Peu importe. Oubliez ma question.

Malcherson n'ignorait rien des relations de Magozzi avec Grace MacBride, capable, en as du piratage qu'elle était, de s'introduire dans les bases de données les mieux protégées. Il savait également que son meilleur inspecteur – un homme qui refusait de desserrer sa cravate sur le terrain parce que c'était contraire au règlement du département – faisait une allergie massive aux lois sur le respect de la vie privée et aux procédures policières en vigueur lorsqu'il estimait que des vies étaient en jeu. Les mandats, il fallait du temps pour les obtenir. Et la tentation de prendre des raccourcis était grande pour un flic qui pensait qu'il luttait contre la montre pour mettre la main sur un tueur. Malcherson comprenait cette tentation aussi bien que n'importe qui, mais il savait également qu'une fois qu'on avait commencé à violer les règles il était difficile de s'arrêter, et qu'une des choses les plus dangereuses au monde était un représentant de la force publique qui s'imaginait au-dessus des lois.

— Inspecteur Magozzi...

— On essaie de faire fissa sur ce coup, chef, l'interrompit Magozzi. Il y a peut-être d'autres cibles.

— Je sais.

— Des cibles âgées, terrorisées, sans défense, glissa Gino, la bouche pleine d'œuf. Des mamies qui préparent des gâteaux pour leurs petits-enfants, comme Rose Kleber.

— Inspecteur Magozzi, reprit Malcherson d'un ton qui tranquillisa les deux hommes. Si vous comptez demander à Grace MacBride et à ses associés d'utiliser le programme qui a si bien marché sur nos affaires demeurées sans solution, précisez-lui de n'accéder qu'aux infos qui sont dans le domaine public.

— Je n'y manquerai pas, monsieur. Mais nous n'attendons pas un résultat des seules données informatiques. Comme nous l'avons indiqué dans notre rapport, nous pensons que Jack Gilbert est au courant de quelque chose, et nous allons tenter de lui faire dire ce qu'il sait pas plus tard qu'aujourd'hui.

— Je vous souhaite bonne chance. En ce qui concerne la presse et le public, il semble que notre tueur vise une certaine classe d'âge, et ces gens-là commencent à paniquer.

Il croisa les doigts, jeta un coup d'œil à sa montre en or.

— Vous vous souvenez des prédictions alarmistes de la presse quand est passée la loi sur le port d'arme cachée ?

Gino émit un grognement.

— Oh, ouais. Les médias ont mis le paquet. A les entendre, des millions d'habitants du Minnesota allaient s'armer et se canarder dans la rue... Et vous savez quoi ? Je n'ai pas entendu un mot aux infos quand les demandes se sont résumées à trois fois rien...

Malcherson considéra Gino quelques secondes, puis lâcha :

— Hier, il y a eu trois cent soixante-treize demandes de port d'une arme cachée. Rien que dans Hennepin County. Notre comté, messieurs.

Et trois cents d'entre elles émanaient de gens de plus de soixante-cinq ans !

— Putain de merde... patron.

Malcherson tressaillit : il avait horreur de la vulgarité.

— Et c'était avant que le meurtre de Ben Schuler ne soit connu. Les demandes devraient encore augmenter, aujourd'hui. Surtout maintenant que nous avons capté l'attention nationale. CNN en a parlé hier soir ; les autres réseaux vont en parler d'ici ce soir, et ça, messieurs, ça va faire monter la mayonnaise, vous pouvez me croire !

Gino leva les mains.

— Qu'est-ce qu'ils ont, ces gens-là ? Si j'étais journaliste national, c'est au vieux type torturé et retrouvé sur la voie ferrée que je m'intéresserais !

Malcherson poussa un soupir.

— Ce n'était qu'un meurtre. Sensationnel, certes, mais des meurtres à sensation, il y en a des dizaines tous les jours dans ce pays. Vous, par contre, vous bossez sur trois homicides, et même si personne n'a encore parlé de meurtres en série, tout le monde y pense. Cela suffit à attirer l'attention au niveau national. Si vous ajoutez à cela le fait que quelqu'un assassine des rescapés des camps de la mort, il n'est pas étonnant que tous les yeux soient braqués sur vous.

Magozzi éprouva comme un chatouillement dans la tête, comme si ses petites cellules grises s'étaient dressées et s'agitaient pour attirer son attention. Il ferma les yeux, fronça les sourcils, se concentrant.

— Qu'y a-t-il, inspecteur ? voulut savoir Malcherson.

Magozzi rouvrit les yeux, regarda son patron, secoua la tête.

— Je ne sais pas. Ça me reviendra.

26

Lorsque Magozzi et Gino laissèrent le chef Malcherson dans son boui-boui, le soleil était haut dans un ciel brumeux presque blanc. L'air était pâteux et oppressant, le mercure flirtait avec les trente degrés. Lorsqu'ils prirent à l'ouest, sur la 394, ils virent que la brume commençait à se cristalliser à l'horizon.

— Le voilà, remarqua Gino, levant la tête des boutons de réglage du conditionnement d'air, qui était à l'agonie. Le front froid canadien. Il se dirige vers nous. Quand ce putain de froid arrivera ici, on assistera à une lutte de titans…

— C'est prévu pour ce soir, dit Magozzi. On peut s'attendre à une sacrée tornade, paraît-il.

— Tu ne trouves pas ça bizarre ? Il y a seulement deux semaines on se frayait un chemin dans la neige, et aujourd'hui on marine dans notre jus et on se prépare à subir une tornade…

— Bienvenue dans le Minnesota.

Vingt minutes plus tard, Magozzi roulait avec la voiture banalisée le long des rues sinueuses et pittoresques d'un lotissement planté d'arbres qui essayaient de paraître naturels. L'endroit proposait tous les éléments constitutifs du paysage sauvage du Minnesota – énormes bouquets d'arbres arrivés à maturité, ruisseaux bouillonnants alimentés par la fonte des neiges et les pluies printanières –, mais ce n'était pas la nature qui avait façonné ce lieu. C'était seulement l'idée qu'un paysagiste se faisait de la nature.

Il n'y avait pas de buissons entre les arbres, pas de branches arrachées pour marquer le passage du dernier orage, et si une feuille se risquait à se laisser tomber sur le macadam, elle serait impitoyablement balayée.

Il n'y avait pas de lotissements dans ce coin de Wayzata. Ici, les gens possédaient « du terrain », et on apercevait rarement les énormes demeures situées très en retrait par rapport à la rue, artistiquement camouflées dans des parcs paysagers.

Gino regardait par la vitre d'un air soupçonneux.

— Tu te rends compte ? Y a pas de nids-de-poule sur cette route. C'est le printemps au Minnesota, bon sang ! On est censés rencontrer des nids-de-poule. Le macadam a l'air d'avoir été passé au vernis… T'as vu la baraque, sur la colline, là-bas derrière ?

Magozzi fit non de la tête, négociant un virage en épingle à cheveux qui suivait le cours d'un ruisseau dont le moins qu'on puisse dire est qu'il était capricieux.

— Il doit y avoir un autre moyen d'accéder à la villa de Jack Gilbert. Il ne peut pas rouler dans cette rue quand il est pété...

— Je ne sais pas. Peut-être que ça aide d'avoir un coup dans le nez, au contraire. Merde, regarde comme elle se tortille, cette voie, on dirait un intestin...

— Jolie, ton image, Gino.

— Merci. J'aime bien les virages, en fait, mais le seul endroit où on en trouve, c'est dans ces quartiers hyper-chic. Ça me gonfle, cette manie de redresser les routes comme si nous autres on n'avait pas de volants. Ce putain d'Etat devient moche comme c'est pas permis, avec ces rues à angle droit. Oh... Qu'est-ce que je vois, là-bas ?

Magozzi venait de distinguer le premier des gyrophares au détour d'un virage et avait déjà commencé à freiner. Plus ils approchaient, plus ils distinguaient de véhicules, gyrophare allumé. Il y avait là quatre voitures de patrouille de la police de Wayzata, une ambulance, des voitures de vigiles, le camion des pompiers, et ce qui était pire, une ou deux camionnettes des stations de télévision locales.

Magozzi s'arrêta près d'une voiture de police qui bloquait la route.

— Qu'est-ce que tu paries que c'est la résidence de Gilbert, là-haut ?

— Bon sang, fit Gino d'une voix tendue. On aurait dû le serrer hier soir. Je vais m'en vouloir si ce pochetron est cané.

Un grand policier blond vêtu de beige qui ressemblait à un mannequin de *GQ* s'approcha de la portière, côté conducteur. Magozzi tendit son badge.

— Criminelle de Minneapolis. Inspecteurs Magozzi et Rolseth. C'est la maison de M. Gilbert ?

— Oui, monsieur, en effet. Mais on ne nous a pas signalé d'homicide…

Gino et Magozzi poussèrent à l'unisson un soupir de soulagement.

— Ravi de l'apprendre, mon vieux. Que s'est-il passé ? Nous venions poser quelques questions à Jack Gilbert au sujet d'une affaire sur laquelle nous travaillons à Minneapolis. Il n'est pas blessé, j'espère ?

L'agent jeta un regard vers le petit groupe de véhicules.

— Je ne crois pas. S'il l'est, ça ne se voit pas. Les ambulanciers sont en train de l'examiner. Mais il est salement secoué. Il dit qu'on a essayé de le tuer.

Gino et Magozzi échangèrent un regard.

— Il nous faut lui parler, monsieur l'agent. Ça pose un problème ?

— Je suis sûr que non, inspecteur, mais vous devriez peut-être voir avec le chef Boyd d'abord, pour vous tuyauter sur ce qui s'est passé ici. La version de Gilbert est plutôt emberlificotée. Attendez-moi ici, je vais aller vous le chercher.

Ils avaient à peine eu le temps de descendre de voiture que le chef de la police de Wayzata arrivait et se présentait. Il était encore plus beau gosse que l'agent de police, avec quelques années de plus. Magozzi se dit que pour vivre à Wayzata il devait falloir être drôlement bien foutu.

— C'est un plaisir de vous rencontrer, inspecteurs.

Le chef Boyd découvrit deux rangées de quenottes d'un blanc étincelant.

— Vous avez fait un boulot du tonnerre à l'automne dernier sur l'affaire Monkeewrench. Vous bossez sur les meurtres d'Uptown maintenant, n'est-ce pas ? J'ai lu que le père de Gilbert était l'une des victimes.

— C'est exact, confirma Gino. Nous étions en route pour nous entretenir avec Jack Gilbert, éclaircir deux ou trois petites choses, quand nous sommes tombés nez à nez avec vos voitures. Vous êtes venus en force, on dirait, chef. Que s'est-il passé ?

— Hier soir ou ce matin ?

Gino haussa les sourcils.

— Hier soir ?

— C'est à ce moment-là que tout a commencé. Vers onze heures. Gilbert a appelé le 911. Il était complètement paniqué. Il nous a dit qu'il pensait qu'il y avait un intrus dans la propriété. Nous avons envoyé deux voitures en reconnaissance. Nos gars ont passé les lieux au peigne fin mais n'ont rien pu trouver, et pour vous avouer la vérité, ils ont pensé que c'était une fausse alerte. M. Gilbert était...

Plein de tact, il marqua une pause.

— Beurré comme un petit Lu ? suggéra Gino.

Le chef Boyd eut un sourire presque d'excuse.

— Il revenait chez lui après avoir enterré son père, dit-il, donnant l'impression à Gino d'être un salopard sans cœur. Et je crois qu'il traverse une

247

sale période depuis quelque temps. Il a causé quelques problèmes… On l'a arrêté à plusieurs reprises sur la route, on l'a reconduit chez lui pour être sûr qu'il rentre entier.

— C'est ici que j'ai envie de vivre, dit Gino à Magozzi.

— Et ce matin, poursuivit le chef de la police, on a reçu des appels nous signalant des coups de feu. Jack Gilbert était au bord de l'hystérie et il brandissait une arme quand on s'est pointés ici, il y avait des traces de coups de feu dans le jardin et la carrosserie de la voiture de sa femme.

— Mon Dieu, murmura Gino. Quelqu'un a vraiment tenté de le liquider ?

— Eh bien, à vrai dire on n'en est pas certains. Il y a des dégâts, certes, et des douilles, mais c'est du 9 mm. On en a extrait une ou deux du mur du garage et de quelques troncs d'arbres.

— Ce qui signifie, en clair ? demanda Magozzi.

Le chef eut un haussement d'épaules.

— L'arme que tenait M. Gilbert était un Smith & Wesson 9 mm, encore chaud, il nous a dit d'emblée qu'il avait vidé le chargeur en essayant de toucher celui qui, croyait-il, lui tirait dessus. Nous allons expédier tout ça au labo, bien sûr, au cas où il y aurait eu deux personnes tirant avec deux 9 mm différents.

Magozzi l'examina un moment. Puis :

— Vous ne croyez pas qu'il y avait un autre tireur, n'est-ce pas ?

Le chef Boyd baissa les yeux sur le macadam irréprochable sous ses bottes impeccablement cirées et soupira.

— Ecoutez, ça fait dix ans que Jack Gilbert habite ici... depuis que je suis chef de la police, en fait, et il a toujours été un peu... excentrique. Mais dans l'ensemble, ç'a toujours été un mec drôlement sympa. Et puis, l'année dernière il s'est mis à disjoncter. Il buvait plus que de raison, il y a eu des plaintes des voisins, et on a été obligés de l'intercepter alors qu'il conduisait en état d'ivresse. Une fois, je descendais la grand-rue pour aller déjeuner au volant de mon véhicule, et M. Gilbert était là qui rôdait sur le trottoir le long des boutiques, vêtu en tout et pour tout de son peignoir de bain. Je me suis empressé de le faire monter dans ma voiture, mais quand je lui ai demandé ce qu'il fabriquait dans cette tenue, il a baissé le nez sur son peignoir et il a dit : « Ah ben merde, alors. » Je suis certain qu'il n'avait pas conscience qu'il n'était pas habillé quand il est sorti. J'ai bien failli le mettre en garde à vue, de façon que le tribunal l'envoie se faire examiner chez un psy. Il avait peut-être besoin de l'aide d'un professionnel.

— Ç'aurait sans doute été un service à lui rendre, remarqua Gino.

Le chef Boyd s'esclaffa discrètement.

— Malheureusement, les résidents de ce quartier ne pensent pas que leurs policiers leur rendent service quand ils les arrêtent – même s'ils sont animés des meilleures intentions du monde. Notre job exige de plus en plus de diplomatie, vous savez.

Magozzi hocha la tête en signe d'assentiment.

— Nous nous heurtons parfois à la même difficulté, en ville. Quand par hasard un agent fait souffler un juge dans le ballon et que le magistrat se révèle présenter un taux d'alcoolémie un chouïa trop élevé, le flic se demande si ça ne va pas lui retomber sur le nez la prochaine fois qu'il aura affaire à lui au tribunal. C'est triste mais c'est comme ça.

Le chef braqua les yeux sur un bouquet d'arbres qui avaient été impitoyablement élagués.

— Mon agent m'informe que vous voulez interroger Gilbert. Il est assez secoué. J'espère que vous n'allez pas me dire qu'il fait partie des suspects dans les meurtres d'Uptown...

— Vous l'avez méchamment à la bonne, à ce que je vois, sourit Magozzi.

— C'est vrai. J'ai l'impression que c'est quelqu'un de bien, qu'il s'est juste un peu égaré en cours de route.

— Nous ne le considérons pas comme suspect pour l'instant, mais nous pensons qu'il détient des informations qui pourraient être utiles à notre enquête. Nous voulons lui parler, c'est tout.

Ils trouvèrent Jack Gilbert assis au fond de l'ambulance, en short et polo, jambes pendantes par-dessus le bord de la couchette. Il avait l'air de ce qu'il était – un type qui boit sec au sortir d'une bonne biture. Blême, poches sous les yeux, teint cireux, la bouche molle. Il avait un pansement sur le front et il tenait un pain de glace contre sa joue. Il leva la tête lorsqu'ils s'approchèrent et brandit une bouteille d'eau comme pour porter un toast.

— Salut, les gars. Bienvenue dans ces lieux. Vous n'êtes pas un peu loin de votre territoire ?

— Comment allez-vous, monsieur Gilbert ? fit Gino.

— Bien. Une coupure ici, un gnon là.

Il agita le pain de glace.

— J'ai dû percuter un arbre. Je m'en souviens pas. A part ça, tout baigne.

Magozzi s'avança davantage, jusqu'à ce que lui et Gino encadrent Gilbert.

— On vous conduit à l'hôpital ?

— Non. Ça m'a coûté la peau du cul pour faire venir cette ambulance jusqu'ici, je me suis dit tant qu'à faire autant en profiter et m'asseoir un moment.

— Vous ne voulez pas nous expliquer ce qui s'est passé ici ?

— Je vous ai vus parler au chef de la police. Il ne vous a pas mis au courant ?

— Il n'était pas sur place au moment des faits ; vous, si, dit Gino.

Jack poussa un soupir, ôta le pain de glace, se tourna vers eux, leur présentant sa joue.

— De quoi ça a l'air ?

Gino se pencha, louchant.

— Un peu enflé. Un peu rouge, mais pas si terrible que ça. Où vous êtes-vous procuré le Smith & Wesson, Jack ?

— Quoi ? On entre directement dans le vif du sujet ? On fait l'impasse sur les préliminaires ?

251

— Aujourd'hui, oui. Le nombre de victimes augmente un peu trop vite, on n'a pas de temps à perdre.

Jack croisa une minute le regard de Gino tandis qu'il essayait de remettre son cerveau en marche ; finalement il haussa les épaules.

— Papa l'avait depuis une éternité. J'ignore où il se l'était procuré, mais je savais où il le rangeait. Je l'ai rapporté chez moi hier soir.

— Après avoir appris que Ben Schuler avait été tué. Ça vous a vraiment foutu la pétoche, Jack, pas vrai ?

Une lueur défensive s'alluma alors dans le regard de Gilbert.

— Ouais, et comment ! Au cas où vous ne l'auriez pas remarqué, inspecteur, il y a un malade qui s'amuse à descendre des juifs. Et il se trouve que je suis juif.

Magozzi s'appuya de l'épaule contre la portière de l'ambulance et rétorqua, d'un ton raisonnable :

— Des juifs, il y en a plusieurs milliers dans les Twin Cities. Qu'est-ce qui vous a donné à penser que vous pourriez servir de cible au tueur ? Pour commencer, vous êtes trop jeune. En outre, jusqu'à maintenant, les meurtres se sont déroulés à Uptown. Autant dire pas exactement la porte à côté, par rapport à Wayzata.

— Voyons, d'abord c'est papa qui se fait plomber, ensuite l'un de ses meilleurs amis. Vous ne trouvez pas ça un peu gros comme coïncidence ?

Magozzi concéda d'un haussement d'épaules qu'en effet c'était un peu fort.

— Je vous l'accorde.

— Vous avez raison d'en convenir. Parce qu'un connard a essayé de me descendre ce matin alors que j'étais dans mon allée.

— Vous ne nous avez jamais faxé cette liste, Jack, dit Gino.

— Quelle liste ?

— La première fois que nous nous sommes rencontrés, vous nous avez dit que vous nous faxeriez une liste de tous ceux qui voulaient vous voir mort. Une centaine de personnes, me semble-t-il.

— Merde, je plaisantais !

— Ah bon ?

— Où voulez-vous en venir ? fit Jack, plaquant de nouveau le pain de glace contre sa joue.

Magozzi haussa les épaules.

— Dans votre profession, vous êtes amené à rencontrer des personnages louches. Vous avez peut-être été mêlé à des affaires qui vous dépassaient, et fréquenté des types qui ne rigolaient pas...

— Quoi ? J'aurais commencé à buter des gens autour de moi ? Vous regardez trop de films de De Niro, mon vieux.

— Ce sont des choses qui arrivent, vous savez.

— Votre père était un mec honnête, glissa Gino. Il n'aurait pas aimé que son fils unique se commette avec des malfrats. Il vous aurait sûrement tourné le dos, si ç'avait été le cas. Au fait, votre brouille...

Jack les considéra d'un air incrédule.

— Je n'arrive pas à le croire. C'est pour ça que vous êtes venus me trouver ce matin ? Vous croyez que c'est à cause de quelque chose que j'ai fait que les gens se font liquider ? Je suis avocat, spécialisé dans les affaires d'accidents corporels. Mes clients sont des gens qui glissent sur du jus de fruits dans les épiceries. Pas des truands à la John Gotti, bon sang !

Gino écarta les mains.

— Vous êtes mouillé dans cette histoire, Jack, d'une façon ou d'une autre, et on va étudier votre cas jusqu'à ce qu'on trouve ce que vous avez fait.

— Allez-y, ne vous gênez pas. Je n'ai rien à cacher.

Il descendit de l'ambulance et, en boitant, se dirigea vers l'allée.

Magozzi jeta un coup d'œil au rectangle de jardin qu'il apercevait de la rue. Une colline boisée se dressait là, empêchant de distinguer la maison, les flics de Wayzata grouillaient sur la colline.

— On est peut-être sur la mauvaise piste, dit-il.

— Ce ne serait pas la première fois. Va falloir qu'on joue les gentils, maintenant, non ?

— Allons-y.

Ils rejoignirent Jack près d'un endroit sombre, sous les grands pins, que les flics examinaient à la lueur de leurs torches.

— Vous boitez, Jack, dit Gino. Vous vous êtes également esquinté la jambe ?

— Qu'est-ce que ça peut vous foutre ?

— J'essayais d'être sympa.

— Alors, fit Magozzi, c'est là que ça s'est passé ?

— Non, c'était en haut, près de la maison ; mais de là à savoir d'où le gars tirait…

Ils s'avancèrent le long de l'allée pavée jusqu'à un virage, et là, ils aperçurent la maison de Jack, et une scène inattendue devant le garage.

— Nom de Dieu, murmura lentement Gino. En voilà un chantier !

L'allée était jonchée de morceaux d'écorce et de petites branches. On aurait dit qu'un arbre avait explosé. Le SUV Mercedes stationné près du garage était criblé de trous, la quasi-totalité des vitres avaient volé en éclats. Celle de la plage arrière s'était émiettée et répandue par terre, et des petits morceaux de verre luisaient sur les pavés.

Ils s'immobilisèrent à quelques mètres du véhicule, prenant soin de rester derrière le ruban de scène de crime. L'un des agents de Wayzata était à l'intérieur du périmètre de sécurité, recueillant à l'aide de brucelles un objet qu'il avait délogé du tableau de bord qu'il se préparait à déposer dans un sachet en plastique.

— C'est là que je me tenais, expliqua Jack, désignant l'endroit du doigt. J'allais ouvrir la porte arrière quand j'ai entendu le coup de feu et senti quelque chose me siffler à l'oreille. Ça m'a flanqué une frousse du diable, permettez-moi de vous le dire, alors j'ai sorti le flingue de ma poche et je me suis mis à riposter...

Magozzi regarda à travers les arbres sur la droite. Quelques branchettes pendaient.

— C'est de là qu'est parti le coup de feu ?

— J'en suis pratiquement sûr.

— Il n'y en a eu qu'un ?

— Merde, j'en sais rien. Je faisais pas mal de bruit, moi aussi, à ce moment-là.

Magozzi hocha la tête.

— Je comprends. Mais je me posais la question au sujet des perforations causées par les balles dans la vitre arrière...

— C'est peut-être moi qui les ai causées, fit Jack, fronçant les sourcils.

— Ouais ?

— Peut-être. Je tirais à tout-va. Je ne savais pas où le mec était planqué.

— Je vois, dit sèchement Gino. Vous auriez pu tuer la moitié du voisinage.

Jack devint blanc comme un linge, ce qui était à son honneur.

— Vous avez l'air un peu patraque, Jack. Si on entrait ? On pourrait se détendre, s'asseoir, bavarder... suggéra Magozzi.

Jack fit non de la tête.

— Je peux pas entrer. J'ai dormi près de la piscine la nuit dernière après que Becky m'a flanqué dehors. Pas question qu'elle me laisse rentrer après tout ça. Je n'ai pas envie d'être dedans, de toute façon. Je vais appeler un taxi et aller chercher ma voiture à la pépinière. Faire un somme au club un moment.

— C'est sur notre chemin. On vous ramène si vous voulez, vous êtes le bienvenu.

— Vous m'arrêtez ? fit Jack, soupçonneux.

— Pour avoir servi de cible à un dingue ? dit Gino. On vous propose juste de vous ramener, Jack. C'est oui ou c'est non ?

— C'est oui. J'ai laissé un sac avec mes affaires dans l'ambulance.

— Allons le chercher avant qu'elle s'en aille avec.

Gino capta l'attention de Magozzi et inclina discrètement la tête en direction de la villa.

Magozzi regarda derrière lui et vit une femme mince debout dans l'ombre de la porte d'entrée ouverte, bras croisés sur la poitrine.

— Je te rejoins dans une minute…

Becky Gilbert, comme le quartier qu'elle habitait, était un peu trop parfaite pour être entièrement naturelle. Son joli visage bronzé était lisse et bizarrement tiré, tel un morceau de tissu trop serré dans un cerceau à broder. Elle avait le corps souple, les muscles parfaitement dessinés de qui fréquente assidûment un club de remise en forme, et sa tenue de tennis blanche semblait avoir été coupée pour faire ressortir au mieux sa silhouette. Des diamants étincelaient à son poignet. Magozzi se dit que c'était peut-être la seule femme au monde qui portait un bracelet de ce genre pour jouer au tennis.

Elle avait les bras croisés rageusement sur la poitrine et ses yeux lançaient des éclairs lorsque Magozzi s'approcha.

— Madame Gilbert ?

— Oui. Qui êtes-vous ?

— Inspecteur Magozzi, de la brigade criminelle de Minneapolis.

Elle jeta par-dessus l'épaule du policier un regard furieux à Jack qui descendait l'allée.

— Il n'est pas encore mort.

— Vous avez l'air déçue.

257

Elle laissa échapper un soupir de frustration et s'arracha un semblant de sourire.

— Je ne suis pas déçue, inspecteur. Seulement furieuse. La police a passé la moitié de la nuit à essayer de mettre la main sur le rôdeur imaginaire de Jack, et maintenant voilà que vous débarquez !

— Vous ne croyez donc pas que quelqu'un tente de le tuer ?

— Bien sûr que non. Jack s'est certes rendu coupable de quelques indélicatesses dans l'exercice de sa profession, mais pas au point de donner à quelqu'un envie de le tuer.

— Y a-t-il un événement inhabituel qui se serait produit récemment et dont vous vous souviendriez ?

— Quel genre d'événement ?

— Des voitures d'inconnus rôdant dans le coin, des coups frappés à la porte en pleine nuit, des appels de menaces, ce genre de choses.

— Rien de tout cela.

Becky Gilbert inclina la tête, l'air soupçonneuse.

— Vous êtes de la Criminelle… C'est à propos de son père ?

— Oui. Nous avions encore quelques questions à poser à Jack.

La colère de Becky Gilbert parut s'estomper mais l'amertume persista dans ses prunelles.

— Une chose épouvantable.

— Est-ce que Jack vous a parlé du meurtre de son père ? demanda Magozzi.

Elle secoua la tête.

— Jack ne parlait jamais de son père, point final. Lorsque nous avons fait connaissance, lui et moi, ils ne s'adressaient plus la parole. Je me suis dit que ce devait être un sujet pénible, alors je ne l'ai jamais abordé.

Magozzi regarda cette femme qui paraissait si parfaitement à sa place dans ce décor, et pensa que ce n'était peut-être pas du tact qu'elle avait manifesté vis-à-vis de son mari. Peut-être que tout simplement elle se fichait éperdument d'un vieux couple juif habitant Uptown.

— Savez-vous ce qui a provoqué la rupture entre Jack et son père ?

— Aucune idée, inspecteur. Il n'a jamais cru bon d'évoquer le sujet avec moi.

Et vous ne vous êtes pas donné la peine de lui poser la question, songea Magozzi.

Alors qu'il redescendait l'allée, il tomba nez à nez avec le chef Boyd et son sourire aimable.

— Inspecteur Magozzi, avez-vous appris quelque chose qui pourrait se rattacher aux meurtres d'Uptown ?

— Non, à moins que la balistique ne trouve des éléments permettant un rapprochement. J'espère que vous nous tiendrez au courant quand vous aurez les résultats, chef.

— Je peux faire mieux que ça. Nous ne donnons pas beaucoup de travail aux gars du labo, et je suis sûr que vous avez plus de poids auprès d'eux que nous...

Il tendit une pochette scellée.

— Un Smith & Wesson 9 mm, onze douilles, neuf cartouches. J'espérais que vous pourriez leur remettre ceci de notre part.

— Et moi, j'espérais vous entendre dire ça, fit Magozzi avec un sourire. Vous m'avez évité de vous le demander.

Il sortit de la pochette l'imprimé qu'il posa sur son genou et le signa.

— La vieille dame d'Uptown a été tuée avec un 9 mm, si ma mémoire est bonne, dit le chef Boyd.

Et Ben Schuler également, songea Magozzi, mais il n'y avait pas de raison de lui refiler l'info pour le moment.

— C'est exact.

— Vous aurez sans doute très prochainement des réponses concernant l'arme qui est dans cette pochette.

Magozzi se redressa et le fixa.

— Ce ne sont pas les 9 mm qui manquent, chef Boyd.

— Je sais. Et j'ai hâte d'apprendre que celui que nous avons pris à M. Gilbert n'a tué personne.

— Je vous appellerai dès que je le saurai. On devrait avoir du nouveau très rapidement.

Ils regagnèrent la rue de concert ; là, Magozzi s'arrêta et observa les nouvelles camionnettes de la télé. Quand les reporters et les caméramans éparpillés autour des camions virent le chef Boyd et Magozzi, ils se ruèrent vers eux, caméras ronronnant, agitant leurs micros, hurlant des questions. Ils s'immobilisèrent tout aussi brutalement, comme s'ils s'étaient trouvés face à la Grande Muraille de Chine.

Magozzi jeta un coup d'œil au chef de la police, qui adressait des signes amicaux à la presse.

— Vous avez fait dresser une barrière invisible à cet endroit-là ? Une de ces barrières électriques qu'on met pour éloigner les chiens ?

Le chef continuait d'agiter la main, telle une midinette sous influence.

— Pourquoi ferais-je ça ?

— Je ne sais pas. En ville, les médias écrasent tout sur leur passage. J'ai plus d'une fois été obligé de faire demi-tour et de m'enfuir en courant...

— La rue appartient à tout le monde ! fit le chef en s'esclaffant. Ils ont le droit d'être là. Par contre, à l'instant où ils posent le pied sur le trottoir, ils sont en territoire interdit, et je les expédie aussi sec en prison.

— D'accord, je vois, fit Magozzi.

— On leur a expliqué les règles du jeu quand ils sont arrivés. Malgré ça, une jeune femme de Channel Ten, une très belle femme avec un sacré culot, s'est précipitée derrière moi dans l'allée menant chez Jack...

— Ce devait être Kristen Keller, la présentatrice, celle qui ne cesse de me harceler, le coupa Leo.

— Possible. Je ne regarde pas souvent les infos. Bref, à la minute où on lui a collé les bracelets et où on l'a fourrée dans une voiture, les autres se sont battus pour reculer...

Magozzi se tourna vers lui, l'air interdit.

— Vous avez arrêté Kristen Keller ?

— Eh bien, oui.

Magozzi s'efforça de garder une physionomie de vrai pro, mais ce fut plus fort que lui : un grand sourire lui étira les lèvres.

— Chef Boyd, vous êtes l'homme de la situation !
— C'est ce que je leur ai dit.

27

Grace MacBride était dans son bureau : un étroit espace parqueté qui, compte tenu de ses proportions, ressemblait davantage à un couloir qu'à une pièce à part entière. Plusieurs ordinateurs s'alignaient en rang d'oignons sur le comptoir qui courait sur toute la longueur d'un mur.

Assise sur son fauteuil à roulettes, elle pivotait de l'un à l'autre pour surveiller les écrans de données, maudissant le flot d'informations inutiles qui encombraient les sites publics du Net. Il était plus facile de pirater un site protégé que de trier les infos sans intérêt surchargeant les moteurs de recherche publics, et il était plus que temps qu'elle s'y mette.

Elle avait introduit les noms de Morey Gilbert et de Rose Kleber dans le nouveau logiciel, la veille aux aurores, et elle y avait ajouté celui de Ben Schuler quand Magozzi l'avait appelée dans la soirée. Mais, après des heures passées à parcourir les bases de données auxquelles on pouvait légitimement avoir accès, le seul lien que le logiciel avait repéré entre les trois noms était une tendance à faire ses courses chez le même épicier.

Comme tous les habitants du quartier. Il était possible qu'il n'y ait pas de lien entre eux, mais Magozzi et Gino n'étaient pas de cet avis, et elle faisait confiance à leur instinct.

Elle fronça les sourcils en relisant sur imprimante cette histoire d'épicerie, puis elle fit une boule de la feuille de papier et l'expédia par terre.

Ridicule, se dit-elle.

Il y avait plusieurs mois maintenant que Grace s'efforçait de respecter strictement la loi, ne franchissant les pare-feu des sites censés être hors d'atteinte que lorsque c'était absolument nécessaire. Cette tentative pour être informatiquement réglo, elle la faisait en signe de gratitude pour Magozzi et les autres flics qui avaient mis fin à des années de terreur, sinon à leurs effets secondaires. Lesquels subsistaient, continuant de la hanter.

Il ne lui fallut qu'un moment pour introduire les paramètres de recherche des enregistrements bancaires et téléphoniques des trois victimes. Les sites des banques et des compagnies du téléphone, Grace considérait qu'elle pouvait les violer sans remords. Ces fumiers n'hésitaient pas à vendre au plus offrant les moindres détails des comptes de leurs clients ; après quoi, ils se permettaient de s'offusquer et de tenir la dragée haute aux flics quand ces derniers osaient venir leur demander des infos, et de leur faire un speech sur le nécessaire respect de la vie privée. Elle trouvait aberrant que la police doive brandir un mandat pour recueillir des données, et pas les spécialistes du télémarketing. Aussi violait-elle allégrement ces sites chaque fois qu'elle en avait l'occasion. En outre, Magozzi savait pertinemment que c'était ce qu'elle allait faire quand il lui demandait son aide. Même s'ils se gardaient bien d'aborder le sujet.

Les autres sites auxquels elle s'apprêtait à accéder – le fisc, le FBI – posaient davantage de problèmes déontologiques, mais cela ne freina pas pour autant son ardeur à taper sur le clavier. Elle en voulait encore au FBI, et il lui arrivait parfois de pirater les sites du Bureau uniquement pour le plaisir, par dépit. Mais là, c'était différent. Cette fois, elle travaillait pour Magozzi. Elle ne lui dirait pas qu'elle franchissait la ligne blanche, bien sûr. Pas la peine qu'il sache qu'elle commettait un délit informatique pour lui rendre service.

Le téléphone sonna au moment où son imprimante commençait à cracher des gouttelettes d'encre, dessinant une kyrielle d'astérisques sur le papier. Grace décrocha l'appareil, sourit en entendant de la musique country et des rugissements de rire à l'arrière-plan.

— Salut, Annie. Qu'est-ce que tu fabriques dans un bar de si bonne heure ?

Une voix langoureusement traînante lui répondit :

— Je ne suis pas dans un bar mais dans une *cantina*, où ils font les meilleurs *huevos rancheros* de la ville.

— On dirait un bar.

— Mon chou, la bibliothèque elle-même ressemble à un bar dans ce patelin. Les gens savent vraiment s'amuser, ici. Grace, il faut absolument que tu ramènes ton petit cul pathétique. Tu vas avoir du mal à le croire. Je suis dans une salle pleine d'hommes en bottes et chapeaux de cow-boy, et tu veux que je te dise ?

— Vas-y, je suis prête, fit Grace avec un sourire qui s'élargissait.

— Ces messieurs t'ouvrent la porte, ils t'avancent ta chaise, ils se découvrent devant toi, te saluent. Et ce qu'il y a de mieux, c'est que je suis la femme la plus enrobée de l'Arizona.

— Tu dois être drôlement fière.

— Je dois être la seule femme à la silhouette Renaissance de l'endroit. Qu'est-ce que j'ai bien pu fabriquer dans le Minnesota pendant si longtemps ? Là-bas, je passais pour un hippopotame ; ici, je suis la belle plante au milieu d'un bataillon de pâquerettes anémiques. Bon sang, j'adore le Sud-Ouest ! Le seul point noir, c'est que tu me manques. Même Harley et Roadrunner me manquent.

— Tu me manques aussi, Annie. Tu pourrais appeler un peu plus souvent…

— Je vais faire mieux que ça. Je vais venir d'un coup d'avion ce week-end. J'ai eu Harley au téléphone hier soir ; il m'a dit que le camping-car devrait être prêt, maintenant.

— Tu vas faire la route avec nous ?

Annie fit entendre un délicieux rire de gorge.

— Je ne raterais pas ça pour un empire. En outre, cela nous donnera l'occasion d'examiner ce que j'ai réussi à dénicher jusqu'à présent. Tu as dit à Magozzi que tu partais, n'est-ce pas ?

— Je le lui ai dit.

— Il a pleuré ?

— En fait, je lui ai seulement parlé de l'Arizona.

L'espace d'un moment, Grace ne perçut plus au bout du fil qu'un crooner qui prétendait avoir laissé son cœur à la station de bus Greyhound de Tulsa.

— Monstre, commenta Annie. Tu ne peux pas le traiter comme ça. On s'est engagés à bosser sur ces affaires de disparitions d'enfants au Texas, et Harley a l'air de dire qu'on nous réclame un peu partout ailleurs. On risque de s'absenter un sacré bout de temps, Grace. Il faut que tu lui dises... A moins que tu ne décides de rester, de l'épouser, et de te trouver une maison sans barreaux aux fenêtres de façon à pouvoir élever normalement tes enfants. Et pas comme des animaux de zoo.

— Ne sois pas ridicule, Annie. Nous n'en sommes pas là, Magozzi et moi.

— Tu parles ! Vous vous mangez des yeux quand vous vous regardez. On a l'impression que vous faites l'amour. Vous n'avez pas encore couché ensemble mais c'est tout comme.

Grace garda deux secondes le silence, grosse erreur de sa part.

— Doux Jésus, laissa tomber Annie. Tu y songes, n'est-ce pas ?

— Je songe à beaucoup de choses, ces temps-ci. Mais je viens en Arizona.

Après sa conversation téléphonique avec Annie, Grace trouva Charlie, plus efficace qu'un baromètre, assis dans le couloir face à la porte de la cave, fixant la poignée.

Le mauvais temps arrive, pensa Grace.

Annie raccrocha et se mit à pianoter sur le comptoir de chêne rugueux. Ses ongles étaient pervenche aujourd'hui parce qu'il n'y avait pas beaucoup de femmes au monde qui pouvaient se permettre de porter cette couleur et qu'Annie détestait ne pas se faire remarquer. En outre, elle avait mis ses verres de contact pervenche au réveil, et l'idée que ses ongles puissent ne pas être assortis à ses yeux lui était insupportable.

Elle avait eu du mal à se faire belle dans cette gamme de coloris. Il lui avait fallu se précipiter chez le coiffeur pour faire retoucher sa couleur car il était hors de question qu'Annie Belinsky arbore des reflets roux avec son kimono de soie bleu pervenche. Toutefois, en sentant les trente paires d'yeux masculins collées à elle dans la *cantina*, elle se dit que ça n'avait pas été du temps perdu. Elle ne comprenait pas comment les femmes dotées d'un mari et d'enfants trouvaient le temps de se rendre présentables ; franchement, ça la dépassait.

Elle sourit avec un brin de perversité, installa le plus confortablement possible sur le tabouret son postérieur rebondi moulé dans la soie, crut entendre fuser trente soupirs libidineux.

Il y avait des femmes dans cet établissement, bien sûr, et Annie soupçonna certaines d'entre elles de ressasser de méchantes pensées à son encontre, voire de comploter contre elle. Tout ce qu'elles voyaient dans les magazines et à la télé leur avait appris qu'être en surpoids n'avait rien de séduisant, et une bonne partie d'entre elles passaient probablement beaucoup de temps à faire de l'aérobic et à compter les calories afin de ne jamais se retrouver dans cet état. La plupart d'entre elles étaient bronzées, minces et athlétiques, dans leurs jeans et leurs minitee-shirts. Mais la présence d'Annie – sa façon d'exhiber ses kilos superflus comme si c'était de l'or – les laissait interdites et furieuses, car leurs hommes étaient pour l'heure en train de saliver devant une femme quasi, osons le mot, obèse.

Annie aurait pu faire remarquer à ces femmes en colère que les hommes ne réagissaient pas exclusivement à un type de morphologie féminine – à son avis, le mythe avait été propagé par les couturiers gay –, mais surtout à la façon dont une femme se servait de son corps, de ses yeux et de sa voix. Dans ce domaine, Annie en connaissait un rayon.

— Mademoiselle Belinsky ?

Dieu du ciel, elle ne l'avait pas vu arriver ; pourtant, d'habitude, Annie n'en perdait pas une. Il s'était glissé derrière elle et l'avait presque fait tomber de son tabouret avec son intonation traînante de cow-boy qui sentait bon la terre. L'accent du Sud profond, celui d'Annie, avait la douceur du sirop, mais il ne faisait son petit effet que s'il émanait d'une femme. Les hommes qui voulaient séduire avec leur voix devaient être originaires du pays des cow-boys.

— Oh, bonjour, monsieur Stellan. Vous êtes l'un des rares hommes qui puissent se vanter d'avoir réussi à me surprendre...

Il se tenait planté là, son stetson plaqué respectueusement contre la poitrine, Gary Cooper dans l'un de ces vieux films en noir et blanc, le regard peut-être un peu trop aigu.

— Mademoiselle Belinsky, je suis prêt à faire à peu près n'importe quoi pour rester gravé à jamais dans votre mémoire.

Annie lui adressa un petit sourire mystérieux pour le remercier. Non que cet homme ait la moindre chance de la séduire, évidemment. Certes, il avait le look, la voix et les manières, mais ce n'était après tout qu'un agent immobilier. Et coucher avec un agent immobilier, c'était le début de la dégringolade, c'était commencer à descendre la pente qui mène à la médiocrité – un peu comme coucher avec un avocat.

— Alors, monsieur Stellan, est-ce que l'hacienda est à nous ?

— Oui, madame, aux conditions et au prix que vous m'avez spécifiés.

Il posa sur le bar un exemplaire du contrat de location pour qu'elle puisse y apposer sa signature.

— Les propriétaires ont fait des difficultés pour lever la clause spécifiant qu'ils ne voulaient pas d'animaux de compagnie chez eux, mais ils ont fini par accepter la présence de l'animal quand je leur ai précisé que c'était un chien policier. Ce n'est pas un chien d'attaque, n'est-ce pas ? Il ne se jette pas sur les visiteurs ?

Annie effleura le coin de sa bouche d'un doigt à l'ongle pervenche.

— Ce chien-là et l'attaque, ça fait deux, vous pouvez me croire.

Elle signa le document avec détermination.

— Tant mieux. J'avais peur que ce ne soit un pisteur, vu que vous êtes là pour aider le chef de la police à retrouver sa fille...

— Vous êtes bien informé, monsieur Stellan. Je ne me souviens pas d'avoir mentionné que nous allions travailler avec la police locale.

— Ah, tout le monde était au courant trois minutes après votre arrivée. C'est une petite agglomération, ici, mademoiselle Belinsky.

Une ville plutôt fermée, songeait Annie, quelques minutes plus tard, tandis qu'elle longeait le trottoir pour gagner le bureau du chef de la police, des dizaines d'yeux toujours braqués sur elle.

Si une femme un peu forte est capable de faire se tourner autant de têtes, que se passera-t-il lorsque Harley arpentera leurs rues ? Les autochtones vont péter un câble, à tous les coups.

Le chef Savadra était le seul à ne pas saliver devant elle, et à peine lui eut-il adressé son habituel sourire du matin qu'elle se sentit parfaitement à son aise, libre d'être elle-même. C'était sûrement l'homme le plus laid de l'agglomération, avec son visage taillé à coups de serpe et ridé par le soleil, un corps dégingandé et filiforme agité de mouvements désordonnés. Mais il avait quelque chose de spécial, qui plut tout de suite à Annie.

— Alors il paraît que vous avez loué l'hacienda...

Annie se dirigea droit vers la fontaine d'eau fraîche qu'elle avait fait installer le lendemain même de son arrivée.

— Dites donc, les nouvelles vont vite chez vous !

— C'est exact, mademoiselle Annie.

Mademoiselle Annie… Bien agréable, d'entendre ça. Ça lui rappelait le Mississippi. D'autant plus agréable qu'il ne disait pas cela pour flirter ; seulement pour la taquiner gentiment.

Le chef Savadra se laissa aller contre le dossier de son bruyant fauteuil de bois et la regarda commencer à mettre des dossiers dans son attaché-case.

— Je croyais que vous ne partiez que vendredi…

— J'ai fait à peu près tout ce que je pouvais faire avant l'arrivée des ordinateurs. Maintenant que j'ai signé le bail de l'hacienda, je suis libre de mes mouvements.

— Vos amis vous manquent…

Annie lui jeta un regard de biais.

— Je ne pensais pas qu'ils me manqueraient. Pas à ce point, du moins. Pourtant, c'est le cas. Surtout, n'allez pas le leur répéter !

Le chef de la police sourit.

— Je ferai un saut là-bas la semaine prochaine. Histoire de vérifier que l'électricité fonctionne et que la piscine est pleine avant votre retour.

— Merci, mais Joe Stellan enverra quelqu'un s'occuper de tous ces détails.

— Je ferai un saut quand même, je leur agiterai mon badge sous le nez, je leur foutrai la trouille de leur vie pour qu'ils se remuent les fesses.

— C'est vraiment gentil à vous, dit Annie.

— Vous plaisantez ? Je ne vois pas comment je pourrais vous remercier de tout ce que vous faites pour moi. Ce que je ne pige pas, c'est pourquoi vous le faites. Qu'est-ce qui peut bien pousser un petit groupe de gens à traverser la moitié du pays pour m'apporter leur aide et me faire profiter d'une technologie à coup sûr hors de prix ?

— C'est une longue histoire…

— J'ai hâte de l'entendre.

28

Gino garda le silence jusqu'à ce qu'ils aient traversé Wayzata et atteint l'autoroute, sans doute parce qu'il craignait que Jack Gilbert ne saute de la voiture s'ils se mettaient à l'interroger, profitant de leur vitesse réduite. Il se pencha pour consulter le compteur avant de se retourner tant bien que mal sur son siège pour faire face à son passager.

— Très bien, Jack. Je vais vous donner une autre occasion de faire ce qu'il faut. Selon vous, qui essaie de vous tuer ?

Jack laissa aller sa tête contre le dossier.

— Je me doutais que vous me prépariez un coup comme ça. « On veut juste vous raccompagner », mes fesses. En fait vous vouliez me coincer dans cette caisse de merde, où il n'y a même pas la climatisation, pour me cuisiner et me tirer les vers du nez…

Gino réussit à prendre un air étonné.

— Bon Dieu, Jack, je ne vous comprends pas. Si je pensais qu'on essaie de me descendre, je serais ravi que deux flics me ramènent chez moi, et soulagé qu'ils veillent sur ma sécurité. Et ce n'est pas tout. Je leur dirais tout ce que je sais, je les aiderais dans toute la mesure de mes moyens, de façon qu'ils aient une chance de serrer ce malade avant qu'il ne me bute. Au lieu de ça, vous restez assis là, derrière, muet, hostile, bouche close. Laissez-moi vous dire un truc, Jack, je ne vois qu'une explication à cette attitude : le tireur que nous cherchons à épingler, c'est vous. Si ça se trouve, vous avez organisé toute cette mise en scène là-bas pour nous induire en erreur...

— Pour l'amour du ciel, inspecteur, lâchez-moi. Je ne suis pas un pauvre minable que vous avez chopé en train de piquer des bonbons dans un Seven-Eleven. Et je n'ai pas à répondre à vos questions à la con. Pensez ce que vous voudrez. Je m'en bats les flancs.

Magozzi jeta un rapide coup d'œil sur sa droite et constata avec soulagement que Gino avait toujours son arme dans son étui. Toutefois, il se dit qu'il était grand temps pour lui de mettre les pieds dans le plat.

— On essaie seulement de vous aider, Jack, intervint-il d'un ton raisonnable. Examinez un peu la situation de notre point de vue. Nous n'avons aucune envie de vous considérer comme suspect dans le meurtre de votre père, mais nous sommes persuadés que vous savez quelque chose concernant la raison pour laquelle ces gens ont été tués, et qui expliquerait que le meurtrier vous coure après...

— Qu'est-ce qui vous fait croire que c'est la même personne ? se moqua Jack.

— C'est ce que vous, vous pensez.

Cela fit taire Jack une minute.

— Bon, soupira-t-il finalement. Tout ça, c'est des conneries, inspecteur. Je n'ai pas la moindre idée de qui a tué mon père, Ben ou Rose, et j'ignore qui m'a tiré dessus ce matin. Vous ne croyez pas que je vous le dirais si je le savais, rien que pour sauver ma peau ?

Gino haussa les épaules.

— Peut-être que vous nous le diriez, ou peut-être que non. Qui sait ? Peut-être que vous essayez de sauver la peau de quelqu'un d'autre…

Jack éclata de rire.

— Elle n'est pas mauvaise, celle-là, inspecteur. Jack Gilbert le héros. Je devrais vous engager pour faire ma pub. Baissez un peu la vitre, vous voulez bien ? On cuit, dans cette caisse.

Magozzi fit huit cents mètres dans un silence de plomb avant de reprendre :

— Je n'ai pas dit que vous connaissiez l'identité du tueur, Jack. J'ai dit que vous saviez quelque chose concernant la raison pour laquelle ces gens ont été tués. Cela fait une sacrée différence.

Jack croisa le regard de Magozzi dans le rétroviseur mais ne souffla mot.

Ils firent un petit arrêt à mi-chemin des Twin Cities. Jack dit qu'il devait aller aux toilettes mais, lorsqu'ils s'arrêtèrent, près d'une station-service, il descendit de la voiture et se dirigea d'une démarche titubante vers un magasin de vins et spiritueux tout proche.

— De mieux en mieux, fit Magozzi. Des inspecteurs assurent une navette avec des magasins de vins et spiritueux... Pas question que je mentionne ça dans le rapport.

— Ce fumier nous a bien eus, grommela Gino.

— Il nous a niqués en beauté, tu veux dire.

— Je déteste les avocats. Je les hais. Au fait, sa femme, tu en as tiré quelque chose ? Elle t'a donné des tuyaux intéressants ?

— « Donné », tu rigoles ! C'est le genre de femme qui ne donne rien. Pas ça. A personne. Glaciale. Elle ignore complètement pourquoi Jack et son père étaient brouillés, et ça ne l'a probablement jamais intéressée.

Gino appuya sa tête contre le dossier et ferma un instant les yeux.

— On a de quoi le mettre au ballon pour entrave à la bonne marche de la justice ?

— Non.

— Alors qu'est-ce qu'on fait, maintenant ? Il ne faut pas compter sur lui pour nous dire quoi que ce soit.

— Peut-être que Pullman pourrait nous aider.

Les deux premières rangées du parking de la pépinière étaient pleines lorsqu'ils arrivèrent, et un nombre surprenant de clients circulaient au milieu des étals, tirant des chariots d'où jaillissaient des fleurs et des plantes vertes.

— Les affaires marchent, on dirait, fit Magozzi.

Jack, le buste penché en avant sur la banquette arrière, semblait avoir hâte de descendre de voiture.

— C'est à cause de la température, dit-il. Plus il fait chaud, plus les jardiniers amateurs se pressent, ici.

— Sans blague ?

— Sans blague. Arrêtez le moteur et laissez-moi descendre, vous voulez bien ?

Magozzi chercha son regard dans le rétroviseur. Gilbert n'était pas depuis deux secondes chez sa mère que son culot infernal s'était lézardé.

— Inutile de vous énerver, je cherche une place pour me garer.

Gino regardait d'un air furieux par la vitre du passager, râlant toujours de ne pas avoir réussi à extorquer la moindre info à Jack.

— C'est qui, ces gens-là ? Ils n'ont pas de boulot ? Pourquoi ne se garent-ils pas mieux que ça ? Chaque voiture prend la place de deux !

Magozzi s'engageait sur une place devant la grande serre lorsque Marty et Lily sortirent, poussant des chariots pleins vers le pick-up d'un client. Marty les repéra immédiatement et leur adressa un coup d'œil interrogateur assorti d'une ébauche de salut de la main. Il parut encore plus intrigué lorsqu'il vit Jack descendre de la voiture banalisée et se précipiter vers sa Mercedes au fond du parking.

— Merde, il ne nous a même pas dit au revoir.

— Je vais pas m'en remettre, marmonna Gino.

Ils attendirent dans le véhicule, regardant Marty charger les plantes dans le pick-up sous la haute surveillance de Lily.

— Pullman a l'air mieux, aujourd'hui, remarqua Magozzi.

— Le travail manuel, une femme pour le surveiller... Ça vous fait le caractère, si j'en crois ma
belle-mère. Du moins c'est ce qu'elle a prétendu,
la semaine dernière, quand elle m'a obligé à
grimper sur une échelle pour nettoyer les gouttières. On dirait une gamine dans cette salopette,
tu ne trouves pas ?

— Qui ? Lily ?

— Ouais. Allons lui secouer les puces. On aura
peut-être plus de chance qu'avec son fils.

— Si tu le dis, grogna Magozzi. Elle est capable
de te bouffer tout cru.

— Je sais. Occupe-toi d'elle. Je vais parler à
Marty.

Ils suivirent Lily et Marty dans la serre et attendirent poliment qu'un client ait payé et soit parti.
Il y avait d'autres clients dans la serre, mais suffisamment éloignés pour qu'aucun ne les entende.
Magozzi se dirigea vers le comptoir, mais Jack fit
irruption avant qu'il ait eu le temps d'ouvrir la
bouche.

— J'ai besoin de mes clés.

Il jeta un bref coup d'œil à Marty et à sa mère.

— Où sont-elles ?

Marty considéra d'un air vide l'ecchymose qui
décorait la joue de Jack et le pansement qu'il avait
sur le front.

— Tu t'es battu en duel, Jack ?

— Je suis rentré dans un arbre.

— Ben voyons.

— En tentant de fuir la personne qui me tirait
dessus.

Les yeux de Lily se braquèrent brutalement sur son fils et pour la première fois Magozzi vit poindre la mère chez la vieille dame.

— Qui a essayé de te descendre ? dit-elle d'un ton sec.

Jack frissonna. Il y avait des lustres que sa mère ne s'était pas adressée directement à lui.

— J'en sais rien.

La vieille dame se raidit, son regard retrouva sa dureté.

Merde, songea Magozzi. Elle aussi, elle sait quelque chose.

Marty fixait Jack, son visage exprimant toutes sortes de choses. Colère, dégoût, frustration, et peur aussi, peut-être. Mais on y lisait également de l'inquiétude. Magozzi fut surpris de constater que Marty Pullman éprouvait quelque sympathie pour Jack.

— Qu'est-ce que vous savez là-dessus ? demanda Marty à Gino.

Gino aperçut une femme en corsaire violet qui s'approchait de la caisse avec son chariot.

— Allons marcher. Je vous raconterai.

— Les clés, fit Jack alors qu'ils s'éloignaient.

Marty pivota et pointa l'index vers Jack.

— Pas question qu'on te donne les clés. Tu restes où tu es.

Il fixa Lily et ajouta :

— Aujourd'hui, ce soir, jusqu'à ce que je dise le contraire.

Jack et Lily battirent des paupières, tels des enfants apeurés.

— Et je ne plaisante pas, ajouta Marty tandis qu'il sortait en compagnie de Gino.

Jack ouvrait la bouche au moment où la femme en corsaire violet lui tapa sur l'épaule.

— Excusez-moi, c'est bien celui-là, l'engrais pour les rhododendrons ?

Presque sans réfléchir, Jack fit demi-tour et regarda le flacon de plastique vert qu'elle lui tendait.

— Non, celui-là est trop alcalin. Il vous faut quelque chose de plus acide, pour les rhododendrons. Ça doit se trouver sur la même étagère.

— Vraiment ? Vous pourriez me montrer... Il y en a tellement...

Jack se pinça le nez tandis qu'il passait d'une dimension à l'autre.

— Bien sûr. Suivez-moi.

— Il en connaît un rayon en matière de jardinage, dites-moi, fit Magozzi à Lily.

— C'est heureux. Il est tombé dans la marmite quand il était petit, ça aide, dit-elle d'un air absent, ses yeux suivant son fils. Parlez-moi donc un peu de cette fusillade. Qui a tiré sur Jack ?

— Vous devriez peut-être poser la question au principal intéressé.

— Là, c'est à vous que je la pose.

Magozzi poussa un soupir.

— Jack pense qu'on lui a tiré dessus alors qu'il était dans son allée ce matin, et il a répliqué.

— Il *pense*, reprit Lily. Il n'en est pas certain ?

— Si, fit Magozzi avec un haussement d'épaules. Mais nous, non. Du moins, pas encore. On a retrouvé des douilles sur place, mais elles proviennent peut-être toutes de l'arme de Jack. On vérifie.

Lily lui décocha un de ses regards à la Yoda derrière ses verres épais.

— Jack ne possède pas d'arme. Il déteste les armes.

— Il nous a dit que c'était celle de Morey et qu'il l'avait prise chez vous hier soir après avoir appris que Ben Schuler avait été tué.

Magozzi examina soigneusement son visage lorsqu'il lui posa la question suivante :

— Vous saviez que Morey possédait un revolver ?

Le regard de Lily ne se troubla pas.

— Si tel était le cas, il ne m'en a jamais parlé.

Magozzi s'appuya sur le comptoir, son regard se trouvant ainsi à la hauteur du sien.

— Ecoutez, madame Gilbert, dit-il doucement. Nous pensons que Jack sait quelque chose à propos de ces meurtres... y compris à propos de celui de votre mari.

Lily battit des paupières.

— Il a failli tomber dans les pommes à la réception hier quand il a appris que Ben Schuler avait été descendu, et ce n'est pas seulement à cause du choc que la nouvelle lui a causé. Il semblait terrifié, et nous pensons que c'est parce qu'il était persuadé d'être le prochain sur la liste. Il sait quelque chose, madame Gilbert, et nous ne pourrons l'aider que s'il nous dit de quoi il retourne.

— Vous voulez que je lui parle, énonça-t-elle d'une voix sans timbre.

Magozzi se redressa et écarta les mains.

— Il refuse de nous parler. Il parlera peut-être à sa mère.

Dehors, Gino et Marty s'étaient perchés sur le pare-chocs de la voiture banalisée, buvant de l'eau que Marty avait prise dans un frigo près de l'entrée.

— C'est tout ce qu'on a pour l'instant, dit Gino. Or il refuse de l'ouvrir. S'il ne tenait qu'à moi, je le collerais dans une cellule avec un ou deux loubards jusqu'à ce qu'il se décide à cracher le morceau, mais Magozzi n'est pas d'accord : il a un sens de l'éthique vachement poussé. Je me disais que comme vous faisiez partie de la famille, vous pourriez lui secouer un peu les puces, sans que ça prête à conséquence.

Marty ébaucha un sourire puis, se ravisant, secoua la tête.

— J'ai essayé hier soir, Gino, j'ai mis le paquet, croyez-moi. Je sais qu'il nous cache quelque chose. Le plus drôle, c'est que je pense qu'il se dit qu'il a de bonnes raisons de la boucler. Mais je vais faire une nouvelle tentative. Ce soir, une fois que Lily sera rentrée à la maison.

— Vous allez l'obliger à rester ici ?

— Si on essaie vraiment de lui faire la peau, il sera plus en sécurité ici que nulle part ailleurs.

— Ça reste à démontrer. Morey n'a pas été tellement en sécurité ici, fit remarquer Gino.

Marty se tourna vers lui.

— Pas question que je m'en aille, et je suis armé. Hier soir, Jack m'a demandé de passer chez moi prendre mon arme. Il se faisait du mauvais sang pour Lily. Maintenant, c'est pour eux deux que je m'en fais. De fait, je crois qu'il a vraiment les chocottes...

Gino hocha la tête.

— Nous aussi. Mais c'est peut-être lui et lui seul qui a tiré dans son allée, et nous n'en aurons le cœur net que quand la balistique nous aura rendu son rapport. Et alors nous...

Ils s'arrêtèrent de parler lorsqu'ils virent Jack traverser le parking en hâte pour les rejoindre.

— Où sont les Big Boys, Marty ? Ils devraient être au même endroit que les Early Girls. Et j'ai une cliente qui me fait un caca nerveux parce qu'elle n'arrive pas à les trouver !

Marty se frotta le front, essayant d'opérer la transition du meurtre aux plantes.

— Je n'ai pas la moindre idée de ce dont tu parles, Jack.

— Je te parle des tomates, merde ! Où sont-elles ?

— Oh, je crois que j'en ai mis à l'ombre, près de la petite serre.

Jack le fixa d'un air ébahi.

— Tu as mis des tomates à l'ombre ?

— Ça se peut, oui. Si ces trucs-là sont bien des tomates...

Du pouce il désigna un endroit sur sa droite, et Jack suivit du regard la direction indiquée.

— Oh, Seigneur !

Il allait s'éloigner en hâte, mais il se retourna et s'approcha de Gino.

— J'ai oublié de vous remercier de m'avoir raccompagné, inspecteur.

— C'est exact.

Jack hocha la tête, fourra ses mains dans ses poches et regarda ailleurs.

— Et... autre chose.

— Ouais ?

— Il m'arrive de me conduire comme un con.

— Non, sans blague ?

— Toutes choses égales d'ailleurs, votre coéquipier et vous avez été plutôt sympas avec moi. J'aimerais pouvoir vous aider.

Il fixa Gino.

— Et ce ne sont pas des paroles en l'air.

Gino le regarda s'éloigner.

— Putain, je ne sais plus quoi penser, maintenant, moi.

Marty s'esclaffa.

— Jack a toujours eu le don de vous retourner comme une crêpe.

29

A peine Gino eut-il poussé la porte de la Criminelle que Langer, McLaren, Gloria et Peterson se jetèrent sur lui, telle une meute de chiots en folie. Un autre que lui aurait sérieusement flippé, mais pas Gino.

— Lars, qu'est-ce que tu fabriques ici ? demanda-t-il à l'inspecteur Peterson. Je croyais qu'on t'avait transféré aux Stups en attendant le retour de vacances de Tinker ?

Peterson était fin comme une lame de rasoir et ses joues étaient à peine plus colorées que celles des cadavres qui s'étaient succédé au cours des jours précédents.

— C'était juste pour hier. Et tu veux savoir comment s'est passée cette journée ? J'ai poireauté dans une clinique à attendre que Ray la Grande Gueule se pointe. Dieu seul sait ce que j'ai dû ramasser comme saloperies là-bas, d'autant que...

Gloria poussa gentiment Peterson de la hanche au risque de le faire tomber par terre.

— Tu nous mettras le reste par écrit... Bon, allez, Rolseth, accouche.

— Quoi ?

— Tu plaisantes ? fit McLaren.

Il arborait une veste à carreaux marine et blancs qui aurait fait les délices d'un orthoptiste.

— On n'a vu que toi aux infos toute la matinée. Que s'est-il passé chez Jack Gilbert ? Et où est Magozzi ?

— Leo est allé porter un truc à la balistique. Et il ne s'est rien passé chez Gilbert.

— Comment ? ! Pas de macchabs ?

— Pas l'ombre de la queue d'un. Il semble que Gilbert ait vidé son chargeur et niqué la voiture de sa femme en croyant tirer sur un assassin fantôme. C'est tout.

Peterson haussa ses épaules osseuses sous sa chemise blanche. Il contempla tristement son bureau désespérément vide, rêvant probablement d'homicides, le salaud.

— Aux infos, on se serait crus à Waco…

Gloria pirouetta dans une envolée de soie arc-en-ciel, ses perles cliquetant à tout-va.

— Je vous l'avais bien dit, qu'il n'y avait rien, bande d'imbéciles ! Il suffit qu'on craque une allumette à Wayzata pour que tout le monde se mette en transe… Peterson, tu as trois minutes pour aller signer le registre aux Stups avant que Harrison ne parte. Faute de quoi, tu restes bosser avec eux.

— Merde, fit Peterson en se précipitant vers la porte.

— Alors c'est vrai, vous n'avez rien trouvé ? demanda Langer à Gino tandis qu'ils regagnaient leurs bureaux respectifs.

— M'en parle pas. Encore un coup comme ça et c'est le retour à la case départ. Et ton affaire, ça se présente comment ?

Langer secoua la tête et désigna du doigt une pile de listings sur sa table de travail.

— C'est tout ce qu'on a découvert sur les six victimes d'Interpol. Chiant comme la pluie. Des gens ordinaires menant des vies ordinaires…

— Tu ne m'as pas dit qu'Interpol était persuadé que c'étaient des victimes ayant fait l'objet d'un contrat, non ?

— C'est ce qu'ils affirment, mais pour moi ce sont les cibles les plus improbables que j'aie jamais rencontrées…

— Comme toutes les personnes qui se font descendre ici.

— C'est pas faux ce que tu dis, fit Langer. Mais on n'a toujours pas trouvé de lien avec Fischer. L'arme exceptée.

— Et les fédéraux sont au cul de Malcherson, ajouta McLaren, d'un ton funèbre. Ils nous prennent pour des glands. Ils vont s'emparer de notre affaire, la résoudre en deux coups de cuiller à pot et récolter tous les compliments. Ce qui veut dire que Langer et moi, on va se taper une permanence dans une école primaire dès demain pour sensibiliser les gosses aux dangers de la circulation…

— Je vois, fit Gino en essayant de rentrer sa chemise dans son pantalon. Qu'en dit Malcherson ?

Langer haussa les épaules.

— On a jusqu'à la fin de la journée pour lui rapporter des biscuits. Après quoi, il leur refile le bébé. Et si tu veux savoir, c'est peut-être une bonne idée. On est pratiquement dans une impasse.

Gino secoua la tête.

— Si les fédés le veulent, c'est qu'ils ont quelque chose que tu n'as pas.

— Probablement.

Magozzi entra telle une forte brise, descendant l'allée avec son portable à l'oreille, écoutant attentivement. Il salua d'un geste de la main tous ceux qu'il croisa sur son passage, faisant signe du pouce à Gino de le rejoindre à leurs bureaux, au fond de la pièce.

Tandis que Magozzi finissait sa conversation téléphonique, Gino entreprit de fouiller dans un tiroir de son bureau, en quête de nourriture. Il fixait une boule de gomme couverte de poussière, se demandant si elle était mangeable, lorsque Magozzi dit :

— Merci, Dave.

— Dave ? Le Dave de la balistique ?

— Celui-là même, fit Leo en refermant son portable. Il avait du nouveau. Rose Kleber et Ben Schuler ont été abattus avec le même 9 mm.

— Youpi ! Notre premier lien solide… Sois sympa, dis-moi que c'est le 9 mm que Boyd a pris à Jack Gilbert, que je puisse foutre ce gars-là au trou !

— Désolé. Dave a procédé à des tests. Ce n'est pas l'arme de Jack.

— Meeerde !

— Il a également examiné les douilles ramassées chez Gilbert. Elles provenaient toutes de l'arme de Jack, sauf une.

— Eh ben ça, alors !

Gino s'adossa à son siège et croisa les doigts sur son ventre.

— On a donc bel et bien essayé de le descendre…

Magozzi opina du chef.

— Ils ont extrait une balle de l'intérieur du toit, à deux centimètres et demi de l'arrière du SUV de la femme de Gilbert. Jack nous a dit qu'il se tenait près de la grille, tu t'en souviens ? Eh bien, cette balle-là provenait de l'arme qui a tué Kleber et Schuler.

— Waouh.

Gino réfléchit deux secondes.

— Oh, pour l'amour du ciel, dit-il enfin.

Il se leva et rafla ses menottes sur son bureau.

— Qu'est-ce que tu fais ?

— Je vais arrêter Gilbert. Voilà ce que je vais faire.

— Pour quelle raison ? Parce qu'il s'est fait tirer dessus ?

— Témoin matériel, garde à vue pour le protéger, ivresse sur la voie publique. Je m'en fous. Je veux le voir en prison ! Cet abruti savait ce qui lui pendait au nez et ça signifie qu'il savait pourquoi, et qu'il savait peut-être même qui était le tireur. Et tu crois qu'il nous le dirait ? Macache. Il reste assis sur son derrière, à faire sa sucrée, pendant que d'autres se font dézinguer !... Bon Dieu, pourquoi faut-il que ces menottes se ferment de cette façon, je n'arrive jamais à...

— Gino, calme-toi.

Gino grogna comme un furieux et considéra son coéquipier.

— Quoi ?

— On ne peut pas l'arrêter.

— Ah oui ?

— Il n'a été témoin de rien du tout, il n'est donc pas témoin matériel. La garde à vue à des fins de protection ? Il faut que ce soit lui qui en fasse la demande. Quant à l'ivresse sur la voie publique...

— Ouais, ouais, je sais.

Gino se laissa tomber sur son siège, complètement découragé.

— On pourrait retourner là-bas et le cuisiner de nouveau. A condition de se munir d'un aiguillon électrique au préalable. Parce que ce type n'est pas du genre à les lâcher comme ça. On devrait le travailler au corps...

— Appelle Marty. Raconte-lui ce qu'on sait, donne-lui des munitions. Et arrange-toi pour qu'il transmette les infos à Lily. A eux deux, ils réussiront peut-être à en obtenir quelque chose.

Gino tendit le bras vers le téléphone.

— Va falloir qu'on mette une voiture de patrouille devant la pépinière, si Jack y passe la nuit.

— Très juste. Tu t'en occupes. Je vais appeler le chef Boyd, à Wayzata, et lui demander de faire surveiller sa femme, au cas où.

Le portable de Magozzi crépita alors qu'il venait de terminer sa conversation avec Boyd.

— Bonjour, Grace.

— Rappelez-moi sur votre téléphone fixe. J'ai horreur des portables.

Il cilla lorsqu'elle raccrocha brutalement mais la rappela sur le téléphone de son bureau.

— Pourquoi ne pas avoir composé le numéro du bureau, si vous détestez les portables à ce point ?

— Parce que ça m'oblige à passer par Gloria. Et Gloria me déteste.

— Qu'est-ce que vous racontez ? Ce n'est absolument pas le cas, elle…

Grace coupa court :

— Le programme commence à donner des résultats. Il se peut que ce ne soit pas important. Je ne sais pas trop.

— Gloria ne vous déteste pas.

Gino leva le nez de son téléphone en haussant les sourcils, Magozzi ignora la mimique.

— Pour l'amour du ciel, Magozzi, ce que j'ai à vous dire vous intéresse, ou pas ?

Grace s'impatientait manifestement. Elle poursuivit :

— Ecoutez, comme je n'arrivais à rien avec les dépenses de vos trois victimes en passant par les canaux officiels, j'ai quelque peu élargi les critères de recherche...

— Attendez. Qu'est-ce que ça signifie ?

— J'ai récupéré le maximum d'infos les concernant. Documents de banque, cartes de crédit, portefeuilles d'investissement, feuilles d'impôts...

Magozzi se prit la tête dans la main tandis que Grace lui dévidait la liste des délits informatiques qu'elle avait commis.

— Magozzi ? Vous êtes toujours là ?

— Oui. C'est peut-être le moment de vous dire que le chef Malcherson m'a demandé de vous rappeler qu'il était bien entendu que vous n'accéderiez qu'aux données qui sont dans le domaine public quand vous nous donnez un coup de main...

— Eh bien, voilà une info qui est dans le domaine public : Morey Gilbert et Rose Kleber faisaient leurs courses dans le même magasin d'alimentation.

— C'est tout ?

— C'est tout... pour le domaine public.

— Oh... D'accord, j'ai compris. Je vous écoute, Grace.

— Vos trois victimes, Morey Gilbert, Rose Kleber et Ben Schuler, ils dépensaient beaucoup d'argent en billets d'avion. Dès que j'ai compris ça, j'ai consulté les bases de données des compagnies aériennes et j'ai découvert qu'ils avaient effectué pas mal de voyages ensemble. Beaucoup, même…

— Quel genre de voyages ? Des vacances ? Des voyages organisés pour le troisième âge ?

— Je ne crois pas, non.

— Ah bon ? Alors où se rendaient-ils ?

Magozzi écouta une seconde, le front plissé, la coupa soudain :

— Attendez ! Attendez. Faut que je change de téléphone. Je vous mets en attente, d'accord ?

Gino leva la tête lorsque Magozzi s'éjecta de sa chaise.

— Que se passe-t-il ? demanda-t-il en plaquant son téléphone contre sa poitrine.

— Du nouveau ! jeta Magozzi par-dessus son épaule tandis qu'il se ruait vers le bureau de Langer.

Gino marmonna quelques mots dans le combiné, raccrocha et se précipita à sa suite.

Magozzi fondit sur Langer sidéré, empoigna son téléphone et appuya sur le voyant rouge qui clignotait.

— Grace, vous êtes toujours là ? Ne quittez pas… Langer, passe-moi la feuille où sont notées les correspondances d'Interpol ! Vite !

Gino perçut l'excitation dans la voix de son coéquipier, remarqua l'expression tendue de sa figure, s'approcha pour regarder par-dessus son épaule tandis que Magozzi se penchait au-dessus du bureau, un stylo brandi au-dessus du document que Langer venait de lui fourrer sous le nez.

— Bon, Grace. Redites-moi tout ça…

— Que se passe-t-il ? s'enquit McLaren en rapprochant son siège de son bureau.

Langer haussa les épaules tandis que Magozzi écrivait, les sourcils de plus en plus froncés.

Il entourait d'un cercle les villes où avaient eu lieu les meurtres signalés par Interpol – Londres, Milan, Genève et les autres – et en regard de chacune d'entre elles il écrivait *MRB* et une série de chiffres.

— C'est noté, dit-il au bout d'un moment. Merci, Grace. Je vous rappellerai.

Gino pointait un doigt boudiné vers les notes prises par Magozzi.

— C'est quoi, MRB ?

Magozzi prit le stylo et biffa les lettres l'une après l'autre.

— Morey, Rose, Ben. Grace a découvert que nos victimes avaient voyagé en avion ensemble. Et pas qu'une fois. Elle m'a récité les noms des destinations, et ça a fait tilt dans ma mémoire. Ça, c'est les voyages. Les chiffres, ce sont les dates. Ils se trouvaient sur place, pendant quelques heures, lors de chacun des meurtres d'Interpol.

Il y eut un moment de silence. Gino se frottait le front, comme pour inciter ses neurones à se connecter.

— Sacrée coïncidence, hein ?

— Tu peux le dire. Surtout quand les séjours sont si courts. Qui se rend à Paris pour n'y rester qu'une journée et demie ?

— Des femmes d'affaires ? Des businessmen ? suggéra Langer.

292

— Si leur business consiste à exécuter des contrats, peut-être. Ces gens-là ont effectué six voyages dans six villes, les jours où ont été commis les meurtres d'Interpol...

— Hallucinant, fit Gino.

— C'est plus qu'une coïncidence. C'est une preuve indirecte.

McLaren les contempla d'un air ébahi.

— Tu te rends compte de ce que tu dis, Magozzi ? On serait en présence d'un trio de vieillards assassins habitant Uptown ? C'est un peu gros, même pour moi. Je parie que même Hollywood n'achèterait pas ce scénario.

Magozzi regarda Gino, qui fronçait sévèrement les sourcils, signe que ses cellules grises carburaient à plein régime.

— Bon, Leo. Tu sais que les théories à la mords-moi-le-nœud me bottent autant que n'importe qui, mais, Seigneur... Saint Gilbert trucidant des gens en Europe ? Mamie Kleber dans ses petites chaussures orthopédiques dévalant un escalier après avoir zigouillé quelqu'un ? Qu'est-ce que c'est que ce cirque ? Des gens qui ont dépassé l'âge de la retraite et décident d'arrondir leurs fins de mois en commettant des assassinats ?

Langer prit la parole d'une voix posée :

— Morey Gilbert serait absolument incapable d'une chose pareille. Tu ne le connaissais pas, Magozzi.

— Peut-être que personne ne le connaissait...

— Il doit y avoir une autre explication, s'entêta Langer.

— Et nous continuerons de la chercher. Mais voyons, Langer, tu ne peux pas rejeter l'évidence sous prétexte que tu n'admets pas qu'elle soit vraie !

Langer se tut, se repassant cette phrase en esprit car elle résumait parfaitement ce qu'il avait fait pendant l'année qui venait de s'écouler – fermer les yeux, taire son secret, faire comme si ça n'était jamais arrivé, comme s'il voulait faire disparaître la vérité.

McLaren refusait de lâcher l'affaire en l'état :

— Langer a raison. Je ne connais pas les deux autres, mais je connaissais Morey Gilbert, et ce type s'effondrait quand une coccinelle claquait. Hors de question qu'il ait tué quelqu'un ! En outre, ce n'est pas parce qu'ils se trouvaient dans ces villes qu'ils ont zigouillé qui que ce soit. Je vais à Chicago vendredi. Ça m'épaterait que personne ne se fasse descendre à Chicago dans la nuit de vendredi… Cela ne signifiera pas pour autant que c'est moi qui ai fait le coup…

Magozzi sourit pour calmer McLaren, qui apparemment avait eu plus de sympathie pour Morey qu'il ne l'avait soupçonné.

— Un voyage, un meurtre… mais six ? Ça mérite qu'on se penche dessus, McLaren, tu ne crois pas ?

McLaren retrouva son calme, mais le répit fut de courte durée :

— C'est dingue, reprit-il en agitant les bras. Ça n'a pas de sens. Les meurtres d'Interpol remontent à quoi, quinze ans ? Cela veut dire que ces gens avaient dans les soixante-dix ans quand ils ont descendu le premier ! Qui attend d'avoir cet âge-là pour décider de changer de créneau et devenir tueur à gages ?

— Ce n'était peut-être pas leur premier meurtre, McLaren, fit remarquer Magozzi. Grace dit qu'ils ont effectué un tas d'autres voyages avant cette année-là, et après. Certains à l'étranger, d'autres dans le pays. Certains au Mexique, au Canada – mais tous de courte durée, et deux au moins d'une durée n'excédant pas vingt-quatre heures. Grace nous faxe ce qu'elle a récupéré comme éléments jusqu'à présent, après quoi nous passerons des coups de fil, histoire de voir si on ne peut pas relier ces voyages à d'autres meurtres…

— Bon Dieu, dit Gino. Combien de voyages y a-t-il eu, encore ?

Magozzi grimaça.

— Plus d'une douzaine, au cours des dix dernières années, des voyages qu'ils ont effectués de concert tous les trois. Elle continue de chercher. Les enregistrements informatiques ne vont pas au-delà, il se peut que nous ne connaissions jamais le nombre exact…

Langer poussa un soupir, se laissa aller contre le dossier de son siège, contempla le plafond d'un air las.

— Je ne sais pas. Aucune de ces trois personnes n'était riche. D'où venait l'argent des voyages ?

Magozzi haussa les épaules.

— Compte suisse, fric planqué dans le jardin de Rose Kleber, qui sait ? Ce n'est pas parce que nous ne l'avons pas trouvé qu'il n'existe pas.

— Bon, très bien ! fit McLaren en croisant les bras d'un air furieux. Votre théorie est inepte mais je veux bien la creuser avec vous. Vous pensez que Morey et ses amis étaient des tueurs parce qu'ils se trouvaient dans les villes où ont été commis les meurtres qui intéressent Interpol ? Eh bien, les victimes considérées par Interpol ont toutes été tuées avec le 45 qui a tué Arlen Fischer. Cela signifie que vos victimes ont tué notre victime. Et elles ne se sont pas contentées de buter Fischer : elles l'ont torturé !

— Ça, au moins, ça a du sens, dit Gino. Interpol pense que le meurtre de Fischer était plus... personnel, et ces gens vivaient dans le même quartier depuis des années, ce qui signifie qu'il y a de fortes chances que Fischer ait croisé la route d'au moins l'un d'entre eux à un moment donné. A part le fait que nous avons demandé aux Gilbert s'ils le connaissaient, nous n'avons pas exploité cette piste. Je ne connais pas une personne qui n'a pas envie de trucider au moins un de ses voisins. Si vous tuez des gens à travers le monde pour de l'argent, c'est que vous avez l'étoffe d'un sociopathe. Qu'est-ce qui vous empêche de régler une affaire personnelle, surtout si la victime potentielle vous a vraiment mis en pétard ?

McLaren donna un coup de pied sur le parquet et fit rouler son siège jusqu'à son bureau. Il se prit le menton dans les mains.

— Tout ça me débecte. Carrément. J'avais beaucoup de sympathie pour Morey.

Langer le gratifia d'un petit sourire triste.

— Tu n'es pas le seul.

296

30

— C'est comme si on m'avait déversé une brouettée de briques sur la tête, dit Gino, les coudes sur le bureau, en se frottant le crâne comme si c'était réellement arrivé.

— Je vois tout à fait ce que tu veux dire, répondit Magozzi.

Ils avaient reçu trop d'infos, trop vite et provenant d'une source sur laquelle ils ne comptaient absolument pas. Deux ans plus tôt, une tempête s'était abattue sur la campagne du Minnesota. Dans l'espoir d'y échapper, un fermier s'était précipité à bas de son tracteur pour rejoindre son abri. Il courait comme un dératé à travers champs, regardant par-dessus son épaule la tornade qui se ruait vers lui, quand il avait heurté de plein fouet le pick-up dans lequel sa femme était venue le chercher. Il était mort sur le coup.

C'était exactement ce que Magozzi éprouvait en ce moment, courant à la poursuite du tueur et se heurtant de plein fouet à la révélation que ses victimes étaient aussi des tueurs. Il n'avait pas vu la camionnette arriver, et elle l'avait jeté à terre.

La salle de la Criminelle était silencieuse. Tous les autres étaient partis déjeuner. Gloria avait fait transférer les appels sur le standard et s'était jointe aux inspecteurs pour laisser Gino et Magozzi tranquilles. C'était ce qu'elle avait prétendu, en tout cas. En fait, si elle avait accompagné les collègues, c'était surtout pour leur tirer les vers du nez.

— Tu t'es assuré qu'une voiture couvrait Jack Gilbert, n'est-ce pas ? demanda Magozzi.

— Becker était tout près. Il est à la pépinière en ce moment même. Marty est armé, il veille sur Lily et Jack comme sur la prunelle de ses yeux, et il a prévenu Jack qu'il le descendrait s'il essayait de mettre les bouts. Autant dire que Becker n'aura pas à le filocher des masses.

— Qu'est-ce que Marty t'a dit d'autre ?

— Qu'il n'avait pas arrêté de cuisiner Jack depuis notre départ, mais que ça n'avait rien donné. Il a l'intention de fermer tôt la pépinière, de saouler Jack et de lui arracher la vérité, à coups de pied dans le derrière s'il le faut.

— Donc, on est couverts.

— Difficile de l'être davantage. On a un ex-flic sur place, une voiture de patrouille garée dans les parages, une scène de crime dûment isolée, et tu sais quoi ? Pendant qu'on se crève le cul, cet abruti reste assis sans en lâcher une tandis qu'un psychopathe s'efforce de le flinguer ! Ce n'est pas moi qui ai magouillé ce scénario, mais il y a peut-être un moyen de coincer ce malade…

— En nous servant de Jack comme appât, c'est ça ? fit Magozzi en levant les sourcils.

Gino haussa les épaules.

— En tout cas, on est prêts. Non, ce qui me fait vraiment chier, c'est qu'on vient de résoudre l'affaire de Langer et McLaren, puisque ce sont nos victimes qui ont zigouillé leur victime. Ils doivent être en train d'arroser ça, pendant qu'on est là à se casser le cul pour essayer de savoir qui a tué nos tueurs... C'est comme si on essayait d'attraper du brouillard avec ses doigts !

Magozzi se frotta la nuque, jeta un coup d'œil à son bloc-notes vierge.

— Si ça se trouve, ça nous crève les yeux. J'ai l'impression que c'est sous notre nez depuis le début mais qu'on passe à côté...

Magozzi et Gino rapprochaient toujours leurs bureaux, de façon à se faire face, en partie parce que cela leur facilitait le travail lorsqu'ils voulaient se passer un document, en partie parce que Gino avait un jour déclaré que toutes les pensées se déplaçaient en droite ligne à partir du front et qu'il voulait que Magozzi soit en mesure d'intercepter tout ce qu'il oubliait de formuler à haute voix. Ç'avait été la chose la plus effrayante que Magozzi avait entendue sortir de la bouche de son coéquipier.

Ils étaient silencieux depuis deux minutes lorsque Gino dit :

— Qu'est-ce que tu fabriques ?

Magozzi leva le nez de son bloc.

— La même chose que toi. Je prends des notes, j'essaie de faire une synthèse, de savoir ce qu'on va faire ensuite...

— Et ça donne quoi ?

Magozzi contempla les gribouillages qui l'aidaient toujours à réfléchir.

— Deux soleils et un papillon. Et toi ?

Gino brandit une page remplie de gribouillis incompréhensibles.

— Un cheval.

Il tourna la page vers lui et fronça le nez.

— On devrait dessiner des trucs de mecs quand on griffonne. Des armes, des voitures, ce genre de choses. C'est moche, nos dessins.

— T'as qu'à le passer au broyeur.

— Bonne idée.

Gino jeta le papier dans la corbeille adéquate et contempla une page vierge.

— Je crois que mon cerveau n'aime pas la direction dans laquelle je veux l'entraîner. J'essaie de réfléchir, je vois des brochettes de vieillards avec des holsters sur la hanche. Je me demande si je retournerai au marché, le jour de la fête des anciens... Cette histoire me fait vraiment flipper.

— On est deux, là, Leo.

— Ouais. En tout cas, j'ai l'impression que notre théorie tient la route.

Magozzi hocha la tête.

— Ouais. Même si c'est parfaitement invraisemblable.

Gino se frotta pensivement le menton.

— Je serais incapable de dénicher un gars pour nettoyer mes gouttières. Comment s'y prend-on pour mettre la main sur un tueur à gages ? Et quel genre d'officine emploierait des vieux pour faire ce boulot ?

— Tu crois qu'ils travaillaient pour une boîte ?

— Peut-être. J'ai du mal à voir deux vieux gus et une mamie traîner dans les endroits sordides où se concluent ce genre d'affaires. En outre, ils bossaient souvent pour des free-lances, et ces contrats, c'était du travail de pro. De la belle besogne.

Il poussa un long soupir.

— Je ne devrais pas dire ça, mais il me semble que cette affaire n'est pas exactement dans nos cordes...

— Alors ne le dis pas.

— Si nous pensons réellement que nous avons une équipe d'assassins qui opère dans le coin, il nous faudrait mettre les fédés sur le coup, non ?

Magozzi se mit à remplir les pétales de ses soleils.

— C'est là le hic. On n'en sait rien. Du moins, on ne le sait pas avec certitude. Si on les branche trop tôt sur le coup, tout ce qu'on risque, c'est qu'ils bousillent l'enquête.

— Si on ne les branche pas, et qu'il s'avère que ces gens étaient bel et bien des assassins, on peut s'attendre à en prendre plein la gueule.

— Mais non. Ce n'est pas à nous de prouver que Morey Gilbert et son groupe étaient des tueurs. Notre boulot, c'est de découvrir qui les tue. N'oublie pas ça. De plus, on a des tas de raisons de mettre en doute l'existence de tueurs à gages, et tout ce qu'on a à l'appui de cette théorie, ce sont ces voyages à l'étranger. Et le côté « triade » de l'opération me chiffonne. Trois tueurs pour un meurtre commandité ? Jamais entendu parler d'un truc pareil.

Gino laissa tomber son stylo.

— Plus on y pense, moins ça tient debout. On vient de passer une demi-heure à convaincre McLaren et Langer que notre trio de seniors est une association d'assassins spécialisés dans la viande froide, et maintenant on en passe une autre à essayer de se persuader du contraire !

Magozzi esquissa un sourire.

— Drôle de manège, non ?

— Tu peux le dire.

Gino tendit le bras et attrapa le dossier sur le meurtre d'Arlen Fischer que Langer leur avait remis avant de partir.

— Celui-là me fout vraiment les boules. Certes, tout le monde a envie de dézinguer quelqu'un à un moment ou un autre, mais cet Arlen Fischer, qu'a-t-il bien pu faire pour mériter de finir comme ça ? Il a renversé des plantes à la pépinière ? Refusé un des gâteaux de grand-mère Kleber ? Ce meurtre, merde, c'était tellement ignoble…

Il lança un cliché à Magozzi par-dessus leurs deux bureaux.

— T'as vu les photos ? Ils ont attaché le mec à la voie ferrée avec du fil de fer barbelé, crénom ! Si c'est pas de la préméditation… Du fil de fer barbelé… Pas de danger que tu trouves ce genre d'article à la supérette du coin. Ils se l'étaient procuré suffisamment longtemps à l'avance. La torture faisait partie du plan.

Magozzi positionna le cliché avec soin devant lui et l'examina, laissant la sensation qui le tarabustait depuis le petit déjeuner avec Malcherson revenir se frayer un chemin jusqu'à lui. Une pensée le hantait, peut-être depuis le début de l'enquête, telle une entité sombre et laide qui croissait dans le noir en attendant de se manifester à sa conscience claire.

Ce qu'elle fit.

— Nom de Dieu, Gino… J'ai trouvé !

Gino se mit lentement debout, contempla la photo qui était devant son collègue, essayant de voir ce que Magozzi voyait.

— Quoi, pour l'amour du ciel ? Quoi ?

Magozzi releva la tête et le considéra de l'air le plus malheureux que Gino lui ait jamais vu.

— Le fil de fer barbelé. Les trains. Les camps de concentration. Des juifs, Gino. Des survivants de l'Holocauste.

Gino se rassit lentement dans son siège, sans quitter Magozzi des yeux.

— C'étaient des tueurs à gages, dit tristement Magozzi. Je suis prêt à parier mon badge là-dessus. Morey, Rose Kleber, Ben Schuler. Tous les trois, ils liquidaient des nazis. Et celui-ci, fit-il en pointant le doigt vers la photo d'Arlen Fischer, celui-ci, ils le connaissaient personnellement.

Gino considéra de nouveau la photo, puis fit pivoter son fauteuil et fixa le mur.

— Bien sûr... Comment j'ai pu oublier ça ? Angela m'a fait regarder une émission sur la chaîne publique, une fois. Un type interviewait des juifs. Des survivants des camps de concentration. Un tas de vieux et de vieilles, ils parlaient des nazis qu'ils pourchassaient et liquidaient après la guerre. Rien d'officiel, rien à voir avec Simon Machin Chouette...

— Wiesenthal ?

— Ouais. Mais rien à voir avec ce que faisait Wiesenthal. C'étaient des groupes clandestins, des sortes d'escadrons de la mort, et ils se disaient nombreux.

— Tu l'as cru ? s'enquit Magozzi.

— A l'époque, non. J'ai pensé que c'étaient des conneries, du sensationnel pour attirer les téléspectateurs. Mais ces gens avaient des listes de ceux qu'ils avaient tués, et ils semblaient savoir des choses sur des meurtres non élucidés, des détails que la police locale n'avait pas révélés… Comment j'ai pu oublier un truc pareil ? Mon pote, à la fin de l'émission, je n'avais plus un poil de sec.

31

Lorsque Langer et McLaren revinrent de déjeuner, Magozzi et Gino les firent asseoir et s'employèrent à tout mettre à plat.

Langer était conscient qu'il n'avait pas bien réagi – peut-être parce qu'il était juif, peut-être aussi parce que l'hypothèse avancée avant leur départ se tenait tellement bien qu'il n'arrivait pas à en imaginer une autre. L'idée que Morey Gilbert pût être un tueur à gages était tellement folle qu'il refusait qu'elle tienne la route. Que Morey Gilbert pût être un tueur de nazis lui semblait, en revanche, faire davantage sens.

Au cours des trente premières années de sa vie, Langer avait écouté attentivement les histoires que sa mère ne lui avait jamais racontées en entier, essayant de comprendre les vides qui habitaient ses yeux, espérant qu'elle lui dirait les terribles secrets qu'elle gardait pour elle. L'Alzheimer lui ayant finalement délié la langue, son désir de savoir avait été exaucé. Trop, presque. Durant les derniers mois de son existence, elle avait ressassé les horreurs de ses onze mois à Dachau, quelque soixante ans plus tôt.

Méfie-toi quand tu exprimes un souhait.

La maladie avait frappé un ultime coup, et elle avait passé ses dernières heures sur son bat-flanc immonde, là-bas à Dachau, au milieu d'une puanteur et d'une détresse qui avaient laissé Langer en larmes dans le fauteuil qui flanquait son lit.

Morey Gilbert, Rose Kleber et Ben Schuler avaient partagé son expérience, ils avaient comme elle gardé le silence, mais peut-être que la justice et la morale les avaient conduits sur une autre voie.

Il jeta un coup d'œil à McLaren, assis à son bureau, les bras croisés, le visage fermé, furieux et triste tout à la fois. Tueurs à gages, tueurs de nazis, cela ne faisait probablement pas beaucoup de différence pour lui. McLaren avait placé Morey Gilbert sur un piédestal. L'idée que Morey pût avoir tué lui semblait incompréhensible.

Maintenant, Langer y croyait. Il comprenait même ce qui avait poussé les pourchassés à devenir des pourchasseurs, il avait compris lorsqu'il avait revécu Dachau avec sa mère. Et soudain il prit conscience que cette faculté de compréhension avait probablement signé leur perte.

Il regarda Magozzi.

— Si tu as raison, si on veut résoudre l'enquête, McLaren et moi allons devoir prouver qu'un homme que nous aimions et estimions a tué Arlen Fischer...

— En gros, c'est ça. Et Gino et moi avons besoin également de ces infos, parce que quelle que soit l'entreprise à laquelle Morey et ses amis étaient mêlés, elle va nous mettre sur la piste de celui qui les a liquidés.

— En d'autres termes, nous travaillons sur la même affaire.

— Tu y es.

McLaren était couché sur son bureau, la tête sur ses bras repliés. Lorsqu'il releva la tête, Magozzi eut l'impression de voir un môme du jardin d'enfants qui n'a pas envie de se réveiller de sa sieste.

— Je suis paumé, dit-il. J'ai passé la moitié de ma vie à essayer de serrer des malfaisants, et tout d'un coup, je n'arrive plus à distinguer les bons des méchants. Je croyais que Morey Gilbert était un saint.

— Comme des tas de gens, lui rappela Langer. Il a sauvé un nombre incroyable de vies, Johnny.

— Voilà. Les jours de semaine il sauvait des vies, et le week-end il tuait des gens, et, tu vois, j'ai un peu de mal à avaler ça. Combien faut-il sauver de gens pour effacer un meurtre ? Et le plus terrible, c'est qu'il y a en moi une petite voix qui me dit : D'accord, si c'est ce qu'il faisait, je comprends. Il s'était retrouvé à Auschwitz, merde ! Qui sait quelles épreuves il avait traversées ? Peut-être qu'à sa place j'en aurais fait autant. Et d'un autre côté, ça doit être mon côté flic de la Criminelle, je n'arrive pas à y croire.

— Faut laisser toutes ces considérations de côté pour l'instant, McLaren, dit Gino. On est tous dans le même bateau. Faut qu'on arrête de se prendre la tête avec les tueurs qui sont morts, et qu'on s'occupe de celui qui est encore vivant. Parce qu'il est là, qui rôde.

McLaren soupira puis se redressa.

— D'accord, pigé. Alors, qu'est-ce qu'on fait ?

Gloria était restée dans l'allée qu'elle emplissait de sa forte carcasse de Noire, écoutant sans parler pour la première fois de sa vie. McLaren l'avait étonnée, pauvre petit mec pathétique. D'abord parce qu'il avait eu l'air effondré, preuve qu'il était capable de sentiments vrais. Ensuite en verbalisant ce qu'il ressentait, en se mettant à nu en public.

Il a une petite physionomie toute triste quand il est déprimé, songea-t-elle. Il ressemble moins aux lutins des contes pour enfants.

Elle repartit vers le bureau de la réception quand Magozzi prit les choses en main et en vint aux faits :

— Trois possibilités se présentent à nous, dit Magozzi. Morey, Rose et Ben étaient des tueurs de nazis, des tueurs à gages, ou des victimes totalement innocentes d'un psychopathe local liquidant des survivants de camps de concentration, et leurs déplacements n'étaient que d'étranges coïncidences...

— Bon Dieu, Magozzi, arrête de nous balader, intervint McLaren. Tu as réussi à nous persuader qu'ils tuaient des nazis. Pourquoi ne pas partir de là ?

— Parce qu'il y a un tireur qui opère dans les Twin Cities en ce moment même. Notre première tâche consiste à l'identifier et à l'appréhender avant qu'il ne liquide quelqu'un d'autre. Si la version tueurs de nazis est correcte, celui que nous cherchons est quelqu'un qui a vu nos anciens tuer un de ses parents, ou quelqu'un qu'ils ont raté et qui revient leur faire leur affaire.

— Un ancien nazi, tu veux dire ? demanda McLaren.

— Pourquoi pas ?

Langer ferma les yeux, songeant que cela n'en finirait jamais.

— Mais si c'étaient des tueurs à gages, intervint Gino, faut qu'on trouve un lien avec la mafia, et s'il s'agit d'un psychopathe, un tueur en série, il nous faudra nous y prendre différemment. Soulever d'autres pierres.

— Exact, opina Magozzi. Et nous n'avons ni le temps ni les moyens nécessaires pour couvrir les trois possibilités en même temps, c'est pourquoi il nous faut nous assurer que nous sommes sur la bonne piste avant de lancer toutes nos ressources dans la bataille, sinon le mec risque bien de nous glisser entre les doigts. Etant donné que le lien avec les nazis nous botte assez à tous, c'est par là que nous commencerons. Il faut que nous tâchions d'en avoir confirmation ou que nous ayons la preuve du contraire. Et nous n'avons que deux heures pour y parvenir. Parce que notre gus tue au rythme d'une personne par jour et que nous risquons fort d'avoir un cadavre supplémentaire aux infos de vingt-deux heures…

— Comment on va s'y prendre ? demanda McLaren.

— Gino et moi, on va se rendre chez Grace MacBride avec les dossiers. Je lui ai fait part de l'histoire des nazis, elle pense pouvoir nous aider. En attendant nous avons deux scènes de crime, Rose Kleber et Ben Schuler.

— La scientifique les a passées au peigne fin...

— Ouais, mais nos cadavres n'étaient que des victimes à ce moment-là, pas des tueurs potentiels. Vous allez devoir examiner les lieux d'un œil neuf. Prenez tout le personnel dont vous pouvez disposer, formez des équipes et retournez-moi ces maisons de fond en comble. Ce qu'on veut avant tout, c'est le 45 ; mais si vous tombez sur de la doc, raflez-la. Ça peut nous être utile.

— Allons donc, ironisa McLaren. Peu importe l'identité de ceux qu'ils liquidaient, ils ne tenaient sûrement pas un registre qui risquait de leur péter à la gueule à tout moment...

— Pas si c'étaient des pros, laissa tomber Langer doucement. Mais s'ils tuaient des nazis, ils tenaient peut-être un journal. Leur héritage.

Il regarda Gino et Magozzi.

— Va également falloir qu'on fouille la pépinière, dit-il, avec comme du regret dans la voix.

Gino opina du bonnet.

— Ouais ; on a parlé de ça avec l'avocat du comté pendant que vous étiez partis déjeuner. Kleber et Schuler sont des scènes de crime en bonne et due forme que nous pouvons exploiter comme bon nous semble. La résidence des Gilbert, c'est une autre paire de manches. Techniquement, nous n'avons pour ainsi dire pas eu de scène de crime, et ce qui en a tenu lieu, la serre et la zone

309

contiguë, a été passé en revue par les scientifiques. Il nous faut donc un mandat, or ce n'est pas avec ce dont nous disposons à l'heure actuelle qu'on risque de nous le signer.

— On pourrait demander à Lily son autorisation d'examiner les lieux... suggéra McLaren.

Gino poussa un grognement.

— Mais comment donc ! « Excusez-nous, madame Gilbert, nous pensons que votre mari était un assassin. Ça ne vous ennuie pas qu'on jette un petit coup d'œil chez vous ? »

Le visage de McLaren se crispa de frustration.

— Si nos seules preuves se trouvent à la pépinière, on l'a dans l'os, alors.

Magozzi soupira.

— On va essayer les deux autres endroits avant de perdre du temps à tenter d'obtenir un mandat. Si on revient bredouilles, on ira trouver Malcherson. Il saura peut-être à qui s'adresser pour nous dégoter ce mandat au plus vite. Il ne manque pas de relations en haut lieu.

Gino sauta à bas du bureau où il s'était assis.

— Faut qu'on se remue les fesses !

Magozzi leva un doigt.

— Encore une chose qu'il faut que vous sachiez. C'est à propos de Jack Gilbert. Il semblerait que quelqu'un l'ait réellement pris pour cible ce matin à Wayzata, et l'arme utilisée est la même que celle qui a tué Rose Kleber et Ben Schuler.

Langer cilla et se raidit.

— Une minute. On tente de descendre Jack Gilbert ? Ça n'a pas de sens... à moins de penser qu'il est dans le coup.

— Une affaire de famille ? suggéra McLaren.

Gino secoua la tête en signe de dénégation.

— Ça ne me paraît pas coller, et pourtant je ne peux pas sacquer ce gars-là. Mais je suis sûr qu'il sait quelque chose qu'il garde pour lui – peut-être même qu'il connaît l'identité du tireur –, ce qui fait de lui une cible de premier choix. Marty fait en sorte qu'il ne bouge pas de la pépinière, et une voiture de patrouille est restée dans le secteur. Au cas où.

McLaren fronça les sourcils.

— Nom de Dieu ! Vous avez tendu un piège à ce gus, c'est ça ? Et c'est Jack Gilbert qui sert d'appât…

— Garde cette brillante déduction pour toi. On n'a rien fait de tel. On le collerait en cellule illico si on avait quelque chose de valable sur lui, histoire de lui sauver la mise. En l'état actuel des choses, Marty assure sa protection sur place, et un de nos véhicules de patrouille se tient prêt à intervenir. C'est ce qu'on peut faire de mieux. Si le gus vient et essaie de l'avoir, on fera le maximum pour éviter ça.

32

Il était presque deux heures lorsque Gino et Magozzi s'immobilisèrent devant chez Grace MacBride. Le thermomètre de la voiture – qui bizarrement marchait très bien alors que la climatisation affichait relâche – indiquait vingt-sept degrés. L'air était d'une lourdeur quasi irrespirable, et Gino avait le front trempé de sueur lorsqu'ils atteignirent le perron.

— Merde, c'est tout juste s'il faut pas faire la brasse pour avancer, dans cette touffeur.

Charlie se précipita sur Gino lorsque Grace ouvrit la porte. Il ne se contenta pas de lui sauter dessus et de lui lécher la figure ; il gémissait en même temps, léchant si fort qu'il faillit faire tomber Gino à la renverse.

Magozzi croisa les bras sur la poitrine pour contempler ce manège insensé. Le malheureux chien se couvrait de ridicule, son trognon de queue frétillant à toute allure, il avait du mal à tenir sur ses deux pattes arrière en même temps.

— Charlie, Charlie, mon grand...

Gino riait, étreignant cet imbécile de chien comme si c'était un être humain.

Grace se tenait dans l'embrasure de la porte, les cheveux tirés en arrière en queue-de-cheval, vêtue de ses sempiternels tee-shirt et jean noirs. Le Derringer était bien à l'abri dans son holster de cheville, elle avait de la farine sur le bout du nez.

— Charlie, rentre.

Mais Charlie ne l'entendait pas de cette oreille, aussi Gino le prit-il dans ses bras pour le porter à l'intérieur.

— Dégoûtantes, ces manifestations, décréta Magozzi.

— Va te faire foutre. C'était de l'adoration canine pure et simple. Ce chien est fou de moi.

— C'est bien ce qui m'ennuie, marmonna Grace, agacée, en fermant la porte et en remettant en marche le système d'alarme.

— Qu'est-ce que je devrais dire ? fit Magozzi, s'efforçant de ne pas avoir l'air blessé. Il a fallu des semaines avant que cet animal se décide à sortir de sa cachette pour venir m'accueillir. Et la première fois que Gino se pointe ici, c'est tout juste si Charlie ne le fait pas tomber en se jetant sur lui.

— Question de phéromones, dit Gino.

Charlie se pressait maintenant contre la jambe de Magozzi comme pour s'excuser.

— T'es une vraie pute, bougonna Magozzi, qui résista au moins une minute avant de se baisser pour câliner le chien, se résignant à jouer les seconds rôles.

Grace, les mains sur les hanches, secouait la tête.

— C'est quoi, cette complicité entre les hommes et les chiens ?

— Ils ont la même morale ? fit Gino, qui se vit gratifié d'un mince sourire par Grace avant qu'elle ne reprenne son sérieux et ne tende la main à Magozzi.

— Vous m'avez apporté les photos d'Arlen Fischer ?

— Oui, dit Magozzi, se relevant et lui remettant un petit dossier. Une photo de la scène de crime sur la voie ferrée et un cliché de la morgue…

Grace ouvrit le dossier, y jeta un bref coup d'œil.

— Ça devrait faire l'affaire, mais il n'est pas sûr du tout que je puisse obtenir un résultat. A

313

supposer qu'Arlen Fischer ait été un nazi, rien ne dit qu'on trouvera de la doc sur lui sur le Net. Il y a peu de photos du personnel bas de gamme des camps. Ce n'étaient pas les grouillots que les amis de Wiesenthal recherchaient, mais les pointures. S'il était officier, on a peut-être une chance.

Magozzi lui tendit un autre dossier.

— Je vous ai apporté les photos des victimes sur lesquelles Interpol a enquêté. Elles sont plutôt dégueulasses. C'étaient des photocopies, au départ. Or vous vouliez des originaux.

Grace y jeta un œil et fronça le nez. Mimique que Magozzi jugea craquante à souhait.

— On va commencer par Fischer. Et si je n'obtiens pas de correspondances, je passerai aux photocopies. Le programme est assez lent. Je vais le lancer.

Ils la suivirent jusqu'au seuil de son bureau mais n'entrèrent pas. Charlie et Magozzi, qui l'avaient vue passer d'un ordinateur à l'autre sur son fauteuil roulant, ne se risquèrent pas à se mettre sur son chemin. Gino évitait les pièces exiguës équipées d'ordinateurs, persuadé qu'ils émettaient des radiations susceptibles d'endommager les parties cachées de son anatomie, pour lesquelles il nourrissait une tendresse particulière.

Grace s'installa devant un gros ordinateur auquel Gino trouva l'air particulièrement nocif et se mit à faire des choses bizarres avec la souris ainsi qu'avec un autre appareil qu'il ne réussit pas à identifier.

— Qu'est-ce que c'est que ça ? On dirait une petite essoreuse à rouleaux.

— Une « essoreuse à rouleaux » ? reprit Grace sans relever la tête.

— Une machine à repasser. On met le linge à un bout et il ressort de l'autre, tout repassé. C'est génial pour les draps et les nappes.

— C'est un scanner, Gino, intervint Magozzi.

— A quoi ça sert ?

Grace leur jeta un regard glacial.

— Vous voulez savoir ce que je fais ?

— Bien sûr, dit Gino.

— J'ai scanné la photo d'Arlen Fischer dans le nouveau programme de reconnaissance de visages sur lequel je travaille.

— On en a un à la boîte, dit Gino, regardant Magozzi. Pas vrai ?

— Là, tu m'épates...

Grace roula les yeux et continua de taper.

— Si vous en aviez un, ce qui n'est pas le cas, ce serait une version antédiluvienne. Certains des programmes de reconnaissance des physionomies reposent sur une seule base de données – comme ceux dont sont équipés certains aéroports. Ils ont une base de données contenant les photos de terroristes et de criminels notoires, et de tous ceux qui se sont distingués d'une façon ou d'une autre dans le domaine de la criminalité. La machine prend une photo digitale du type qui franchit le portillon de sécurité et compare aussitôt avec tous les clichés que renferme la base de données.

Gino était très impressionné.

— Je vois. Le programme de reconnaissance est en quelque sorte un témoin, et la base de données un album de photos anthropométriques. Il passe en revue toutes les photos et sélectionne notre client.

— C'est exactement cela.

— Eh bien, ça a l'air simple.

— Ça le serait s'il n'y avait qu'une seule base de données avec une photo de tous les nazis dedans, mais ce n'est pas le cas. Ce qu'on a, c'est des centaines de sites individuels sur le Net avec des images d'archives de nazis. Il nous faut donc interroger chaque site un par un, sortir les photos une par une, et entrer celles-ci dans le logiciel de reconnaissance qui effectue des comparaisons avec la photo d'Arlen Fischer. On pourrait passer sa vie à effectuer ce genre de recherches...

Gino poussa un soupir.

— J'aurais dû apporter mon pyjama.

— Ce n'est pas nécessaire, Dieu merci, fit Grace, ses doigts voletant au-dessus du clavier. Au lieu de récupérer les images sur le Net et de les entrer individuellement dans un programme de reconnaissance, j'ai mis sur pied un logiciel qui va directement sur le Net et effectue la recherche de cette façon. Il est encore lent – je ne peux le faire fonctionner qu'avec dix sites en même temps –, mais c'est nettement plus rapide que l'ancienne méthode. Je vais commencer par passer la photo de Fischer dans les sites consacrés à la surveillance des nazis, car c'est comme ça qu'on risque d'avoir le meilleur résultat : ils ont archivé plus de photos de cette période que tout autre site historique.

Magozzi fronça les sourcils.

— Fischer était nettement plus jeune, alors.

— Aucune importance. La peau pend, les doubles mentons apparaissent, les individus grossissent, ils maigrissent, ils se font faire de la chirurgie esthétique, que sais-je encore. Mais la structure osseuse demeure essentiellement la même. Le programme se focalise sur trente-cinq caractéristiques osseuses du visage. De cette façon, à supposer que vous vous soyez fait reconstruire la mâchoire et les pommettes, par exemple, il reste malgré tout quelque vingt identificateurs au programme pour travailler. Il ne se trompe jamais.

— Jamais ?

— A moins qu'on ne se soit fait passer la figure au broyeur avant de la reconstruire entièrement. C'est encore assez primitif, concéda Grace. Mais, un de ces jours prochains, vous pourrez scanner une photo de classe de votre petite copine de lycée, appuyer sur une touche, et s'il existe une photo d'elle sur le Net, le programme la localisera.

Grace s'approcha d'un autre ordinateur en faisant rouler son fauteuil et tendit la main.

— Donnez-moi les spécifications concernant les victimes tuées à l'étranger. Je vais lancer le programme de recherche pendant qu'on attend.

L'estomac de Gino fit un bruit rappelant une éruption volcanique.

Grace les invita à débarrasser le plancher d'un geste de la main.

— Laissez-moi seule cinq minutes, après je m'occupe de vous. Allez vous asseoir dans la salle à manger, en attendant.

Gino, Magozzi et Charlie prirent place à la table de la salle à manger tandis que Grace finissait le travail commencé dans son bureau.

Gino avait les yeux rivés sur le chien assis au bout de la table.

— Merde, il occupe vraiment une chaise, comme une personne. C'est plutôt zarbi, non ?

Charlie tourna la tête vers lui.

— Mince, ce clebs comprend l'anglais ?

— Pourquoi pas ? McLaren comprend bien le français.

L'estomac de Gino fit entendre une nouvelle protestation bruyante. Il se pencha pour pouvoir jeter un œil dans la cuisine.

— Peut-être que je devrais aller à la cuisine fouiller dans les placards… Je tomberai peut-être sur une croûte de pain.

— Les placards sont piégés.

— Oh…

Magozzi fit une grimace.

— Je plaisante, Gino.

— Eh bien, je t'ai cru. La baraque est bouclée à double tour. Pourquoi les placards ne seraient-ils pas piégés ?

— Des tas de gens sont équipés d'un système de sécurité chez eux.

— Peut-être. Mais ils ne se baladent pas dans leur appart avec une arme fixée à la cheville.

— Elle fait des progrès, Gino.

— Tu ne cesses de me répéter ça ; personnellement, je ne vois pas d'amélioration.

— Elle m'a acheté un fauteuil.

Gino haussa un sourcil.

— Un fauteuil exprès pour toi ?

Il regarda par-dessus son épaule en direction du living.

— Où est-il ?

— Dehors.

— Et tu n'as pas saisi le message ?

— Tu ne comprends pas...

Grace sortit du couloir et pénétra dans la cuisine d'où s'échappèrent toutes sortes de bruits domestiques. Une minute plus tard, elle entrait dans la salle à manger avec quatre assiettes. Trois d'entre elles étaient pleines de feuilles de salade sur lesquelles reposaient de gros morceaux de homard. La quatrième contenait des croquettes recouvertes d'une sauce à l'odeur appétissante.

Gino considéra cette dernière assiette.

— Ça sent rudement bon, dit-il en se renfrognant lorsqu'il vit Grace la déposer devant Charlie. Tout ce que je demandais, Grace, c'était un malheureux cracker...

— Je me suis dit que vous n'aviez pas eu le temps de déjeuner avec tout ce qui s'est passé aujourd'hui. Autant profiter de ce que le programme effectue sa recherche pour se mettre quelque chose sous la dent.

Gino considéra le homard qui couvrait son assiette et faillit fondre en larmes.

— Ça m'a l'air sensationnel...

Il porta sa fourchette à sa bouche et le silence s'abattit sur eux. Lorsqu'il eut terminé, il s'essuya les lèvres avec sa serviette.

— Grace MacBride, laissez-moi vous dire un truc. La marinara d'Angela exceptée, c'est le meilleur plat que j'aie jamais mangé de ma vie.

— Merci, Gino.

— Et c'est vachement joli, cette déco que vous avez faite avec les feuilles de salade.

— Ce n'est pas de la déco. Vous êtes censé les manger.

— Sans blague ?

Gino piqua d'un air méfiant dans la verdure.

— C'est quoi, les petits trucs qui ressemblent à des vers de terre ?

— Goûtez, fit Grace. Je vous le dirai après.

Gino écarta quelques feuilles de laitue, embrocha une petite chose verte en tire-bouchon, la porta prudemment à sa bouche. Il mastiqua, prit une autre fourchettée. Le plaisir que Gino prenait à la nourriture qu'il ingurgitait se mesurait généralement au nombre de fois où il la mastiquait. Le steak, il le mâchait trois fois ; les pâtes, deux fois ; les desserts, une fois. Ce coup-ci, Magozzi crut bien qu'il avait avalé sans mâcher une seule fois.

— Bon sang, ça déménage, ce truc-là…

Grace arborait un air d'intense satisfaction. Magozzi semblait inquiet.

— Je ne crois pas t'avoir vu manger quoi que ce soit de vert auparavant.

Mine offensée de Gino :

— Pourtant, ça m'arrive.

320

— Ah oui, quoi donc ?

— Des glaces au citron vert.

Il sourit à Grace.

— Allez, dites-moi ce que c'est, que je coure en acheter.

— Des pousses de bambou dans une vinaigrette au champagne avec du comté.

— Voilà qui explique tout, fit Gino. Je mangerais les pompes de Leo si vous les arrosiez de champagne. Je suis culinairement prêt à toutes les expériences.

Il s'éloigna de la table, croisa les mains sur son estomac protubérant en regardant Grace.

— Un de ces jours, vous allez faire le bonheur d'un homme.

Grace le fixa une seconde.

— C'est la réflexion la plus sexiste que j'aie jamais entendue. Bien entendu, vous savez que je suis armée, n'est-ce pas ?

Gino eut une grimace.

— C'était juste un moyen d'attirer votre attention. Histoire d'en savoir un peu plus long sur vos intentions.

Les yeux bleus de Grace s'écarquillèrent, et cela constituait un changement impressionnant dans un visage d'ordinaire dénué d'expression.

— Mes intentions ?

— Envers mon petit camarade ici présent. J'aimerais connaître vos intentions, oui. Et je ne suis pas sexiste. Normalement, c'est au mec qu'on pose cette question.

— Oh mon Dieu, fit Magozzi en se prenant la tête dans les mains.

Les yeux de Grace reprirent leurs dimensions normales. Gino avait réussi à la déstabiliser, mais elle avait rapidement recouvré son sang-froid.

— En quoi cela vous regarde-t-il ?

— C'est mon coéquipier et mon meilleur ami, et équipiers et amis veillent les uns sur les autres. Voilà près de six mois que vous vous voyez tous les deux et je suis à peu près sûr que ni l'un ni l'autre ne vous êtes préoccupés de savoir où cela allait vous mener, ni si cela allait vous mener quelque part.

Magozzi releva la tête, gêné et furieux.

— Putain, Gino, ferme-la !

— Je t'aide, là, Leo. Tu en ferais autant pour moi.

— Sûrement pas !

Une sonnerie étouffée retentit en provenance du bureau. Grace se leva, fixant Gino de cet air impavide qui l'avait si fort ébranlé la première fois qu'il l'avait rencontrée.

— Le dessert et le café sont dans la cuisine, Magozzi. Allez les chercher. Renversez-les sur la tête de Gino, si le cœur vous en dit.

Quelques minutes plus tard, Gino avait oublié les mystères de Grace MacBride tandis qu'il dévorait des yeux un gros gâteau recouvert de chocolat.

— Bon sang, Magozzi, qu'est-ce que tu attends pour le couper ? Tu ne vois pas que je meurs de faim ?

— Estime-toi heureux que je ne te l'aie pas balancé à la figure. Qu'est-ce qui t'a pris de poser des questions pareilles à Grace ?

— J'essayais seulement de m'occuper de tes intérêts.

— Eh bien, arrête. Grace a raison : ce ne sont pas tes oignons.

— Voilà la chose la plus ridicule que tu aies jamais dite.

Magozzi le regarda et Gino n'eut aucun mal à déchiffrer son expression. Il leva les mains en signe de reddition.

— Bon, très bien, j'y suis peut-être allé un peu fort. Mes excuses. Pardonne-moi. Coupons le gâteau et réconcilions-nous au chocolat.

Grace revint sur ces entrefaites et laissa tomber un listing sur l'assiette de Gino. Il se dit qu'elle avait dû le faire exprès.

— On a obtenu deux réponses qui collent. La première est relative à l'une des victimes d'Interpol. Charles Swift, maçon à la retraite, assassiné à Paris pendant l'un des déplacements de vos victimes. Son vrai nom était Charles Franck.

Elle désigna une ligne, un peu plus bas sur la page.

— Condamné à Nuremberg ; a purgé quinze années de prison pour crimes de guerre.

Gino et Magozzi demeurèrent silencieux tandis qu'ils lisaient à plusieurs reprises le paragraphe concerné, le temps d'assimiler.

— Et sur les autres ? finit par interroger Magozzi. Vous avez réussi à dénicher quelque chose ?

Grace fit non de la tête.

— Celui-ci s'était fait pincer. Il était dans le système, aussi lorsqu'il a changé de nom, après avoir purgé sa peine de prison, il a dû le faire en suivant les voies officielles. Ce qui nous a permis de le retrouver. Si les autres étaient également des nazis, ils ont probablement effacé leurs traces.

Gino eut une petite grimace.

— J'ai dit à Langer que si les fédés voulaient l'affaire, c'est qu'ils avaient quelque chose que nous n'avions pas. Qu'est-ce qu'on parie que ce sont les infos sur ce Swift ? Beau travail, Grace.

— N'essayez pas de vous rabibocher avec moi, Gino.

Elle posa un autre listing sur la table, celui-ci accompagné d'une vieille photo noir et blanc de plusieurs hommes portant l'uniforme aisément identifiable des SS. Grace avait entouré l'un des visages.

— Heinrich Verlag. Il sévissait à Auschwitz, connu également sous le nom d'Arlen Fischer, soixante ans et quelque soixante-dix kilos plus tôt.

Magozzi contempla la photo. Les morceaux du puzzle commençaient à se mettre en place.

— Morey Gilbert était à Auschwitz. Ben Schuler également.

C'était la confirmation qu'ils attendaient et redoutaient en même temps, et Grace le vit à leurs mines contrites.

— Je ne comprendrai jamais les flics, se plaignit-elle. Vous venez chercher des infos. Je vous donne exactement ce que vous demandez, et maintenant vous avez l'air abattus. Vos anciens étaient des tueurs de nazis. N'était-ce pas ce que vous pensiez ?

Gino fit oui de la tête, l'air sombre.

— Ouais, c'est ce qu'on pensait. Mais quelque part on espérait qu'ils n'avaient tué personne. Qu'on était en présence d'un serial killer lambda qui les descendait les uns après les autres...

Magozzi eut une grimace exprimant la résignation.

— C'étaient des gens adorables, Grace. Ben Schuler était un vieil homme solitaire qui distribuait des billets de dix dollars aux gamins des banlieues pour Halloween. Vous devriez entendre ses voisins parler de lui ! Rose Kleber était une charmante petite mamie pourvue d'une famille qu'elle adorait, d'un chat et d'un jardin. Et Morey Gilbert faisait plus de bien à son prochain en une journée que je n'en ferai jamais en toute une vie. Si nous prouvons que ce sont des tueurs de sang-froid, leur réputation s'écroulera...

Grace poussa un soupir agacé.

— Vous savez comme moi que les gens ne sont pas toujours ce qu'ils semblent être, Magozzi. En outre, ils ne tuaient pas des innocents mais des nazis.

Magozzi fut un peu surpris par la façon dont elle prononça ces paroles – d'un ton calme, pragmatique, comme justifiant ceux qui faisaient justice eux-mêmes. Cela jetait une lumière nouvelle sur les différences qui les séparaient, et Magozzi en eut le cœur serré.

— Savez-vous ce qu'il y a de pire chez les malfaisants, Grace ? C'est ce qu'ils obligent les gens bien à faire.

Un peu plus tard, alors qu'ils prenaient congé, Grace toucha le bras de Gino devant la porte, le retenant tandis que Magozzi s'engageait dans l'allée pour rejoindre la voiture.

— J'essaie, Gino, dit-elle calmement, les yeux rivés sur Magozzi.

Gino n'était pas sûr à cent pour cent de savoir ce qu'elle voulait dire ; mais lorsqu'elle le regarda il vit ce que Magozzi voyait en elle, une femme hantée, et cela le rendit tout triste.

Langer appela sur le portable de Gino alors qu'ils venaient de démarrer.

— On a récupéré quelque chose dans la maison de Schuler.

33

Le chef Malcherson se tenait avec Langer et McLaren devant la longue table de la salle de la Criminelle lorsque Gino et Magozzi entrèrent. Gino fut ravi de constater que le patron portait son costume anthracite à double boutonnage et une cravate rouge feu.

— Génial, boss ! lança-t-il d'un air réjoui. Vous êtes rentré chez vous vous changer et mettre un costume de circonstance. C'est cool.

Malcherson tourna les yeux vers lui.

— Je ne suis pas rentré « mettre un costume de circonstance »... J'avais renversé mon café sur l'autre.

Gino continua de sourire, persuadé que c'étaient des conneries. Malcherson ne renversait jamais rien. Jamais.

— C'est pas tout le monde qui pourrait se permettre de porter une cravate de cette couleur sans ressembler à un musicien de fanfare. Mais vous, vous y arrivez.

— Merci infiniment.

Malcherson s'écarta de la table pour laisser Gino et Magozzi s'approcher.

— Langer et McLaren m'ont mis au courant. On dirait que Langer a trouvé la confirmation que vous cherchiez chez Ben Schuler.

Magozzi jeta un coup d'œil aux soixante photos identiques de la famille de Ben Schuler dans leurs cadres, étalées sur le plateau de la table.

— On a vu ces photos là-bas, on a trouvé ça bizarre. Jimmy Grimm a pensé que c'était peut-être une manière de mémorial aux membres de sa famille, parce qu'ils sont morts dans les camps et pas lui.

Gino fronçait les sourcils.

— Je ne vois pas en quoi cela constitue une confirmation du fait que Schuler et ses potes tuaient des nazis...

Langer prit une photo et se mit à l'extraire de son cadre tout en parlant :

— J'ai trouvé ça bizarre, moi aussi, j'ai pris un des cadres et j'en ai retiré la photo. Il arrive que des gens cachent des choses derrière des photos. C'est le premier que j'ai ouvert.

Il détacha la photo de son support de carton et la retourna, mettant en évidence des lignes écrites en pattes de mouche.

— Le nom ne m'a rien dit, mais j'ai reconnu la date et le lieu.

Magozzi loucha sur les caractères.

— Milan, Italie, 17 juillet 1992...

Il leva aussitôt les yeux vers Langer.

— C'est la date à laquelle a été commis le meurtre qui intéresse Interpol à Milan ?

Langer opina.

— Nous avons examiné le dos des autres photos et toutes, je dis bien toutes, portent le même genre de renseignements : un nom, un lieu, une date. Certaines correspondent à la liste d'Interpol ; toutes les autres figuraient sur la liste que Grace MacBride nous a faxée, concernant les déplacements de Gilbert, Kleber et Schuler à travers le pays. Je parierais que quand nous téléphonerons aux policiers des villes en question et que nous leur donnerons la date, cela correspondra à un meurtre qui a été commis chez eux et qui est probablement resté sans solution.

Magozzi embrassa du regard les photos, se représentant un corps derrière chacune d'entre elles.

— Seigneur, murmura-t-il. Ces photos ne sont pas censées constituer un mémorial. Ce sont des trophées. Une pour chaque nazi qu'ils ont tué. En tout, soixante corps.

— Soixante et un, corrigea Langer. Il n'a pas eu le temps d'accrocher une photo pour Arlen Fischer.

Malcherson s'empara d'un cliché et considéra les visages de ces gens morts depuis plus d'un demi-siècle.

— Ce ne sont pas des trophées, inspecteur Magozzi. Mais des offrandes à sa famille, dit-il placidement. Du genre un cadavre par an.

Gino soupira et fourra les mains dans ses poches.

— Merde, j'ai déjà vu des trucs pas ordinaires ; mais là, j'en reste sur le cul. Ces gens tuent depuis près de soixante ans...

Il jeta un coup d'œil à McLaren, qui retirait les photos de leurs cadres et les disposait sur la table dans l'ordre chronologique. Il n'avait pas prononcé un mot depuis qu'ils étaient entrés, mais il n'avait plus l'air aussi déprimé. Juste concentré, et un peu furieux peut-être, ce qui était bon signe. Les flics déprimés n'étaient pas bons à grand-chose.

— T'as trouvé quelque chose chez Rose Kleber, McLaren ?

— Ouais. Un millier de photos de ses petits-enfants, des dizaines de cartes de vœux, des trucs de grand-mère. Rien de ce genre. Et pas d'arme. Deux de nos gars sont encore sur place. Je suis revenu quand Langer a appelé.

— On a récolté une ou deux choses chez Grace aussi, dit Magozzi.

Il posa le listing des officiers SS sur la table, leur montra Arlen Fischer au temps de sa jeunesse quand il s'appelait Heinrich Verlag, et leur fit un topo.

Langer prit la photo et l'examina attentivement.

— Fischer, c'était la proie de choix pour Morey ou Ben, j'imagine, vu qu'ils étaient tous deux à Auschwitz quand cette brute y sévissait.

— Ouais, dit Gino. Je n'ai pas vraiment envie de savoir ce qu'il leur a fait subir pour mériter une mort pareille.

— Une chose m'intrigue, poursuivit Langer. Le fait qu'il était sous leur nez pendant des décennies. Pourquoi avoir attendu si longtemps pour l'abattre ?

Magozzi haussa les épaules.

— Peut-être venaient-ils seulement de retrouver sa trace. On ignore toujours comment ils s'y prenaient pour remonter la piste de ces individus, mais manifestement ils avaient une longueur d'avance sur Wiesenthal et les autres groupes. Ou peut-être qu'ils sont tombés dessus par hasard. Fischer était plutôt du genre à rester confiné chez lui, si vous vous souvenez bien. Le seul endroit qu'il fréquentait, c'était l'église luthérienne. Et il est peu probable que Morey et Ben l'y aient débusqué. Peut-être s'est-il avisé d'aller faire une promenade il y a quelques semaines, et l'un de nos gus l'aura aperçu en passant en voiture... Nous ne connaîtrons sans doute jamais le fin mot de l'histoire.

Gino hocha la tête.

— Donc Morey Gilbert et ses potes se rendent chez Fischer dans la nuit de dimanche. Ils ont tout combiné, ce qu'ils vont lui faire, ils ont même prévu d'apporter une civière. Mais peut-être que Fischer s'est débattu ou qu'il a essayé de prendre la fuite. Quoi qu'il en soit, quelqu'un a paniqué et tiré. Fischer s'est retrouvé pissant le sang avant qu'ils aient le temps de le transporter jusqu'à la voie ferrée.

— Ils raflent le chemin de table et lui font un garrot, dit Langer.

— Exact. Puis ils le conduisent jusqu'à la voie ferrée, font leur affaire… et, quelques heures plus tard, Gilbert est mort. Le lendemain, Rose Kleber est tuée. Le surlendemain, c'est au tour de Schuler. Si ça se trouve, un proche de Fischer a assisté à la scène et s'est lancé à leurs trousses pour le venger.

McLaren fit non de la tête.

— Ça colle, sauf la dernière partie. Personne n'était proche de Fischer. Il n'avait ni femme, ni enfants, ni amis. Et je vois mal la gouvernante cavaler après un groupe de tueurs pour venger son patron…

— Dans ce cas, il nous faut remonter plus loin que Fischer, dit Magozzi. Peut-être que quelqu'un les poursuivait depuis un bout de temps – un membre de la famille d'une des premières victimes, par exemple. Cette personne aura saisi l'occasion quand Morey est rentré tard, cette nuit-là. Bon, il faut qu'on appelle les villes dont les noms figurent au dos des photos, histoire de voir si on peut faire correspondre les meurtres aux dates, et qu'on se mette à enquêter sérieusement sur les familles.

Ils s'approchèrent tous de la table et finirent de sortir les photos de leurs cadres. Gino ne cessait de secouer la tête tout en s'affairant.

— Téléphoner dans tous ces endroits, blablater avec la police locale, retrouver les familles… ça va prendre des siècles !

— Je sais, fit Magozzi. Où diable est passé Peterson ?

— Chiotte, marmonna McLaren, se dirigeant vers le téléphone le plus proche. Il est allé chez Rose Kleber donner un coup de main aux gars qui fouillent sa maison. Je vais lui demander de rappliquer.

— Je m'en charge, dit Malcherson depuis le seuil, faisant sursauter McLaren.

Il avait oublié que le chef était là.

— Il faut que vous repreniez ce que vous étiez en train de faire.

C'est ce qu'il y a de bien, avec Malcherson, songea Gino. Il intervient et s'occupe des petites choses quand ses inspecteurs sont trop pris pour s'en charger.

Il esquissa un petit salut dans sa direction tandis que Malcherson sortait de la pièce.

Cinq minutes plus tard, ils avaient disposé toutes les photos dans l'ordre chronologique, jetant à peine un coup d'œil aux villes, sauf lorsqu'elles évoquaient quelque chose, comme celles qui figuraient sur la liste d'Interpol, et une autre qui se trouvait être Brainerd, dans le Minnesota, ce qui avait fait froid dans le dos de Gino parce qu'il allait camper là-bas avec les scouts quand il était gamin.

Cinq minutes de plus et Peterson se pointa, le visage tout rouge.

McLaren le dévisagea avec des yeux ronds.

— Comment diable as-tu fait pour arriver ici si vite ?

— J'ai fait du cent à l'heure dans les petites rues. J'ai l'impression que je vais me payer une crise cardiaque. Malcherson me tenait au courant sur mon portable pendant ce temps-là. Donne-moi quelqu'un à appeler.

Magozzi lui tendit une photo.

— On commence par les dates les plus récentes et on remonte petit à petit en arrière. Tu sais quoi faire ?

— Tu parles que oui. J'appelle la police locale, je trouve un meurtre correspondant à notre date et je cherche à contacter les familles.

— C'est ça. Mais souviens-toi d'une chose, le nom qui figure sur la photo ne correspondra pas au nom de la victime. Si ces types étaient des nazis, ils se planquaient.

— Compris.

Peterson s'empara de la photo et se dirigea vers son bureau.

— Putain de merde, Leo, jette un coup d'œil à celui-ci !

Gino lui fourra une photo sous le nez.

— 1425 Locust Point, Minneapolis, 14 avril 1994. Tu sais qui c'est ? C'est le plombier qu'on a transformé en passoire ! L'affaire restée sans solution que j'ai apportée chez toi dimanche, tu t'en souviens ?

— Valensky ? !

— Ce doit être ça. Le nom est différent, mais à moins qu'un autre meurtre n'ait été commis à cette adresse le même jour, c'est notre client.

Il marqua une pause, puis :

— J'ai l'impression qu'on va résoudre un tas de vieilles affaires pour tout un tas de départements avant d'en avoir fini avec ce merdier...

McLaren se redressa. Son visage normalement affable exprimait la colère.

— Très bien. Putain, les mecs, ça me gonfle ! Alors que Morey Gilbert s'efforçait de se faire passer à mes yeux et à ceux de Langer pour un petit saint, il assassinait des gens à travers toute la ville !

— Il avait des raisons que nous ne comprendrons probablement jamais, Johnny.

McLaren regarda son équipier comme s'il avait perdu la boule.

— Notre ville, Langer. Si quelqu'un a un problème avec les gens de notre ville, il vient nous trouver et on s'en charge. C'est comme ça que c'est censé marcher.

Langer perçut sans mal la détermination qui se lisait sur les traits de Johnny McLaren, se rappelant l'époque où les choses étaient simples pour lui. Du genre : « Les meurtriers, ce sont les mauvais. Appréhender les meurtriers, c'est bien. » Tellement simple. Noir d'un côté. Blanc de l'autre. C'étaient les zones grises qui vous mettaient en difficulté. A cet instant il comprit que, d'entre eux deux, c'était McLaren le meilleur flic.

— Faut se remuer, dit Magozzi, s'emparant des photos les plus récentes et les distribuant.

Son téléphone sonnait lorsqu'il regagna son bureau.

Dave, de la balistique, avait une voix fluette si caractéristique qu'on la reconnaissait immédiatement. Pour l'heure, elle était tendue.

— Je suis hyper-pris, Leo, submergé. Mais faut absolument que Gino et toi soyez mis au courant…

Magozzi fit signe à Gino de décrocher de son côté.

— Vas-y, Dave, on t'écoute.

— Je viens de passer le Smith & Wesson de Jack Gilbert en machine, et j'ai obtenu une concordance. Cette même arme a tué un type à Brainerd, l'an dernier. Je te faxe les données tout de suite.

— Très bien, Dave, merci.

— Une seconde. Il y a autre chose. Est-ce que Langer est là ? Ou McLaren ?

— Ils sont là tous les deux et tous les deux au téléphone.

— Transmets-leur le message, tu veux bien ? Dis-leur que je suis vraiment désolé. Je ne sais pas comment ça se fait, ç'a été un vrai cirque ici toute la semaine. Toujours est-il que le 45 de l'affaire Arlen Fischer...

— Ouais. Celui qui a servi dans les meurtres dont Interpol s'occupe...

— Ouais. Ben, y avait autre chose. On a trouvé une autre concordance un peu plus tard, mais elle s'est paumée dans la paperasse. Elle m'est tombée sous les yeux il y a trois minutes, et je vous l'ai faxée également. Dis-leur que leur 45 est celui qui a descendu Eddie Starr.

Magozzi loucha, faisant fonctionner sa mémoire.

— Starr... Le gars qui a abattu la femme de Marty Pullman ?!

A son bureau, à quelques dizaines de centimètres de là, Langer se figea.

— Celui-là même, dit Dave. La femme de Marty Pullman, qui était aussi la fille de Morey Gilbert. Putain, les mecs... qu'est-ce qui se passe dans cette famille ?

— On te rappelle, Dave.

McLaren regarda dans sa direction, le téléphone vissé au creux de l'épaule.

335

— C'était qui ? A quel sujet ?

— Dave, de la balistique. Paraît que le flingue que les collègues de Wayzata ont confisqué à Jack Gilbert ce matin est celui qui a servi à liquider un type à Brainerd l'année dernière.

— Le type de Brainerd dont le nom est mentionné au dos de notre photo ?

— Je sais pas encore, dit Gino. Mais notre 45 nous réserve d'autres surprises : ce même flingue a abattu Eddie Starr, le gosse qui a descendu Hannah Pullman.

Le téléphone dégringola et glissa de l'épaule de McLaren sur ses genoux.

— Tu te fous de ma gueule.

Il regarda Langer, qui était toujours au bout du fil mais fixait Gino d'un air tendu.

— Je pourrais peut-être vous rappeler, sergent, non ? dit Langer très poliment au téléphone avant de raccrocher sans attendre de réponse.

— On dirait qu'on a encore résolu une affaire demeurée en suspens, fit Gino. Et même si c'est triste à dire, ça se tient. Morey Gilbert a tué des gens pendant des années avec cette arme. Alors pourquoi pas le gosse qui avait abattu sa fille ?

— Je me demande comment il a fait pour le trouver avant nous, ajouta McLaren.

— Tu plaisantes ? Si Morey était capable de mettre la main sur des nazis qui se planquaient depuis soixante ans, trouver Eddie Starr a dû être du gâteau, pour lui. En outre, il ne nous a devancés que d'une petite heure. Starr était encore tout frais quand tu l'as retrouvé, non ?

— Ouais, fit McLaren.

— Qu'est-ce que je te disais ! Qu'est-ce que tu en penses, Leo ? Tu crois que c'est le revolver de Jack qui a abattu le type de Brainerd ?

Magozzi haussa les épaules.

— Il nous a déclaré qu'il tenait le flingue de son père, et je serais assez tenté de le croire.

— Moi aussi, enchérit Gino. Je vais passer un coup de bigo à Brainerd. Langer, t'as obtenu quelque chose des types de LA ? Seigneur, Langer, quelle sale gueule tu te paies, mon vieux...

Langer gratifia Gino d'un pauvre sourire, puis il se leva et quitta en hâte la salle.

— Quelle mouche le pique ?

McLaren haussa les épaules.

— Il avait une espèce de grippe, hier. Il a dû faire une rechute.

Il appuya sur la touche d'interruption d'appel et l'enfonça pour composer un nouveau numéro.

— Je vais rappeler ces rigolos et leur dire que je suis du FBI. Peut-être qu'ils ne me feront pas poireauter, ce coup-ci.

— Vas-y, dit Magozzi, excellente idée.

34

Marty n'avait pas respiré tranquillement un seul instant depuis que Gino et Magozzi avaient déposé Jack, le matin même. Les flics pensaient peut-être que Jack avait tiré sur des fantômes à Wayzata. N'empêche que Marty avait comme un poids sur l'estomac. Une drôle d'impression. Cela lui rappelait l'époque où il était policier, quand il sentait que les choses allaient mal tourner. Il s'était déchargé de la plupart de ses tâches sur Tim et Jeff et avait passé tout son temps à filer le train à Jack, son arme dans la poche arrière de son jean, sa chemise pendant par-dessus pour éviter de faire paniquer les clients.

Comme d'habitude, Lily avait compliqué les choses. Elle n'était pas prête à parler à son fils, mais apparemment elle n'était pas prête non plus à laisser qui que ce soit le descendre. A peine Magozzi et Rolseth avaient-ils tourné les talons qu'elle s'était plantée à quelques centimètres de Jack, pour n'en plus décoller. Avec tous les risques que cela pouvait comporter si l'on tirait sur lui.

Marty était en alerte maximale, quasi sur la pointe des pieds pour pouvoir s'élancer et s'interposer au cas où la grosse dame en sandales laisserait soudain tomber son panier de fleurs pour se métamorphoser en tueur fou. Deux choses l'avaient étonné à ce moment-là : le fait qu'il voie de nouveau la situation avec l'œil d'un flic, flairant le danger potentiel partout, et le fait d'être encore capable de se mettre sur la pointe des pieds. Cela ne lui était pas arrivé depuis un an.

Il en avait éclaté de rire, et Lily et Jack l'avaient regardé d'un drôle d'air, sans doute parce qu'il lui arrivait rarement de rire ces temps-ci, ou plus vraisemblablement parce que le fait d'être suivis par un type hilare leur paraissait un peu gênant. Il avait repris son expression fermée en se rappelant combien cette affaire était assommante. Jack aurait dû être en garde à vue, en train de raconter aux flics tout ce qu'il savait, et Lily était censée l'obliger à cracher le morceau. Ils auraient dû prendre soin l'un de l'autre, au lieu de s'en remettre à lui pour tout.

Seigneur, c'était tuant. Trois jours plus tôt il était ivre mort, un pistolet enfoncé dans la bouche. Maintenant il était un pseudo-flic et un pseudo-garde du corps, et il arpentait une pépinière dans tous les sens...

Et merde, s'était-il dit alors, en éclatant de nouveau de rire, ce n'est pas si mal au fond.

Mais pendant toutes ces heures il avait joué au flic plus qu'il ne l'avait vraiment été. Lorsque Gino appela, peu après deux heures de l'après-midi, pour lui dire que quelqu'un avait bel et bien tiré sur Jack ce matin-là, Marty réintégra pour de bon sa peau de flic, redevenant l'homme qu'il avait été peu de temps auparavant.

Il ne devrait pas être en train de trottiner derrière Lily et Jack dans la pépinière tel un chien de garde. Il devait faire cracher la vérité à Jack, découvrir qui avait descendu Morey, faire le boulot qu'on lui avait appris à faire, et surtout, il devait fermer cette bon Dieu de pépinière.

— Comment ça, fermer la pépinière ? s'exclamèrent Lily et Jack quasi à l'unisson.

Ils étaient tous devant la serre, déchargeant des plantes sur une table. L'endroit était bondé en dépit de la chaleur accablante, et les plantes disparaissaient à peine déposées sur les présentoirs. Jeff et Tim s'activaient aux caisses, où les clients faisaient la queue.

Marty s'efforça de parler bas.

— La balistique a fourni son rapport sur les douilles retrouvées chez Jack ce matin. Celui qui a tué Rose Kleber et Ben Schuler lui a tiré dessus. C'est pourquoi, au cas où ce connard déciderait de remettre ça, nous allons éloigner les clients de la ligne de feu, fermer la pépinière, et à partir de maintenant vous allez faire exactement ce que je vous demande, tous les deux.

Il attendit des protestations, en fut pour ses frais.

— Je vais commencer à faire évacuer les clients, dit finalement Jack.

— Non. Venez avec moi.

Marty les entraîna vers le banc près de l'entrée de la serre, les fit s'asseoir, puis se planta devant eux tel un cerbère, face au parking.

Lily était restée trois minutes sans broncher. Un record, songea Marty.

— Pour l'amour du ciel, Marty, vous vous imaginez que nous allons rester assis là toute la journée ? s'écria-t-elle.

Il ne pivota pas pour la regarder.

— Gino nous envoie une voiture. Quand elle sera là, Jack rentrera dans la maison et il y restera avec l'agent de police, vous m'entendez, Jack ?

— Oui.

L'agent Becker s'engagea dans le parking quelques minutes plus tard, descendit de son véhicule, se présenta à Marty. Il était jeune, blond, avec un visage étonnamment poupin, mais Tony Becker s'était trouvé à l'entrepôt lorsque des coups de feu avaient été échangés, l'année précédente, lors de l'affaire des Monkeewrench. Cela avait eu vite fait de l'endurcir, de lui apprendre à être vigilant et vif, et Marty aimait cette façon qu'il avait de promener les yeux autour de lui à toute vitesse, surveillant tout ce qui se passait.

— C'est Jack Gilbert, expliqua brièvement Marty. C'est lui la cible. Emmenez-le dans la maison et restez avec lui.

Après leur départ, Marty fit venir Tim et Jeff, qui se trouvaient encore aux caisses.

— On ferme la pépinière. Faites sortir tous les clients.

— Vous fermez la pépinière ? demanda Jeff Montgomery.

— C'est exact.

Les deux jeunes gens regardèrent par-dessus son épaule Lily, qui hocha imperceptiblement la tête.

— Très bien.

Tim Matson haussa ses massives épaules, jetant un coup d'œil aux caisses.

— On finit de débiter ces clients et…

— Rien du tout. On ferme immédiatement. Excusez-vous, dites-leur que c'est une urgence, un problème familial, faites-les sortir. Et ensuite, vous filez, tous les deux. Laissez les caisses en plan. Allez, exécution !

Marty savait qu'il leur flanquait la frousse – ils avaient l'air de deux ours en peluche avec leurs yeux écarquillés, leur mine inquiète –, mais c'était exactement le résultat qu'il cherchait à obtenir. Deux ados paniqués fichant le camp de là, rentrant chez eux, où ils seraient en sécurité.

— Il y a un problème, monsieur Pullman ? questionna alors Jeff. Si oui, on peut peut-être rester pour vous prêter main-forte ?

— Il est hors de question que vous restiez, dit Lily du banc. Il y a un dingue qui essaie de descendre Jack. Je ne veux pas de vous dans les parages. Je veux que vous alliez vous mettre à l'abri.

Tim et Jeff la fixèrent d'un air incrédule, s'efforçant d'assimiler, et Marty savait qu'ils pensaient à Morey, abattu quelques jours auparavant, qu'ils se demandaient comment tout ça se tenait, et quel genre de monstre pouvait bien vouloir détruire cette famille qui avait été si bonne pour eux.

Il se prépara à essuyer un feu roulant de questions mais il apparut qu'il les avait sous-estimés, oubliant que c'étaient presque des hommes, et que l'instinct de solidarité fleurit de bonne heure, faisant passer toute autre considération au second plan. Ils se redressèrent. Epaules carrées. Air décidé.

Jeff, qui mettait les nerfs de Marty à rude épreuve avec sa manie de terminer toutes ses phrases par des points d'interrogation, eut soudain l'air d'un adulte et non plus d'un adolescent, regard bleu assuré, bouche pincée et déterminée.

— C'est pour ça que le flic s'est pointé, pour veiller sur Jack ?

Marty hocha la tête.

— Un seul policier pour garder toute la baraque ? Laissez-nous rester, monsieur Pullman. Laissez-nous vous donner un coup de main.

Génial, songea Marty. Exactement ce dont j'ai besoin. Deux héros adolescents...

— Ecoute, petit, je te remercie de ta proposition mais on ne croit pas vraiment qu'il va se passer quelque chose. On fait juste montre de prudence. L'agent Becker et moi, on a la situation bien en main, et si on devait se faire des cheveux pour vous, ça ne nous avancerait guère. Au contraire. Si vous voulez vraiment vous rendre utiles, débarrassez-nous des clients – tout de suite – et regagnez vos domiciles.

Tim, dont les cheveux bruns dégoulinaient de sueur, alla immédiatement s'asseoir sur le banc près de Lily.

— Vous ne devriez pas rester là vous non plus, madame Gilbert. Si nous devons partir, je veux que vous nous accompagniez.

Lily sourit à Tim et lui tapota la main.

— Vous êtes gentils. Ne vous faites pas de mauvais sang. Demain on mettra Jack dans un endroit sûr, et tout redeviendra comme avant.

Marty la regarda tandis que Tim et Jeff commençaient à inviter les clients à évacuer les lieux.

— Comment va-t-on s'y prendre ?

— Pour faire quoi ?

— Pour mettre Jack à l'abri.

— C'est simple. Vous allez le persuader de bouger.

— Vous n'avez pas assez de scotch pour que j'y arrive.

— Mais si, j'en ai une caisse pleine à la cave.

35

Il fallut une heure à Tim et Jeff pour débarrasser les serres et la pépinière de tous ceux qui étaient venus faire leur shopping. Ils avaient fait du bon boulot, songea Marty, un vrai travail de pro, prétextant une urgence familiale et adoptant des airs de circonstance qui avaient étouffé dans l'œuf toute velléité de protestation chez les clients. « Désolé pour vous, j'espère que ce n'est rien de grave » : telle avait été la réaction la plus fréquente des clients, qui regagnaient docilement leurs véhicules. La plupart étaient évidemment au courant de la mort de Morey, survenue le dimanche, et l'idée qu'une nouvelle catastrophe ait pu frapper cette famille faisait une forte impression sur eux. Un nombre étonnant de personnes demandèrent si elles pouvaient se rendre utiles, d'une manière ou d'une autre. Pas seulement parce qu'on était au Minnesota et qu'au Minnesota on savait encore se montrer serviable. Simplement par gentillesse.

Marty se dit qu'il ne fallait pas désespérer de la race humaine, que les bons côtés l'emportaient sur les mauvais. Cela faisait du bien de le constater, surtout quand on avait été flic presque toute sa vie et amené à contempler le côté sombre plus souvent qu'à son tour.

Jusqu'à la dernière minute, Jeff et Tim essayèrent de rester. Ils s'offrirent à patrouiller dans la propriété toute la nuit sinon pour empêcher une catastrophe de se produire du moins pour s'efforcer de limiter d'éventuels dégâts. L'idée de ces deux gamins rôdant sur les lieux dans l'obscurité fit frissonner Marty, d'autant que plus les heures passaient, plus il avait l'impression qu'il pouvait arriver quelque chose.

C'est le temps, songea-t-il, lorsqu'il réussit enfin à persuader les jeunes gens de monter dans leur voiture et de disparaître, refermant le portail derrière eux.

On ne pouvait pas encore voir les gros nuages – juste une brume blanche qui dissimulait le soleil telle la taie d'une cataracte –, mais on pouvait les sentir approcher au fond de sa poitrine, comme quand on vous met un lourd tablier de plomb avant de vous faire passer des radios chez le dentiste. L'air était épais et difficilement respirable, les feuilles pendaient mollement aux branches des arbres.

Marty jeta un dernier coup d'œil sur le parking, ne vit que sa Malibu, la Mercedes de Jack et la voiture de patrouille de Becker, et, satisfait, fit le tour de la grande serre pour rejoindre les planches de semis derrière.

Lily Gilbert avait toujours eu horreur des lignes droites que les hommes s'obstinaient à tirer un peu partout. Les lignes droites étaient des tyrans impitoyables. Rangées de cultures, rangées de bâtiments, et aussi rangées de gens plantés là, muets, immobiles, paralysés par la peur.

Devant la pépinière cet ordre rigide régnait – la grande serre était alignée sur la rue, la haie sur le trottoir, les lignes blanches dans le parking indiquaient aux voitures où se garer. Elle en avait pris son parti devant la serre, parce que les choses étaient déjà ainsi lorsqu'ils avaient fait l'acquisition de la propriété. Mais derrière, là où les précédents propriétaires avaient aligné les pots et les plantes tels des domestiques au garde-à-vous, Lily s'était empressée de supprimer tout ce qui ressemblait à une droite, orchestrant un joyeux méli-mélo.

Des allées de gravillons serpentaient à travers les arbres en pot et les buissons couverts de fleurs tournaient autour des massifs de vivaces – les « massifs mères », ainsi que Morey les appelait, où les graines d'une seule fleur produisaient des centaines de semis qui seraient mis sur le marché le printemps suivant. En plein été, de véritables forêts miniatures de graminées ornementales encombraient une partie des sentiers, dominant les enfants qui batifolaient, se baissant sous les herbes hautes en suivant les sentiers à travers le labyrinthe échevelé et plein de charme que Lily, dans sa haine des lignes droites, avait réussi à créer.

Elle attendait Marty sur un banc qu'entouraient des lilas en pot. Elle avait forcé certaines des plantes pour permettre aux clients d'admirer leurs couleurs, mais la plupart étaient encore sans fleurs et se présentaient comme des végétaux plutôt communs, dotés de feuilles sans intérêt. Des « plantes de paysans », ainsi les appelait-elle, secrètement ravie quand au printemps, pendant deux courtes semaines, ces arbustes se vêtaient de couleurs qui leur donnaient l'aspect de monarques fastueux.

Marty se déplaçait avec légèreté pour un homme de sa corpulence, mais la pépinière était si calme que Lily entendit crisser ses chaussures sur les gravillons avant de le sentir s'asseoir sur le banc à ses côtés.

— Je vais essayer de persuader Jack d'aller à l'hôtel pendant quelques jours, dit Marty.

— Très bien. Des vacances ne me feront pas de mal. A vous non plus. Retenez une suite avec une cuisine.

— J'aimerais autant que vous vous teniez éloignée de Jack jusqu'à ce que tout cela soit fini, Lily.

Elle se tourna vers lui. La plupart du temps, Lily avait une telle rapidité de mouvements qu'il était impossible de la considérer comme quelqu'un d'âgé. Mais la tension de cette semaine commençait à se faire sentir et se lisait sur son visage, effaçant d'un trait l'illusion de la force. C'était la première fois qu'il pensait à elle comme à une fragile mortelle.

— Si Jack va à l'hôtel, je le suis.

— Vous voilà redevenue mère, dit Marty avec un petit sourire.

— Quand on a des enfants, même si ce sont des crétins, on reste mère, quelles que soient les circonstances. C'est automatique. Ce n'est pas quelque chose que l'on décide.

Marty songea à Lily et Jack enfermés dans une chambre d'hôtel, un flic en faction devant la porte. L'image lui plut.

— La seule chose qui me chiffonne à propos de cette histoire d'hôtel, c'est que ça vous a fait du bien de rester ici, Martin. Comment je le sais ?

C'est parce que vous buvez de nouveau comme une personne normale. Une petite goutte le soir, c'est tout.

— Je ne peux pas boire et réfléchir.

— A quoi réfléchissez-vous ?

— Je veux savoir qui a tué Morey.

Il se tourna vers elle et la fixa.

— Pas vous ?

Elle pinça les lèvres, des lèvres si minces qu'elles disparurent presque.

— C'est drôle, Lily. La plupart du temps, quand quelqu'un se fait descendre, la famille harcèle les flics, fait le siège du commissariat pour savoir comment avance l'enquête, s'ils ont un suspect...

— Comme vous et Morey le faisiez quand Hannah a été tuée, dit-elle d'un ton étrangement froid.

Marty ferma les yeux l'espace d'une seconde.

— Vous n'êtes jamais venue avec nous. Vous n'avez jamais posé de questions. C'était comme si Morey et moi, on était seuls. Et vous refaites la même chose, maintenant. Il y a trois jours que Morey est mort, et vous n'avez pas manifesté le moindre intérêt, vous n'avez pas essayé de savoir qui avait bien pu le supprimer. Je ne comprends pas.

Lily emplit d'air ses poumons et regarda les lilas au lieu de regarder Marty.

— Laissez-moi vous dire une chose, Martin. Pour moi, quelle qu'en soit la cause – cancer, guerre, assassinat –, la mort est la mort. La mort est la fin de tout. Voilà sept mois que le type qui a assassiné Hannah a été tué. Votre vie est-elle meilleure maintenant qu'il est en terre ? Pour moi, elle ne l'est pas. Cet individu, ce n'était rien. On aura beau en enterrer dix mille de plus comme lui, j'aurai toujours un vide dans la poitrine.

Marty appuya ses coudes sur ses genoux et se prit la tête dans les mains.

— Peut-être, mais je suis quand même content qu'il soit mort, chuchota-t-il.

Lily secoua la tête.

— Ah, les hommes… Vous voulez toujours savoir qui a fait ceci ou cela, trouver le coupable, le faire payer. Œil pour œil, c'est toujours la même chanson avec vous. Comme si cela faisait la moindre différence…

Jack était déjà sérieusement allumé lorsque Marty et Lily se levèrent pour rejoindre la maison, le poids du temps et de leur conversation les alourdissant, ralentissant leurs pas.

Il était affalé à la table de la cuisine, une bouteille de Glenlivet dans une main, un verre dans l'autre, prodiguant à l'agent Becker qui ne lui demandait rien force conseils juridiques. Le jeune flic se tenait de biais, s'arrangeant pour surveiller à la fois l'homme qu'on avait confié à sa garde, les fenêtres et la porte d'entrée. Marty se dit qu'il avait dû les repérer avant même que Lily et lui n'approchent de la résidence.

— Marty, vieille noix, content de te voir… Tony ici présent est un chic type, mais un peu coincé. Et il me rend nerveux, à cavaler d'un endroit à un autre, à reluquer les fenêtres…

— Il fait son boulot, Jack. Il essaie de te sauver la vie. Ta triste vie.

Jack pouffa.

— Un peu tard.

— On va t'installer à l'hôtel. Après dîner.

Jack leva son verre.

— Comme tu voudras, Marty. En attendant, prends-toi un verre. Je vais améliorer ta vie.

Un peu tard, songea Marty, voyant Lily jeter un regard noir à Jack – qui fila dans le séjour, aussitôt suivi par Becker.

Ils mangèrent de la salade et des viandes froides que leur avaient apportées des voisins attentionnés.

— De la nourriture d'enterrement, décréta Lily tout en préparant une assiette pour l'agent Becker tandis que Marty en faisait une pour Jack, qui ne mangerait probablement rien.

Après le dîner, Marty monta à l'étage, prit une douche, s'habilla et entreprit de fourrer quelques affaires dans son sac. Dans un hôtel, avec un agent montant la garde devant la porte, Jack et Lily seraient parfaitement en sécurité. Il n'y avait logiquement aucune raison pour qu'il les accompagne – à ceci près qu'il avait l'impression soudaine que c'était là sa place. C'était sa famille, si perturbée fût-elle. C'était tout ce qu'il avait ; tout ce qu'il avait jamais eu, en fait.

Lorsqu'il alla chercher sa chemise préférée dans le placard, une chemise en lin blanche à manches courtes, cadeau de Hannah pour son anniversaire l'année précédente, elle glissa du cintre et tomba par terre. En se baissant pour la ramasser, il aperçut une vieille boîte en métal de pêcheur coincée dans le fond de la penderie.

— Ça alors, murmura-t-il en s'en emparant, se rappelant qu'il avait eu bien du mal à croire Lily quand elle lui avait dit que Morey allait parfois pêcher avec Ben Schuler.

Il souleva le couvercle, aperçut un alignement de leurres, d'hameçons et de cuillers encore dans leur emballage protecteur en plastique et rangés dans les différents compartiments. Marty n'y connaissait pas grand-chose en matière de pêche, mais il savait au moins qu'il fallait extraire les leurres de leur emballage avant de les utiliser. Ce matériel de pêche n'était pas celui d'un authentique pêcheur.

Il se prit à sourire. Dans son cœur, il savait que Morey, pour lequel toute forme de vie était sacrée, était parfaitement incapable d'embrocher un ver vivant au bout d'un hameçon. Mais Lily avait été si catégorique dans son affirmation qu'elle avait semé le doute dans son esprit. Ce qu'il avait sous les yeux semblait prouver que Morey avait été tel qu'il paraissait. Il s'était peut-être assis sur un ponton ou dans un bateau avec Ben Schuler, mais jamais il n'avait dû lancer une ligne dans l'eau. En fait, il devait rejeter à l'eau les petits poissons pris par Ben quand celui-ci avait le dos tourné.

Il souleva le plateau par sa poignée et jeta un regard curieux à ce qui se trouvait dessous – un étui en plastique transparent contenant un passeport.

Morey Gilbert lui souriait sur la photo intérieure. Pas le jeune Morey qui avait rallié l'Amérique à la fin des années quarante, mais le Morey que Marty avait connu. Il jeta un coup d'œil à la date d'émission – huit ans plus tôt – et tourna les pages, son front se plissant de plus en plus à mesure qu'il regardait les tampons défiler. Il mit le passeport dans sa poche.

Il y avait un petit chiffon sale au fond de la boîte. Marty tira sur un coin du tissu, puis recula d'un bond quand l'objet qui était à l'intérieur se découvrit à lui, le cœur battant, voyant mentalement Morey, de nouveau, devant sa porte d'entrée, lui tendant un sac d'épicerie. Un mois après le meurtre de Hannah.

« C'est pour toi, Martin.

— Qu'est-ce que c'est ?

— L'héritage de Jack, du temps où il était mon fils. Il n'en a pas voulu ; maintenant il te revient.

— Pas question que je m'empare de l'héritage de Jack, Morey... Seigneur, où donc avez-vous trouvé ça ?

— Magnifique, hein ? Un colt 45, un modèle du gouvernement. Une poignée en nacre. Il a plus de soixante ans. Je l'ai pris à un nazi mort qui avait probablement tué un officier américain pour s'en emparer. C'est la chose à laquelle je tiens le plus, Marty. Je te la lègue. »

Marty s'assit par terre dans la chambre, reprenant son souffle, fixant le 45 à poignée de nacre sorti du fond d'une boîte de matériel de pêche. Il ne s'était pas attendu à revoir cette arme.

Il n'eut conscience de son geste que lorsqu'il sentit la nacre lisse sous sa paume. La texture, le poids... c'était la même arme. La même, exactement.

Il avait senti une odeur d'urine en entrant dans la pièce, de fumée aussi, puis le parfum âcre et reconnaissable entre tous d'une tambouille de mort. Un rat le croisa, s'immobilisa en le regardant, avant de s'éloigner sans se presser. Il observa son ombre qui se déplaçait sur le mur tandis qu'il s'approchait, assombrissant les longs cheveux blonds de l'épave qui, tassée sur elle-même, s'enfonçait une aiguille dans le bras.

Et alors il avait vu ces yeux qu'il n'oublierait jamais, les mains pâles aux tendons crispés qui avaient tranché la gorge de Hannah, et le colt, qu'il venait de braquer, sans en avoir conscience, sur le front d'Eddie Starr, tel un index accusateur. Lorsqu'il pressa la détente, l'arme cracha le feu, mais il ne sursauta pas. Il resta là un long moment, le regard vide, à fixer le sang éclatant dégouliner le long du mur.

Le lendemain matin, Marty était allé à la pépinière et il avait rendu le revolver à Morey. Il avait trop de valeur, lui avait-il dit ; il appartenait à l'histoire de la famille ; il ne pouvait pas le garder. Cet après-midi-là, il s'était acheté le 357 et avait commencé à préparer son suicide.

Il était calme maintenant, plus calme qu'il ne l'avait été depuis des mois. Il enveloppa soigneusement l'arme dans le chiffon, la remit dans la boîte de pêche, fourra cette dernière dans le fond du placard où il l'avait trouvée. Au cours de ces trois derniers jours, il avait décidé qu'il avait encore une famille, des obligations et, plus surprenant encore, qu'il tenait encore à la vie.

Il remettrait le flingue à la police, il se dénoncerait, et il paierait pour ce qu'il avait fait, c'était comme cela que c'était censé marcher.

Mais pas tout de suite. Pas encore.

36

Vers cinq heures, Magozzi distingua par la fenêtre des cumulo-nimbus qui s'accumulaient au loin vers l'ouest. C'était comme si on avait secoué un sac plein de tampons de coton. Langer était revenu quelques minutes après sa sortie plutôt surprenante du bureau, l'air un peu pâle mais solide sur ses pattes, et ils s'étaient tous affairés au téléphone après ça.

Ils avaient eu confirmation pour des meurtres restés sans solution dont les dates correspondaient aux vingt photos les plus récentes récupérées chez Ben Schuler, ils avaient chargé les policiers locaux de retrouver la trace des familles. Pour les autres, ils se heurtaient à un obstacle de taille. Bon nombre de dossiers plus anciens étaient archivés dans des cartons poussiéreux entassés dans des entrepôts obscurs, et la plupart des inspecteurs qui avaient bossé sur ces affaires étaient depuis long-temps partis à la retraite.

Magozzi n'était pas spécialement embêté. Il se disait que si quelqu'un dont Morey, Rose et Ben avaient tué un parent voulait se venger, il n'aurait pas attendu si longtemps. Et rien ne garantissait que cette théorie du parent fût la bonne. Ils faisaient peut-être fausse route. C'était plutôt cette possibilité qui le tracassait.

Toutefois, dix minutes plus tôt, il était tombé sur quelque chose d'intéressant, et maintenant il pianotait sur son bureau, attendant impatiemment que sonne son téléphone.

— Et merde ! dit Gino en raccrochant bruyamment. Voilà deux heures que le shérif de Brainerd a quitté son burlingue, et tu veux savoir pourquoi ? Il est sur un lac avec ses hommes et il essaie de sortir de l'eau un chevreuil sous les pattes duquel la glace a craqué…

Magozzi considéra la ville qui semblait cuire sous la chaleur intense.

— Ils ont de la glace, là-bas ?

— Tu rigoles ? C'est ça, le mois d'avril à Brainerd. Ils ont pour encore un mois de glace. En outre, ils sont au nord du front chaud, ils n'ont pas un poil de chaleur. Tu sais à quoi ça me fait penser ? A *Hansel et Gretel*.

— Tu peux m'expliquer…

— Mais voyons, c'est évident ! La vieille sorcière garde les mômes chez elle le temps de les engraisser pour les bouffer. C'est exactement ce que font ces lascars. Ils sauvent un chevreuil qu'ils se feront un plaisir d'abattre l'automne suivant pour le transformer en pâté et en saucisses. Et pendant ce temps, je suis là, à me bouffer les ongles et à essayer de résoudre soixante meurtres…

Le téléphone de Magozzi sonna, coupant court aux récriminations de Gino. Il écouta un moment, appuya l'appareil contre sa poitrine, se tourna vers Gino.

— Dis aux autres de suspendre leurs appels. On a peut-être un coup de pot…

Quelques minutes plus tard, Langer, McLaren et Peterson avaient approché leurs fauteuils à roulettes pour entendre ce que Magozzi avait à leur dire.

— Selon la liste de Grace, Morey Gilbert, Rose Kleber et Ben Schuler se sont rendus à Kalispell, Montana, il y a quelques années… sauf qu'il n'y a aucune mention d'un meurtre commis dans le Montana sur les photos de Schuler. J'ai appelé les collègues là-bas, histoire d'en avoir le cœur net. Il n'y a pas eu d'homicide le jour où notre trio s'est pointé là-bas, par contre il y a eu un blessé par balle. Un vieux schnoque qui vit dans les bois avec son fils adulte – des maniaques de la survie, un truc dans ce goût-là – s'est pointé à l'hosto avec une balle de 45 dans la jambe. La seule chose qu'il a pu dire aux flics, c'est qu'un pick-up noir s'est arrêté devant sa cabane, et que quelqu'un à l'intérieur a ouvert le feu sur lui et son fils alors qu'ils étaient assis sous le porche. Ni lui ni son fiston n'ont été capables de se souvenir d'une marque ou d'un numéro d'immatriculation…

Gino intervint :

— Peut-être que si, mais qu'ils n'ont pas voulu en faire part aux flics. Je vois mal des durs à cuire de cet acabit demander assistance aux keufs... Ces mecs-là ne peuvent pas nous voir en peinture.

McLaren siffla doucement.

— Waouh ! Ils en ont peut-être laissé un en vie.

— C'est possible. Le vieux avait le bon âge. Le truc, c'est que le shérif est allé faire un saut là-bas après mon coup de fil, et, voyant qu'il n'y avait personne, il est allé parler à un voisin. Paraîtrait que le vieux et son fils avaient décampé dans leur camping-car il y a deux semaines, soi-disant pour se rendre à Vegas, mais le voisin a trouvé ça bizarre vu qu'ils n'avaient pas quitté le nid une seule fois en plus de vingt ans. Et qu'à sa connaissance ils ne sont joueurs ni l'un ni l'autre.

Langer se leva de son fauteuil.

— T'as le numéro minéralogique ?

— Et les noms, dit Magozzi en lui tendant un bout de papier. Langer, pourquoi ne pas envoyer un avis de recherche à Las Vegas puisqu'on a le numéro d'immatriculation ? Pendant que tu y es, essaie de persuader un collègue là-bas d'aller jeter un œil dans les terrains de camping. McLaren, tu te charges d'un avis de recherche ici ; nous autres, on va faire les pages jaunes et vérifier les terrains de camping autour des Twin Cities.

Le shérif de Brainerd réussit à joindre Gino entre deux appels à des terrains de camping et lui tint la jambe pendant quinze bonnes minutes.

— Bonne nouvelle, les mecs, dit Gino après avoir raccroché. Le chevreuil est indemne.

— Tu nous ôtes un sacré poids...

— Le shérif était plutôt jouasse quand il a appris qu'on avait une idée de l'identité de celui qui avait descendu son gars. Mais son moral est tombé en chute libre quand je lui ai dit qu'ils étaient morts. Il aurait voulu leur tordre personnellement le cou.

— Il connaissait la victime ?

— Ouais, un type au poil, un bosseur. Le vieux avait une femme et deux fils, un au lycée, l'autre au collège en Californie. Six mois après qu'il s'est fait buter, sa femme s'est suicidée.

— Seigneur !

— Mais ce n'est pas tout. Le fils qui était étudiant est mort dans un accident de voiture en allant aux obsèques de sa mère.

Magozzi le dévisagea.

— Tu nous fais marcher ?

— J'aimerais bien. Le lycéen a fait une dépression nerveuse après ça, et il est allé vivre avec des parents de son père en Allemagne. Histoire de voir s'il ne pouvait pas faire sa vie avec eux.

— En Allemagne...

— Oui. Ça colle avec l'histoire des nazis. Le shérif va nous faxer les éléments.

Gino soupira et repoussa son carnet.

— Mais vous savez quoi ? Le vieux était peut-être un sale mec, et le monde se porte peut-être mieux sans lui. Mais sa femme et ses enfants ? Qu'est-ce qu'ils ont fait ? On se demande si Morey et son équipe se donnaient la peine de réfléchir aux ruines qu'ils laissaient derrière eux.

Magozzi songea aux soixante photos, imagina une soixantaine d'enfants qui n'avaient sans doute jamais su que leur père était un nazi – seulement un père.

— Tu as un contact pour le fils survivant ?

— J'ai mieux. Le gamin a appelé le shérif hier. Ils sont devenus copains après toute cette histoire, et ils restent en liaison. Il m'a donné le numéro. Tu crois que je devrais téléphoner ?

— On ferait mieux, oui. Histoire de s'assurer qu'il est toujours là-bas, et de le rayer de la liste.

Gino décrocha son téléphone.

Au-dehors, les cumulo-nimbus s'entassaient, virant au noir, toujours plus nombreux et menaçants. Langer se leva et alluma la lumière.

37

Pas facile, pour Marty, de quitter la chambre où Hannah avait dormi étant petite. Même s'il ne restait rien d'elle dans cette pièce, il avait pu contempler à loisir les murs, la poignée de la porte, le verre des vitres, sachant qu'elle avait eu ces choses-là sous les yeux pendant des années ; où qu'il marche, elle avait mis là ses pas avant lui.

Il resta assis en tailleur un long moment après avoir reposé le 45 de Morey dans le nécessaire de pêche, laissant un sentiment de vide s'emparer de lui tandis que le monde s'obscurcissait derrière la fenêtre. Il lui fallut allumer la lumière pour finir de faire son sac, puis il éteignit avant de descendre, abandonnant la chambre dans le noir.

Il trouva Lily seule dans le séjour ; près d'elle, sur une petite table, une lampe éclairait son visage d'une lumière sans concession. Elle regardait un match de base-ball, le son à peine audible. Un avis de la météo s'inscrivit au bas de l'écran, près d'une carte miniature de l'Etat. Tous les comtés ou presque étaient en orange.

— Où sont passés Jack et Becker ? lui demanda-t-il.

— Ils sont allés à la serre. Jack a laissé son sac ici.

— Il y a longtemps ?

— Juste après que vous êtes monté.

Marty consulta sa montre et fronça les sourcils, essayant de se rappeler quelle heure il était lorsqu'il était allé se doucher et préparer ses bagages.

— Ça fait une heure qu'ils sont là-bas, dit-elle. Vous en avez mis du temps, là-haut, Marty… Où allez-vous ?

— Chercher Jack. Je veux lui parler une minute avant qu'on s'en aille.

— Vous lui parlerez dans la voiture, ou à l'hôtel.

— Ne le prenez pas mal, Lily, mais il sait quelque chose concernant la personne qui a tué Morey, et je doute qu'il en parle devant vous.

Lily eut un petit grognement.

— Il n'a pas été du genre bavard avec vous non plus.

360

— Je crois que j'ai de quoi le persuader d'être plus causant, maintenant.

— Une idée qui vous est venue sous la douche ?

— Fermez à clé derrière moi.

— Ne soyez pas ridicule. Personne ne me tirera dessus. Je suis pure et sans tache.

Marty sourit. Il ne put s'en empêcher. Et c'était probablement le but qu'elle avait visé.

— Je suis sérieux, Lily. J'ai déjà fermé derrière, et je vais rester devant la porte d'entrée jusqu'à ce que je vous entende tourner la clé. Et préparez-vous donc une valise pendant que je serai dehors.

Lily poussa un soupir d'agacement et se leva pour le suivre jusqu'à la porte.

— J'ai déjà rassemblé mes affaires. Ça m'a pris cinq minutes. Vous, les hommes, vous êtes tellement lambins, c'est un miracle que vous réussissiez à faire ce que vous avez à faire.

Marty sentit la sueur perler sur son visage à l'instant où il mit le pied dehors. Il faisait toujours une chaleur oppressante. A l'ouest, les nuages s'étaient assombris, amenant un crépuscule précoce dans ce vert étrange tirant sur le gris qui précède toujours les orages d'été, dénaturant les couleurs de la réalité à la manière de lunettes de soleil bon marché équipées de verres jaunes. Le sentier sinueux qui conduisait de la maison aux planches de semis était ombreux et gris sous cette lumière bizarre.

Il avait aidé Morey à étaler le gravier dans les allées. Ce gravier était une petite folie, amené à grands frais d'une carrière proche de la frontière canadienne, où le quartz et l'agate ainsi que d'autres minéraux avaient coloré la roche de rose, de violet et de jaune. Il avait eu un hoquet quand Morey lui avait dit combien il l'avait payé.

« Les roches bon marché sont grises, Martin, et Lily déteste le gris. A cause du camp, je crois. Tout y était gris, rien n'étincelait. Tu vois comme ces gravillons brillent au soleil ? Ça, ça va lui plaire. Ça va lui faire plaisir. »

C'était la seule et unique fois où Morey avait fait allusion à leur séjour à Auschwitz, et Marty avait été ému et fier de recevoir cette confidence. Hannah, elle, ne raffolait pas trop de ce gravier, ça manquait de naturel, selon elle. Quant à Jack, il trouvait ça trop tape-à-l'œil. Mais Marty – qui connaissait l'histoire – la gardait précieusement pour lui, tel un cadeau, et Lily ratissait le gravier presque tous les jours.

Il n'avait jamais réussi à définir les relations entre Morey et Lily. Si c'était de l'amour, c'était un amour différent de celui qu'il avait éprouvé pour Hannah. Il essayait de se rappeler s'il les avait jamais vus s'embrasser, s'enlacer, se prendre la main, n'y parvenait pas. Et pourtant il y avait ces petites attentions qu'ils avaient l'un pour l'autre : le gravier de couleur pour Lily ; les drôles de cornichons épicés que Lily préparait pour Morey, qui était bien le seul à les aimer.

Il trouva Jack et l'agent Becker dans le cabinet sans fenêtre derrière la remise à semis. La lampe était allumée sur le bureau, jetant des ombres longues sur le mur, laissant dans les angles des coins sombres.

Jack était vautré sur le canapé de vinyle craquelé qui était adossé contre un mur. Le visage cramoisi, l'air abruti par trop de gnôle et de soleil, il tenait son verre à la main. Becker était debout dans l'encadrement de la porte, moitié à l'intérieur, moitié à l'extérieur de sorte que les premières gouttes de pluie s'écrasaient sur son uniforme. La porte qui menait à la resserre aux semis était fermée, et le verrou mis.

— Hé, Marty !

Jack tapota le coussin près de lui, faisant crisser le vinyle.

— Pose tes fesses.

Il prit un autre verre par terre près du canapé et une bouteille du Balvenie de Morey qu'il avait apportée de la maison.

Becker s'écarta pour permettre à Marty de passer.

— L'inspecteur Rolseth m'a précisé que vous seriez armé, monsieur. C'est le cas ?

Marty hocha la tête et souleva le bas de sa chemise de lin blanc, laissant apparaître le 357 calé tant bien que mal dans sa ceinture.

— C'est pas le meilleur endroit pour ranger un flingue, monsieur.

— A qui le dites-vous ! Vous avez raté la relève.

Le jeune flic répondit sans le regarder, ses yeux naviguant de droite et de gauche à travers les ombres du dehors qui s'épaississaient :

— Je me suis dit que j'attendrais qu'on soit à l'hôtel.

Marty opina, satisfait. Il aimait la façon de se comporter de Becker, le sérieux avec lequel il s'acquittait de sa mission.

— Je suis content de vous avoir avec nous.

— Merci, monsieur. Tout le monde est prêt ?

Marty jeta un coup d'œil à Jack, qui s'intéressait davantage à son verre qu'à la conversation.

— J'aimerais rester seul avec Jack un instant, si cela ne vous ennuie pas.

Becker ne parut pas spécialement enchanté et dit, en baissant la voix :

— Franchement, monsieur Pullman, après avoir passé l'après-midi avec M. Gilbert, j'ai hâte de le voir en sûreté dans une chambre d'hôtel avec un agent à sa porte. Il ne tient pas en place, et il n'a pas l'air conscient de la gravité de la situation, pour un homme qui s'est fait tirer dessus pas plus tard que ce matin…

— Relax, superflic, marmonna d'une voix pâteuse Jack depuis le canapé, d'où il avait suivi cet échange plus attentivement que Marty ne se l'était imaginé. Ce type n'aime pas les témoins. Il descend des vieilles dames seules dans leur maison ou se planque derrière un arbre pour tirer des coups de feu au hasard, ce salopard !

Becker, qui savait seulement qu'on avait tenté d'abattre Jack, leva les sourcils d'un air interrogateur en regardant Marty, qui hocha la tête.

— On n'en sait pas davantage pour l'instant.

— Très bien. Je vais m'éloigner et vous laisser seuls, messieurs, mais je ne quitterai pas la porte des yeux.

— Merci, Becker.

Marty le regarda s'éloigner entre les rangées d'arbustes en pot. Les premières gouttes de pluie avaient donné à penser que le ciel allait s'entrouvrir, mais elles avaient cessé peu de temps après avoir commencé.

Il ferma la porte, se dirigea vers le bureau et s'assit dans le fauteuil, secouant la tête à la vue du verre que Jack lui tendait tant bien que mal, renversant le précieux scotch par terre.

— Non, merci.

Jack haussa les épaules et se mit à le boire, son verre dans l'autre main.

— As-tu appelé Becky pour lui dire où tu serais ?

— Becky, ma femme ?

— Celle-là même.

— Autant appeler M. Filcher, le boucher, pour lui dire où je suis. Il me répondrait lui aussi qu'il n'en a rien à foutre...

— Arrête de dire des bêtises.

— C'est le scotch, j'en ai descendu une demi-bouteille. Si ça continue, je vais crever suite à un empoisonnement par l'alcool et il ne sera plus nécessaire de me liquider.

— C'est censé être drôle ?

— Mais oui. Ne fais pas cette tronche. Ce qu'il y a, c'est que Becky m'a fait un doigt d'honneur hier soir – avant la fusillade à OK Corral. *Sayonara*, va te faire foutre, rendez-vous au tribunal. Elle n'a même pas voulu me laisser pénétrer dans la maison, j'ai dû dormir dans le pavillon de la piscine, je me suis douché avec le tuyau d'arrosage du jardin...

Marty souffla et tendit le bras pour attraper l'un des verres à demi pleins que Jack tenait péniblement.

— Désolé.

— T'en fais pas. Je détestais cette baraque, de toute façon. Le pédé que Becky avait engagé pour décorer la maison n'a rien trouvé de mieux que de foutre des grenouilles partout dans la salle de bains principale. Tu te rends compte ? Comment peut-on couler un bronze au beau milieu d'une pub pour Budweiser ?

Il vida son verre, le remplit de nouveau.

— Je t'en remets une dose ?

— Non. J'aimerais que tu me dises pourquoi Morey est allé à Londres.

— Pardon ? fit Jack.

— A Prague. A Milan. A Paris.

Il lança le passeport de Morey à Jack, qui sursauta quand il le reçut sur ses genoux.

— Qu'est-ce que c'est que ça ?

— Le passeport de Morey. Je l'ai trouvé dans un nécessaire de pêche au fond d'un placard.

— Papa avait un passeport ?

Jack l'ouvrit, louchant dessus.

— Seigneur, ces petits caractères... C'est Paris ou... Prague ? Ces putains de Frenchies sont même pas foutus de donner un coup de tampon correct !

— C'est Paris. Il y a passé une journée. Il n'est guère resté plus longtemps dans les autres villes. Depuis quand Morey voyageait-il ainsi à travers le monde ?

Jack continua de boire tout en tournant les pages.

— Bonté divine ! Il s'est rendu à Johannesburg ? !

— Tu veux dire que tu n'étais pas au courant de ces déplacements ?

— Moi ?

Jack jeta le passeport sur le coussin près de lui.

— Sûrement pas. Tu es content ? On peut sortir, maintenant ? Il fait chaud comme dans un four avec la porte fermée…

— Pourquoi Morey avait-il caché son passeport dans son nécessaire de pêche ? Pourquoi effectuer ces voyages à l'étranger et faire demi-tour le lendemain ? Qu'est-ce qu'il fabriquait dans ces endroits, Jack ?

— Je le savais. Je savais que ça arriverait. N'avais-je pas raison ? Un flic reste un flic, quoi qu'il arrive. Et voilà que tu t'es remis à jouer au petit détective… Et maintenant, Marty, qu'est-ce qu'on fait ? Tu vas me faire subir un interrogatoire ? Tu veux peut-être qu'on aille faire un tour dans le hangar ? Il y a une ampoule suspendue au plafond, tu pourrais la faire se balancer, me l'envoyer dans la figure, comme au cinéma…

Marty ferma les yeux, but une gorgée d'alcool sans y penser.

— J'espérais qu'on pourrait se dispenser de ces formalités et que tu me dirais tout simplement la vérité, Jack. Je sais, ça ne se fait pas dans cette famille – peut-être que dans les autres non plus –, mais j'ai essayé avec Lily l'autre soir, et ça a plutôt bien marché.

Jack ne put s'empêcher de pouffer.

— Quel genre de vérité lui as-tu racontée ?

Marty le regarda droit dans les yeux.

— Je lui ai dit que j'avais songé à me tuer.

Jack, qui allait porter son verre à ses lèvres, suspendit son geste.

— Merde, Marty. A cause de Hannah ?

— Pas exactement.

Cela parut surprendre Jack.

— Alors pourquoi, putain ?

Marty but une autre gorgée, posa le verre sur le bureau et l'éloigna de lui en le poussant du doigt. L'alcool n'avait rien perdu de son attrait.

La prison me guérira, songea-t-il avec un sourire lugubre.

— C'est un grand secret, Jack. Je te dis la vérité si tu me dis la vérité.

Jack posa son verre par terre et se pencha en avant, appuyant ses coudes sur ses genoux.

— J'aurais dû m'occuper de toi. Je t'ai laissé tomber, mon vieux. J'ai accumulé les regrets au cours de ces deux dernières années, mais celui-là vient en tête de liste.

— Allez, Jack. La vérité. Que sais-tu sur l'assassin de ton père ?

Jack lui sourit, sans bouger.

— La vérité ne ressemble pas toujours à ce qu'on croit.

— Celui qui a liquidé ton père tue d'autres gens, Jack. Tu dois nous aider.

— Non. Il a fini. Il ne reste plus que moi.

— Comment diable le sais-tu ?

Jack contempla le fond de son verre, prit une inspiration, souffla très fort.

— Je crois qu'il faut que je commence par le commencement...

Parfois vous déclenchiez un feu roulant de questions à toute vitesse. Mais il venait toujours un moment au cours d'un interrogatoire où on s'arrêtait d'en poser et où on se taisait. Et on attendait. Marty laissa ses mains sur les accoudoirs du fauteuil, fixa Jack, et attendit.

— C'est moche ce que je vais te faire, Marty. Je sais ce que ce vieux salaud représentait pour toi.

— C'était quelqu'un de bien, Jack.

— Encore une histoire à la Elvis.

— Je ne comprends pas...

— Tu te rappelles la réaction que tu as eue, que nous avons tous eue, quand on a découvert que le King était un drogué ? Ce type, le seul, l'unique, c'était quoi finalement ? Un junkie avec du bide. Merde, l'idole s'écroule, mon univers s'en trouve ébranlé. Tu es prêt à revivre ce genre d'expérience ?

— Jack...

— C'est parti. Papa m'a fourré un flingue dans la main pour la première fois le jour de mes neuf ans. « Il faut que tu sois prêt », me répétait-il, et tous les samedis, au petit matin, il m'emmenait à l'Anoka Gun Club et on s'entraînait à tirer. Maman croyait qu'on allait au McDo pour une petite virée entre hommes. Papa m'a toujours défendu de la détromper. Emmerdant comme la pluie, le tir. Je déteste les armes. Mais j'étais pas très futé, comme gamin. Tant que j'étais avec lui, je trouvais ça génial.

Il reprit son verre, s'adossa contre les coussins. Il but une longue gorgée.

— Je suis bon tireur, Marty. Mais je ne lui arrivais pas à la cheville.

Marty fixait les jambes blanches de Jack qui jaillissaient de son short, son petit bedon. Si l'idée

369

d'un Jack bon tireur lui donnait des frissons, l'image d'un flingue dans la main charitable de son beau-père lui semblait absolument incroyable.

— Jack, qu'est-ce que… ?

— Patience, fit Jack. Tu veux savoir qui pouvait bien vouloir tuer papa, n'est-ce pas ? Cet homme formidable qui aimait tout le monde et que tout le monde aimait. Merde, Marty. J'ai passé ces deux dernières années à bousiller ma vie de façon à ne pas avoir à le dire à qui que ce soit, et maintenant tu veux que je crache le morceau ! ?

Marty perçut le grondement lointain du tonnerre.

— Les flics finiront par trouver, alors autant…

Jack s'esclaffa.

— Ces abrutis ne trouveront jamais rien ! S'ils découvraient quelque chose, ils ne le croiraient pas, de toute façon.

— Découvrir quoi ?

Jack essayait de réfléchir et de garder Marty à l'œil en même temps. Effort presque trop grand pour lui.

— Quelqu'un a fini par les rattraper. Seulement c'étaient pas les flics. Sinon, on serait dans l'émission de Jerry Springer maintenant. Mais on peut pas espérer s'en tirer éternellement, n'est-ce pas ?

— Comment ça ?

— Bon sang, Marty, tâche de suivre ! On peut pas espérer tuer des gens éternellement sans que ça vous retombe sur le nez. Environ deux par an, sur une sacrée période de temps…

— C'est quoi, ces conneries, Jack ?

Jack hocha la tête, mouvement problématique compte tenu de l'état dans lequel il se trouvait.

— C'est tout sauf des conneries. C'est un fait.

Il se pencha pour attraper la bouteille de Balvenie posée par terre et remplit son verre à ras bord, renversant quelques gouttes lorsque le tonnerre gronda.

— Environ six mois avant la mort de Hannah, papa m'a traîné à Brainerd le temps d'un weekend... à la pêche soi-disant, histoire de me déconnecter du bureau. Quand on est arrivés devant cette grande baraque, deux autres voitures se sont immobilisées. De l'une est descendu Ben Schuler, et de l'autre, Rose Kleber.

Marty haussa les sourcils.

— Ainsi tu la connaissais...

— C'est la première et la dernière fois que je l'ai vue. Une adorable vieille dame à cheveux blancs vêtue d'une robe à fleurs violettes et chaussée de grosses godasses. Je me suis demandé ce qu'elle fichait là, avec des vieux mecs comme papa et Ben. Je n'ai jamais su son nom. Papa m'a juste dit que c'était une amie. On entre dans le pavillon de pêche. Je pense que c'est pour prendre une chambre ou un truc dans ce goût-là, mais il n'y a personne parce qu'il y a une espèce de concours près du lac ; il n'y a qu'un vieux schnoque à la réception. Papa sort un flingue de sous sa veste et lui tire une balle dans la tête.

Il ferma les yeux tandis que Marty restait bouche bée, son cœur cognant comme s'il essayait de s'échapper de sa poitrine.

— Je crois que j'ai failli hurler, mais je ne me rappelle pas bien. Ensuite, papa a passé l'arme à Ben, qui a fait le tour du bureau et tiré à son tour sur le type allongé par terre, après quoi il a refilé le pétard à la charmante petite mamie laquelle, avec un sang-froid admirable, lui a logé quelques pruneaux supplémentaires dans le corps. Elle avait du sang sur sa robe et ses grosses chaussures noires. C'est marrant, les trucs qui vous marquent...

Jack adressa à Marty un sourire de guingois.

Marty eut soudain la bouche sèche et, l'espace d'une seconde, il s'en étonna, tout comme il s'étonna du tremblement dans sa voix lorsqu'il parla :

— Qui était-ce ? Qui était l'homme qu'ils ont tué ?

Jack haussa les épaules.

— Un nazi. Comme tous les autres. Et tu sais ce qui s'est passé ensuite ?

Marty le dévisagea, secoua la tête.

— Eh bien, mon vieux, après avoir terminé sa petite affaire, Rose m'a tendu le revolver.

38

Jeff Montgomery transpirait à grosses gouttes sous le ciré noir qu'il portait sur son jean foncé. Ce vêtement était inconfortable mais nécessaire. Avant la fin de la nuit, le front froid se presserait contre cette monstrueuse couche chaude, les vents hurleraient, la température chuterait de plusieurs degrés, et il tomberait des trombes d'eau. Au Minnesota tout garçon sensé savait quand il convenait de se munir d'un ciré.

Personnellement, il espérait que le front froid allait se décider à se manifester. C'était le mois d'avril le plus chaud qu'on ait jamais connu, ne cessaient de clamer les médias, et même si lui ne souffrait pas de la chaleur, on ne pouvait en dire autant des plantes, habituées à un climat plus tempéré. Par ailleurs, ce type de chaleur se terminait souvent par une averse de grêle, et il ne voulait surtout pas penser à ce que cela impliquait. Il allait avoir suffisamment de mal à venir travailler demain avec la boue. L'image des dégâts que causerait la grêle aux jeunes plantes fragiles le rendait presque malade.

C'était drôle, songeait-il – le mauvais sang qu'il se faisait pour les plantes alors que quelques mois plus tôt il aurait été incapable de distinguer le mouron blanc d'un hortensia. Au départ, il était censé faire des études d'ingénieur. Poussé dans cette voie par son père. Mais ses parents étaient morts, le rêve d'un collège dans l'Est était mort avec eux, et il avait fini par suivre quelques cours à l'université du Minnesota et à travailler pour Morey et Lily Gilbert.

Il en avait appris davantage sur les plantes, grâce à Mme Gilbert, que sur une quelconque matière universitaire, il s'était découvert un don pour le jardinage et, sans trop s'en rendre compte, il était devenu accro.

Il aimait travailler le terreau, le tester dans des petits tubes, décider de la nature et de la quantité des nutriments à fournir à chaque semis qu'il essayait de faire germer. Son côté ingénieur, sans doute. Mais il aimait aussi sentir la terre entre ses doigts et sous ses ongles, contempler la rosée du matin dans le calice d'une tulipe, observer les nouvelles pousses des épicéas. Il n'avait qu'un souhait : travailler dans cette pépinière, continuer d'apprendre le métier avec Mme Gilbert, mettre un jour de l'argent dans l'affaire quand il aurait réussi à en épargner.

C'était bizarre, la façon dont les choses se passaient. La façon dont l'horreur et le choc ressentis à la mort de ses parents l'avaient conduit à mener l'existence pour laquelle il était fait.

Les rues autour de la pépinière étaient maintenant complètement désertes – les gens devaient être scotchés devant leurs écrans de télé, attendant les tornades et les conseils des météorologues surexcités qui leur diraient quand se mettre à l'abri. Le conseil n'était pas valable pour lui. Il ne pouvait pas se permettre de laisser le mauvais temps lui dicter sa conduite, parce qu'il était en mission, et que, parfois, les missions sont très dangereuses.

Il avait déjà fait trois fois le tour du pâté de maisons et constaté que tout était normal. Pas de silhouettes en armes accroupies dans les buissons, la voiture de patrouille arrivée dans l'après-midi était encore à sa place d'origine dans le parking, et, surtout, Mme Gilbert était bien à l'abri dans la maison.

Un lointain grondement de tonnerre le fit sursauter légèrement et il camoufla derrière sa main un fou rire nerveux. Le ciel s'obscurcissait de minute en minute, les éclairs crépitaient, suivis par des coups de tonnerre encore plus impressionnants, chargeant l'air d'électricité. Seigneur, c'était marrant. Le calme, le doux Jeff Montgomery rôdant dans l'obscurité presque totale, l'œil aux aguets, scrutant toutes les ombres, titillé par la proximité du danger.

Lorsqu'il atteignit la haie de la pépinière, il se plaqua contre la verdure et se déplaça lentement et furtivement, centimètre par centimètre, le long de l'écran végétal. Il tournait la tête, ouvrant l'œil, guettant tout ce qui était inhabituel, restant à couvert. Il ne pouvait pas se permettre d'être vu – si M. Pullman ou le policier le repéraient, ils mettraient fin à son manège, et ils l'enverraient se faire voir ailleurs, ou pire, ils lui tireraient dessus. Il devait se montrer très, très prudent.

A cet instant, cela ne lui semblait pas bizarre de penser à tout ce que les Gilbert avaient fait pour lui – lui versant un salaire double de celui qu'il aurait touché ailleurs, payant ses droits d'inscription à l'université, lui donnant même un coup de pouce pour son loyer quand il était un peu juste, le premier du mois. Il savait qu'elle n'y comptait pas, mais un jour il rembourserait Mme Gilbert jusqu'au dernier centime. C'était le moins qu'il pouvait faire.

Il fut parcouru d'un long frisson lorsqu'il prit conscience qu'il était dans la propriété et que jusqu'à présent personne ne l'avait repéré… *logé*, corrigea-t-il. Bon Dieu, il était doué. Peut-être qu'il devrait laisser tomber la fac et entrer à la CIA.

La dernière fois que Marty Pullman avait éprouvé cela – l'impression qu'on avait actionné un interrupteur et éteint son cerveau –, il était assis sur le ciment glacial de la rampe du parking, regardant sa femme morte.

Une foule d'émotions l'avaient traversé cette nuit-là, et elles luttaient à présent pour reprendre possession de lui – doute, choc et finalement tristesse incommensurable.

Jack avait raison, avec sa comparaison avec Elvis, son univers était chamboulé et il ne savait plus à quel saint se vouer. Comment surmonter la révélation qu'un homme qu'on a adoré, idéalisé parce qu'il était meilleur que vous ne le seriez jamais, est en fait aussi imparfait que vous ? Et peut-être davantage, songea-t-il, si l'on raisonnait en termes quantitatifs. Il avait tenté pour se distraire d'évaluer le nombre d'hommes que Morey avait tués pendant toutes ces années où il avait eu son gendre le flic à sa table, le dimanche, pour le dîner.

Alors qu'il se sentait outré, trahi, il faillit éclater de rire. Y avait-il vraiment une si grande différence entre le fait d'assassiner des nazis et celui d'assassiner l'homme qui avait tué votre femme ?

Pas étonnant que tu l'aies tant aimé, se dit-il. Vous vous ressembliez comme deux gouttes d'eau.

Jack était resté parfaitement silencieux ces dernières minutes, peut-être pour donner à Marty le temps d'absorber ce qu'il avait dit, attendant peut-être la grande question que Marty n'osait poser. Rose Kleber avait tiré sur le vieillard derrière le comptoir du pavillon de pêche, puis elle avait tendu l'arme à Jack.

Qu'as-tu fait, Jack ? Qu'as-tu fait, au nom de Dieu ?

Jack pouffa dans son ivresse et Marty se rendit alors compte qu'il avait posé la question à haute voix.

— En fait, j'ai dégueulé. J'ai repoussé la main de la vieille dame. Putain, elle était fumasse. Pas autant que papa, pourtant. Il n'arrêtait pas de me dire de lui tirer dessus. « Tire sur ce putain de nazi », telles étaient ses paroles, et c'est la première fois que je me suis douté de ce qui se passait. S'il avait été en uniforme de SS, en train de torturer quelqu'un, peut-être que j'aurais obéi. Je ne le saurai sans doute jamais. Le truc, c'est que je n'avais pas l'impression d'avoir un nazi en face de moi. Juste un vieillard mort et baignant dans son sang.

— Tu ne lui as pas tiré dessus ?

— Seigneur, Marty, bien sûr que non. Pour qui me prends-tu ?

— Je ne sais pas, Jack. Avec toi, je vais de surprise en surprise.

— C'est toute cette putain de famille qui est pleine de surprises, lâcha Jack d'un ton amer. Bref, sur le chemin du retour, papa m'a expliqué ce qu'ils faisaient depuis toutes ces années, des tas de choses sur Auschwitz que j'aurais préféré ne pas entendre, et il m'a dit que c'était mon devoir puisque j'étais son fils, que s'il mourait avant que le « travail » ne soit achevé, il fallait que je le finisse.

— Qu'as-tu répondu ?

Jack le fixa par-dessus le bord de son verre.

— Je lui ai dit que je ne voulais plus être son fils, que je ne voulais même plus être juif... Et j'ai tout fait pour cesser de l'être.

Marty hocha lentement la tête, se souvenant de la photo de la confirmation et de celle du mariage, de la soudaine absence de Jack dans la famille, comprenant finalement le sens de ses actes. De ce que Lily avait appelé « des claques dans la figure ».

— Tu aurais dû parler de tout ça à Lily, Jack.

Jack sourit et but en même temps.

— C'était une épée à double tranchant. Ou même à triple tranchant. Pour ce que j'en savais, elle aurait pu être dans la combine...

— Seigneur, Jack, comment as-tu pu penser ça ?

Jack le fixa avec des yeux ronds.

— Bon sang, Marty, peut-être parce que je n'aurais jamais soupçonné mon père d'une telle chose, or regarde ce qui s'est passé ! Je n'ai jamais vraiment cru maman capable de faire cela, mais je me posais la question. Comment peut-on vivre plus de cinquante ans avec quelqu'un et ne pas savoir qu'une chose pareille se produit ?

Il haussa les épaules d'un air impuissant.

— Je ne voulais pas savoir, en fait. Je ne pouvais pas regarder la réalité en face. Si par miracle mon père avait réussi à cacher ses agissements à ma mère, je ne me voyais pas lui brisant le cœur en allant les lui raconter. J'ai préféré prendre mes distances, ne rien dire, me demandant si papa liquidait des gens pendant que j'étais assis à ne rien faire, me répétant des choses stupides du genre « Allons, Jack, ne te torture pas comme ça, ce ne sont que des nazis, ils méritent probablement leur sort », essayant de voir si j'arriverais à me supporter si je dénonçais mon propre père, foutant ainsi en l'air la vie de ma mère. Essayant de voir si j'arriverais à vivre avec moi-même si... Seigneur !

Il reprit son souffle, but une gorgée.

— Heureusement que j'avais l'alcool. Ça m'a aidé à tenir.

De l'autre côté de la porte fermée qui menait à la resserre aux semis, Lily s'appuyait contre le bois rugueux du battant, écoutant, les yeux fermés, le visage plissé de chagrin.

— Maudis sois-tu, Morey Gilbert, chuchota-t-elle.

Elle tourna les talons, s'éloigna.

— Tu aurais dû venir nous trouver, Hannah et moi, disait Marty.

— Tu plaisantes ? Il était hors de question que je m'approche de Hannah. Il ne lui aurait pas fallu trois secondes pour me faire cracher le morceau, tu sais de quoi elle était capable. Et ça l'aurait tuée, Marty, d'apprendre ça sur son père. Elle adorait cet homme.

— Presque autant que tu l'adorais toi-même, dit Marty, s'adossant dans son fauteuil, regardant Jack l'alcoolique, l'abruti, la brebis galeuse irresponsable qui avait sacrifié son existence pour épargner ceux qu'il aimait.

Intérieurement, Marty pleurait sur lui, s'efforçant de se concentrer sur ce qu'il désirait apprendre.

— Tu m'as dit que le tueur en avait fini. Qu'il ne restait plus que toi. Comment le sais-tu ?

— Ouais... Je le subodorais mais je n'en ai eu la certitude que quand le type m'a tiré dessus. Papa et les autres avaient effectué un tas de déplacements, tué un tas de gens – il en était assez fier –, mais je ne m'étais trouvé avec eux qu'une seule fois.

— Au pavillon, à Brainerd.

— Exact. Il y avait un grand grenier au-dessus du comptoir de la réception. La dernière chose que je me rappelle, c'est papa me traînant dehors par le bras, tout le monde me gueulant dessus, j'ai levé la tête et j'ai vu une ombre bouger derrière l'un des grands poteaux de bois. Quelqu'un nous avait vus, Marty...

Marty ferma les yeux une minute, s'efforçant d'imposer silence à ses émotions, comme il le faisait lorsqu'il était dans la police. Plus tard, quand le tueur serait appréhendé et Jack en sécurité, il laisserait remonter à la surface tout ce qu'il avait appris ce soir, et il se lâcherait émotionnellement ; pour l'heure, les sentiments étaient un luxe qu'il ne pouvait s'offrir. Il fut étonné de constater d'y parvenir si vite, et si bien. Jack avait peut-être également raison sur ce point. Flic un jour, flic toujours.

— Très bien, Jack, voilà ce qu'on va faire.

Il sortit son portable de son étui et chercha le numéro de Gino Rolseth.

— On va appeler Magozzi et Rolseth, leur dire de rappliquer, et tu vas leur répéter tout ce que tu viens de me raconter afin qu'ils puissent faire leur boulot et coincer ce mec. Parce que je ne te lâcherai pas tant qu'il ne sera pas bouclé quelque part, d'autant que, personnellement, je n'ai aucune envie de me trouver dans la zone de tir...

— Non ? fit Jack, essayant de hausser les sourcils. Je croyais que tu avais des tendances suicidaires...

— Eh bien, j'ai changé, Jack. Les choses changent, mon vieux.

Quand Gino répondit, Marty lui dit où ils étaient, que Jack était prêt à parler et qu'il avait peut-être un tuyau pour eux. A la minute où il raccrocha il y eut un bruit assourdissant tandis que le tonnerre frappait tout près de là, ce qui fit se lever Marty d'un bond, et la pluie et le vent se déchaînèrent, tambourinant sur le toit, fouettant la porte. Lorsque cette dernière s'ouvrit à la volée, heurtant le mur, Marty pivota, le 357 à la main, braqué sur l'entrée.

Jeff Montgomery, débraillé, se tenait dans l'encadrement, ses yeux bleus écarquillés, la pluie crépitant autour de lui.

Jack jeta au pauvre gamin un regard vitreux, se disant qu'il allait sûrement démissionner, ce coup-là. La dernière fois qu'il lui avait vu des yeux ainsi écarquillés, c'était le soir où il lui avait braqué une arme dessus, dans la resserre à outils. Trop de flingues dans cette famille, décida-t-il.

— Putain de merde, Jeff ! s'écria Marty. Je t'avais dit de ne pas remettre les pieds ici ce soir !

Marty était fou furieux mais le jeune homme paraissait pitoyable avec son air d'avoir échappé de peu à la noyade, et il s'adoucit quelque peu.

— Pour l'amour du ciel, reste pas là, entre. Tu as vu Becker ?

— Euh... oui, monsieur ?

Jeff esquissa un pas en avant, mais il suivait des yeux l'arme de Marty, aussi ce dernier s'empressa-t-il de la remettre dans la ceinture de son pantalon avant de la dissimuler sous sa chemise.

— Dis-lui de venir se mettre à l'abri avant d'être emporté par la tempête...

— J'ai peur que ce ne soit pas possible, monsieur Pullman, dit Jeff en faisant un autre pas en avant et en refermant la porte derrière lui.

Puis il sortit un revolver de sous son ciré noir et le braqua sur la poitrine de Marty.

39

A l'hôtel de ville, l'orage qui menaçait depuis si longtemps se précisait enfin. Le tonnerre grondait non loin, et d'inquiétants éclairs jaillissaient des nuages noirs. Quelques minutes plus tard, d'épaisses gouttes de pluie commencèrent à tambouriner contre les fenêtres de la salle de la Criminelle.

Après une heure de coups de fil en cascade, ils n'avaient toujours pas trouvé le camping-car du Montana. Les avis de recherche qu'ils avaient lancés n'avaient rien donné, pas plus dans les environs qu'à Vegas, et les terrains de camping que Gino avait contactés ne leur avaient pas fourni le moindre renseignement exploitable. Gino penchait pour le Montana, de plus en plus. Essentiellement parce qu'ils n'arrivaient pas à mettre la main sur le type. Il se leva de son bureau et s'étira, fit le tour de la salle tandis que Magozzi mettait un terme à un énième appel.

La petite télé posée sur un classeur métallique était rarement allumée. Même avec le son coupé, les images attiraient l'œil, ce qui, selon Malcherson, aidait à garder l'esprit vif.

Non qu'on ait besoin de ça, songea Gino, en appuyant sur le bouton pour l'allumer.

Simplement, il se disait que si une tornade se préparait il leur faudrait être prévenus à temps pour éviter les éclats de verre qui ne manqueraient pas de voler partout. Il appuya sur un autre bouton pour mettre le son en sourdine, et bientôt les yeux de toutes les personnes présentes dans la salle convergèrent vers l'écran, regardant l'un des météorologues surexcités de Channel Ten s'agiter devant une carte informatisée recouverte de petites tornades tournoyant en tous sens.

Langer plaqua une main sur le micro de son téléphone.

— On va y avoir droit ?

Gino zappait maintenant de chaîne en chaîne, tombant à chaque fois sur la météo.

— A les en croire, c'est l'apocalypse.

Il se planta à côté de l'écran et loucha sur la ligne défilante rouge avec sa série d'avertissements.

— Morris, Cyrus vont déguster, ensuite ce sera au tour de Saint Peter... Rien chez nous, pour l'instant.

Il laissa la télé allumée et regagna son bureau pour appeler Angela et s'assurer qu'elle consultait régulièrement la météo pour se tenir au courant, et lui rappeler l'emplacement de la cave... au cas où elle l'aurait oublié.

— Sous l'escalier, si jamais tu dois t'y réfugier...

— Il n'y a pas de place, Gino. Maman et papa y sont déjà.

Gino lança un coup d'œil par la fenêtre. La pluie tombait dru maintenant, et il y avait du tonnerre et des éclairs, mais pour le moment ça s'arrêtait là.

— Déjà à l'abri ?

— Au premier coup de tonnerre, ils se sont repliés au sous-sol. Munis d'une bouteille de vodka.

— Oh, Seigneur.

Le temps qu'il finisse son coup de fil, Magozzi raccrochait de son côté.

— Me dis pas que tu as envoyé Angela se réfugier à la cave...

Gino secoua la tête.

— Mes beaux-parents y sont déjà, ils se prennent une cuite et font je ne sais quoi encore. Vaut mieux pour les gosses voir une tornade plutôt que leurs grands-parents dans cet état...

Magozzi jeta un coup d'œil par la fenêtre.

— Ils sont sous pression à ce point-là pour paniquer comme ça ?

— Non. C'est seulement qu'ils sont en Arizona depuis trop longtemps. Les caprices de la météo, là-bas, ils ne connaissent pas. Ils ont oublié ce que c'était. J'ai fini par joindre le mec de Brainerd qui est parti vivre en Allemagne. Thomas Haczynski. « Appelez-moi Tommy, monsieur, s'il vous plaît. » Jamais parlé à un jeune aussi poli, si l'on excepte les deux ados qui bossent à la pépinière. C'est ce que cette affaire a de plus chouette : elle me permet de rencontrer des jeunes bien élevés, pour une fois. Ça me redonne de l'espoir pour l'avenir. C'est triste, quand même. La mort de son père l'a salement secoué. Quand je lui ai dit qu'on avait peut-être un tuyau concernant l'identité de celui qui avait tué son paternel, il m'a remercié abondamment de l'avoir appelé et il a éclaté en sanglots. Il a été obligé de passer l'appareil à son oncle...

— Qu'est-ce qu'il t'a dit ?

— Pas la moindre idée. Un truc en allemand, je suppose. Merde, je déteste ces appels à l'étranger.

Magozzi poussa un soupir.

— Le flingue qui selon Jack appartenait à son père est celui qui a tué un type de Brainerd l'an dernier, vraisemblablement un nazi...

— Exact.

— ... mais la femme du nazi s'est suicidée, l'un des fils est mort dans un accident de voiture, et l'autre, à qui tu viens de parler, se trouve quelque part en Allemagne...

— Munich.

— Merde.

Gino, de frustration, jeta son stylo sur le bureau.

— Ce qui nous laisse avec le gars du Montana que nos amis Morey, Rose et Ben n'ont pas réussi à tuer complètement. Et tu veux que je te dise ? Ça me semble être le bon. Ça me paraît logique qu'un type qui a pris une balle dans la jambe décide de faire leur affaire aux gens qui l'ont plombé avant qu'ils s'y remettent. En outre, le type du Montana et son fils sont des spécialistes de la survie. Ils ont le profil, c'est sûr, pour faire un truc de ce genre. Ça colle.

— Désolé, les mecs, dit Langer de l'autre côté de l'allée en agitant son récepteur de téléphone avant de raccrocher. Les spécialistes de la survie du Montana, il va falloir les rayer de la liste... Le Happy-Go-Lucky, un terrain de camping de Vegas, a identifié le camping-car et confirmé qu'il était resté là presque deux semaines. J'ai posé des questions concernant les occupants du véhicule et le directeur m'a dit qu'il les avait en face de lui au moment même où il me parlait, et qu'il avait vérifié leurs permis. Il a ajouté qu'à sa connaissance ils n'étaient pas sortis du terrain une seule fois – ils restent assis, à boire de la bière toute la journée.

— On n'arrive à rien, nous non plus, fit Peterson qui revenait du fax.

Il lança une feuille de papier qui atterrit sur le bureau de Magozzi.

— Voilà les meurtres de ces dix dernières années, du moins ceux qui sont listés au dos des photos trouvées chez Ben Schuler. Si des parents de ces victimes ont poursuivi Morey Gilbert et ses copains, c'est en fauteuil roulant et avec des masques à oxygène qu'ils l'ont fait. La plupart sont des septuagénaires, la moitié sont morts ou convalescents, en train de se remettre d'un pontage ou d'une chimio ou d'un cauchemar de ce genre. Putain, cette affaire pue. Les rares personnes qui auraient été en mesure de planifier et de commettre de multiples homicides ont des alibis en béton pour les jours où Gilbert, Rose Kleber et Ben Schuler ont été tués.

Gino jeta un coup d'œil à McLaren. Le jeune inspecteur roux avait les cheveux en bataille et il parlait avec componction au téléphone.

— On dirait que McLaren tient une piste…

— Penses-tu. Il tchatche avec son courtier. On est à court de meurtres, à moins de remonter encore plus loin en arrière…

— Seigneur, non !

Magozzi s'affaissa dans son fauteuil et se pinça l'arête du nez.

— On a déjà perdu une bonne partie de la journée. Désolé, les mecs, je vous ai entraînés sur une voie de garage.

— S'intéresser aux familles, c'était une bonne idée, lui dit Gino. Et on n'avait pas tellement le choix. La question, c'est de savoir ce qu'on fait maintenant. On est dans le brouillard.

Peterson leur tendit une épaisse chemise.

— Voilà le fax du shérif de Brainerd. On aura peut-être du bol avec ça.

Gino écarta la chemise.

— Ça m'étonnerait. Le seul survivant de cette famille se trouve en Allemagne. Je viens de l'avoir au bout du fil, y a pas une minute.

— Alors qu'est-ce qu'on fait ? dit Peterson, battant des bras.

Magozzi lui jeta un regard vitreux. Peterson était frustré. Ils l'étaient tous. Frustrés, crevés, et affamés, se rendit-il compte, en entendant protester son estomac.

Le moment était venu de dételer. Ils avaient suivi toutes les pistes, fouillé toutes les théories, sans succès ; à ce stade, ils ne savaient plus trop à quel saint se vouer ni quelle direction prendre. Mais l'admettre, c'était reconnaître qu'ils étaient impuissants, qu'ils allaient devoir se contenter de rester assis dans leur fauteuil, à attendre que le tueur frappe de nouveau, et ça, c'était le pire cauchemar que pouvait faire un inspecteur travaillant à la Criminelle : attendre qu'un autre cadavre apparaisse dans le paysage pour pouvoir progresser dans son enquête. Jack Gilbert constituait une cible toute trouvée et ils avaient fait le nécessaire pour qu'il soit couvert, mais à supposer qu'il ne soit pas le seul ? Que se passerait-il si le tueur « zappait » Jack et exécutait le suivant sur sa liste ? Tout ce qu'ils pouvaient espérer, c'était que Jack Gilbert sache quelque chose qui les mettrait sur la voie d'un suspect possible, et que Marty réussirait d'une façon ou d'une autre à le décider à parler.

Assis à son bureau, McLaren raccrocha violemment le téléphone.

— Vous savez pas ce qu'il a trouvé le moyen de faire, cet enculé ? Il m'a pris une option sur des actions merdiques je ne sais où en Uruguay ! Je l'ai viré. Alors, quoi de neuf de votre côté ?

— Absolument rien, fit Gino d'un air piteux. Nos pistes ont toutes foiré.

— On en est où ? On attend que notre mec fasse une autre tentative pour liquider Jack Gilbert ?

— Gilbert est couvert, dit Magozzi. J'ai eu Becker au bout du fil il y a une minute. Il suit Jack comme son ombre, et ce soir ils prennent une chambre à l'hôtel pour faciliter le travail de Becker. Je me fais davantage de souci pour la cible éventuelle sur laquelle notre homme décidera de tirer s'il abandonne l'idée de s'en prendre à Jack...

Le portable de Gino crépita dans sa poche.

— C'est sûrement Angela. Je file. Elle est coincée à la maison avec deux gosses, des parents qui sont pompettes et un orage imminent...

Il prit l'appel et se dirigea vers la sortie, l'appareil vissé contre l'oreille, puis il pivota et tendit un doigt, écoutant toujours.

Magozzi se mit à feuilleter le fax de Brainerd. Cela faisait au moins une centaine de pages, rapports de police, comptes rendus d'autopsie, interrogatoires, coupures de presse...

— T'es vraiment un mec super, Marty, chapeau ! s'écria Gino dans son téléphone, avant de raccrocher avec un sourire à Magozzi. Marty a décroché le gros lot, il a réussi à faire jacter Jack !

Ils sont dans le bureau à la pépinière, et il dit que si on arrive à se pointer là-bas avant que Jack ne dessaoule ou tombe dans les pommes, il nous en donnera pour notre argent. Il a des tas de choses à raconter, qui risquent fort de nous mettre sur la bonne voie.

— Dieu merci, fit Peterson. Tu veux qu'on reste dans les parages ?

Gino fit non de la tête.

— Arrangez-vous seulement pour être joignables sur vos portables à tout moment, au cas où on apprendrait quelque chose nécessitant qu'on prenne des mesures immédiates.

Il appuya sur une touche pour joindre Angela et lui dire de ne pas l'attendre, fronça les sourcils en regardant Magozzi. Il aurait dû se remuer, courir vers la porte, mais il restait là, vautré sur son bureau, les yeux fixes.

— Hé, Leo, t'as entendu ?

Magozzi s'ébroua, prit la feuille de papier devant lui et la brandit. C'était une photocopie d'une notice nécrologique extraite de la feuille de chou de Brainerd, montrant une photo de William Haczynski, le propriétaire du Sandy Shores Resort récemment décédé, avec son fils, Thomas. Le vieil homme et le garçon blond au visage poupin se tenaient par les épaules. Ils souriaient à l'appareil, des fusils coincés sous l'aisselle.

Magozzi n'avait regardé le cliché que deux secondes mais il lui semblait l'avoir contemplé des heures. Il considéra une fois de plus le fils, yeux clairs, visage innocent d'un ado. Un adolescent qu'il connaissait sous le nom de Jeff Montgomery.

— Seigneur, Gino ! Thomas Haczynski n'est pas en Allemagne.

Ils se précipitèrent tous vers Magozzi, pour examiner la photo. Gino reconnut Montgomery.

— Petit enculé ! s'exclama-t-il.

Se rendant compte qu'il avait toujours son portable à la main et qu'Angela était à l'autre bout de la ligne, il s'éloigna du bureau, se mit à parler bas et très vite puis raccrocha.

Langer, Peterson et McLaren contemplaient le cliché en fronçant les sourcils.

— Je pige pas, dit McLaren. Comment sais-tu qu'il n'est pas en Allemagne ?

Magozzi désigna du doigt la photo.

— Ce jeune homme se fait appeler Jeff Montgomery. Il travaille à la pépinière, Lily Gilbert le traite comme son petit-fils, et Morey lui avait payé ses droits d'inscription à l'université.

Langer poussa un profond soupir.

— C'est le fils d'un homme que Morey Gilbert a liquidé ?

— Ça m'en a tout l'air.

McLaren frissonna.

— C'est lui, c'est notre client. Putain, elle est raide ! Morey payait ses études, tandis que le gars projetait de le descendre, ainsi que quelques autres. Ce môme est une machine à tuer...

— Il a dû avoir un bon professeur, c'est sûr, dit tranquillement Langer.

— Bordel de merde, je lui ai parlé pas plus tard que cet après-midi ! s'écria Gino. Un appel à l'étranger, je le jure devant Dieu. Pas moyen de bidouiller une communication comme ça... Y a des bruits sur la ligne qui ne trompent pas...

— Peut-être que quelqu'un le couvre en Allemagne, mais quel que soit le stratagème qu'il a employé pour nous faire croire qu'il était en Europe, ça n'a plus d'importance, maintenant, dit Magozzi d'une voix hachée. Faut qu'on se bouge, les gars, et tout de suite. Gino, rappelle Marty, informe-le, idem pour Becker !

— Je me charge de Becker ! lança Peterson en se précipitant vers son bureau tandis que Gino composait fébrilement le numéro de Marty sur son portable.

Magozzi se tourna vers Langer et McLaren.

— Le gamin est soit chez lui, soit à la pépinière. Faut qu'on couvre les deux. Rassemblez une équipe et foncez à son appartement. Et mettez le paquet, en ce qui concerne les renforts. Quelque chose me dit que ce petit ne va pas se laisser faire...

— Compris.

Gino appuyait fébrilement sur des touches, écoutant, rappuyant.

— Merde, Marty ne répond pas sur son portable...

Magozzi se hâta de vérifier si son 9 mm était chargé, le fourra dans son holster, s'accrocha une paire de menottes à la ceinture.

— Essaie la pépinière, la maison de Lily, le portable de Jack. On a le numéro de portable de Jack ?

— Le dispatcher n'arrive pas à joindre Becker ! les renseigna Peterson d'une voix tendue.

Dans la salle, tous se figèrent l'espace d'un instant. Comme tous les officiers de police en service, Becker disposait d'une voiture de patrouille et d'une arme. L'absence de réponse pouvait fort bien signifier qu'il s'était fait descendre.

Deux secondes plus tard, Gino et Magozzi sortaient de la salle en dérapant, leurs semelles résonnèrent bruyamment sur le carrelage, le bruit de la panique emplissant le couloir désert.

40

Debout face à Jeff Montgomery qui lui braquait son 9 mm sur la poitrine, Marty prit l'incroyable évidence en pleine figure.

Dans l'heure qui venait de s'écouler il avait non seulement appris que le charmant Morey Gilbert était un exécuteur, mais qu'il en était apparemment de même de l'innocent gamin au visage poupin et aux beaux yeux bleus. La vraie question était de savoir pourquoi cela le surprenait autant.

T'as passé trop longtemps aux Stups, se dit-il, particulièrement dans la rue, où les junkies ressemblent à des junkies, les dealers à des dealers... Bref, où chacun a la gueule de l'emploi.

C'était d'ailleurs ça qui l'avait attiré, au début, vers ce milieu particulier, où les apparences correspondent à la réalité. Dans le monde réel, presque tous avançaient masqués. Il l'avait su autrefois, quand il était gosse. Son père l'avait mis au parfum. Mais il l'avait oublié.

Tout ça n'avait plus aucune importance, maintenant. Il se secoua et son esprit retrouva instantanément les automatismes qui lui avaient été inculqués. Les pourquoi, les comment et les motivations d'un homme armé n'avaient aucune importance quand on était du mauvais côté d'un flingue – tout ce qui comptait, c'était la suite des opérations.

Il était à la fois trop près et trop loin du gamin. Trop près pour esquiver une balle, trop loin pour le désarmer. Il ne lui restait qu'une issue : le noyer sous un flot de paroles.

— Qu'est-ce que tu fais, Jeff ?

— Je viens régler une affaire, monsieur Pullman.

Les phrases du jeune homme ne se terminaient plus sur un point d'interrogation, remarqua Marty. Une pensée saugrenue lui vint : quelle ironie que sa dernière tentative sérieuse de suicide ait été interrompue par Jeff Montgomery venant lui annoncer la mort de Morey, et que ce même garçon, qui lui avait sauvé la vie sans le savoir, soit en train de lui braquer un pistolet sur la poitrine !

— De quoi s'agit-il, Jeff ? demanda Marty d'une voix calme.

Jeff lui répondit dans un sourire surprenant :

— Je vois que vous avez dû être un excellent policier, monsieur Pullman. « Eveiller la curiosité de l'ennemi quand on est en difficulté. Engager la conversation, détourner son attention... » Comme dans les manuels.

— Pas ceux que j'ai lus.

— Voudriez-vous vous retourner, s'il vous plaît, monsieur Pullman ? Puis remonter votre chemise de la main droite et retirer votre pistolet de votre ceinture de la main gauche. Avec deux doigts. Ensuite, vous pivoterez vers moi et vous lancerez le revolver ici, sur ma droite, si cela ne vous ennuie pas...

— Tu vas me tirer dans le dos, Jeff ?

— Certainement pas, monsieur. Je ne ferais jamais ça. Ce ne serait pas honorable.

Etrangement, Marty le crut.

Opérant un quart de tour sur lui-même, il regarda Jack qui, penché en avant sur le canapé, avait les mains crispées sur les genoux pour ne pas trop tituber. Le pire, c'étaient ses yeux. Pas même effrayés. De grands yeux tristes et désolés, qui se rivèrent dans ceux de Marty.

Après lui avoir lancé un clin d'œil, Marty souleva sa chemise et sortit doucement son revolver avec deux doigts, exactement comme Jeff le lui avait indiqué, avant d'achever son demi-tour pour lui faire face de nouveau.

— Tu ne voudrais pas que je te lance ce flingue sans avoir mis le cran de sûreté, Jeff...

— Vous l'avez mis avant de le passer dans votre ceinture, monsieur Pullman. Ne me prenez pas pour un imbécile, s'il vous plaît.

Merde, il assure, le gamin.

Marty resta planté là, le pistolet au bout de la main, se disant qu'il était vraiment lourd à tenir avec deux doigts seulement, tout en carburant à toute allure afin d'essayer de trouver une solution.

Ne pas abandonner son arme. Point barre. Ce qui lui laissait deux possibilités. Lancer le revolver et utiliser l'infime moment de déséquilibre où Jeff tendrait le bras pour se jeter sur lui. Ou bien se pencher un peu en avant comme pour obtempérer, balancer le pistolet à Jack, plonger et frapper le gamin. Jack se disait bon tireur, et s'il était assez rapide, il aurait peut-être le temps de tirer une fois. L'ennui, c'était que Jack avait bu comme un trou, alors qu'il lui faudrait pour exécuter la manœuvre un temps de réaction très proche de zéro.

— Le revolver, monsieur Pullman...

Marty regarda le garçon qui travaillait à ses côtés depuis trois jours, celui-là même qui avait pleuré à l'enterrement de Morey, juste après lui avoir mis une balle en pleine tête.

— Pas question, fiston.

— Je vous comprends et respecte votre point de vue, monsieur, dit Jeff, ce qui ne l'empêcha pas de mettre Marty en joue et de raidir son index sur la détente. Mais si vous ne me donnez pas votre arme, je vais être dans l'obligation de tirer.

— Tu vas me plomber, de toute façon, que je te facilite la tâche ou non.

— Non, monsieur Pullman, telle n'est pas mon intention. Avant d'entrer, je ne savais même pas que vous étiez ici. Je n'ai strictement rien contre vous et n'ai aucune envie de vous tirer dessus. Mais s'il le faut, je le ferai.

— Alors comme ça, tu étais dans le grenier à Brainerd, hein ? lança Jack du canapé.

Stupéfait, Marty l'entendit se servir un verre.

Jack, bon Dieu, qu'est-ce que tu fous ?

Mais le regard de Jeff avait vacillé, l'espace d'un instant. Jack l'avait pris par surprise, comme il faisait tout le temps.

— Pardon ? demanda Jeff, le regard toujours rivé sur Marty, l'index crispé sur la détente.

— Brainerd, tu sais bien, le pavillon de pêche... Tu étais dans le grenier, tu as vu ce qui s'est passé, tu nous as vus. Alors ce type, derrière le comptoir, c'était quoi ? Ton père ?

Jeff jeta un regard éclair en direction de Jack, et Marty se raidit. C'était la première lueur d'espoir qu'il entrevoyait depuis que Jeff avait sorti son pistolet de sous son ciré.

Continue de parler, Jack, lança-t-il intérieurement – message superflu puisque c'était grâce à la tchatche et au baratin que Jack gagnait sa croûte. Détourner l'attention, se montrer persuasif, mener les gens en bateau, tels étaient justement les points forts de l'avocat. Là, Jack était vraiment dans son élément. Cela dit, bon Dieu, il faisait quand même preuve d'un sacré courage ! Opérant une légère rotation de côté, Marty considéra Jack du coin de l'œil. A peine quelques minutes auparavant, il tentait bec et ongles de refaire surface. Et le voilà maintenant qui jouait à l'ivrogne débraillé...

— Un peu vieux pour être ton père, à mon avis. Ton grand-père ?

— C'était mon père, affirma Jeff d'un ton glacial. Monsieur Pullman, faites glisser votre arme jusqu'à moi tout de suite, sinon...

— Putain ! Ça a dû être un sacré cauchemar de grandir avec un père nazi ! Merde, quand je pense que j'avais le culot de me plaindre ! Mec, je suis désolé pour toi. Vraiment.

Le 9 mm trembla légèrement dans la main de Jeff et le sang lui monta imperceptiblement au visage.

Trop vite, pensa Marty, qui entra à son tour dans la danse :

— Si tu as vu tout ce qui s'est passé à Brainerd, Jeff, tu sais que ce n'est pas Jack qui a dégommé ton père.

Le garçon eut un sourire totalement dépourvu d'humour.

— Qu'est-ce que vous croyez ? Je sortais de ma chambre quand j'ai entendu les coups de feu. C'est Jack qui tenait le revolver.

— Mais il n'a pas pressé la détente, insista Marty. Ce sont les autres qui ont abattu ton père. Ils voulaient que Jack lui tire dessus, une fois qu'il était mort, mais il a refusé. Il ne pouvait pas.

Les yeux de Jeff s'étrécirent.

— Il était là.

— Tu parles, que j'étais là ! lança Jack du canapé. Et tu veux savoir pourquoi ? Parce que mon père essayait de me faire finir son boulot. Exactement comme ton paternel voulait te voir terminer le sien. Je te dis, mec, c'est pas les points communs qui nous manquent...

— Du calme, s'il vous plaît, monsieur Gilbert.

398

— ... mais ce que je veux vraiment savoir, c'est comment tu t'es démerdé pour nous trouver.

En se focalisant sur Marty, Jeff contrôlait encore la situation. Cependant, Jack le perturbait un peu et détournait son attention du 357 toujours tenu par Marty. Lequel commença à glisser imperceptiblement son doigt vers le cran de sécurité.

— Votre père a fait la bêtise d'utiliser sa voiture personnelle. J'ai vu la plaque d'immatriculation, je me suis débrouillé pour me mettre bien avec le shérif, j'ai attendu qu'il se connecte avec le DMV, le département des véhicules à moteur, et j'ai cherché le numéro. Une fois votre père... « logé », j'ai trouvé du boulot ici. Il ne me restait plus qu'à attendre que les deux autres arrivent. Un jeu d'enfant.

— Tu n'as pas averti les flics ? demanda Marty, avançant encore son doigt.

— Dans notre famille, on fait le travail nous-mêmes. On n'a besoin de personne.

— Et ton boulot du jour, c'est de descendre Jack, c'est bien ça ?

— Exact. Œil pour œil... Je n'exécute pas n'importe qui. Mais il y a des meurtres justes, dont celui de Jack. Vous, je ne suis pas obligé de vous supprimer, monsieur Pullman. Je n'en ai d'ailleurs aucune envie. Au départ, j'avais espéré pouvoir rester à la pépinière et donner un coup de main à Mme Gilbert, peut-être même faire ma vie ici...

Entendant Jack inspirer derrière lui, Marty eut du mal à garder un visage impassible.

— ... mais quand je vous ai vu, j'ai compris qu'il me faudrait renoncer à ce projet et disparaître une fois ma mission accomplie. Ce que j'aurai le plaisir de faire afin de vous épargner, monsieur Pullman. Si vous choisissez de vivre et de me donner votre revolver...

Le regard fixe, Marty ne réagit pas. Il sentit enfin le cran de sécurité sur le côté de son doigt.

— Vous avez pris votre décision, n'est-ce pas, monsieur Pullman ?

— Je crois que oui, Jeff.

— Nom de Dieu, Marty, donne-lui ton putain de pétard ! hurla Jack, bondissant du canapé et prenant Marty de court.

Jaillissant dans la seconde même avec une vitesse et une précision incroyables, le pied gauche de Jeff heurta la main du policier, catapultant au sol le revolver qui glissa sous le canapé et alla heurter le mur avec un bruit sourd.

Marty ferma les yeux et les garda fermés.

Quinze ans dans la police pour se faire désarmer par un gamin... Bordel de merde, je suis vraiment incapable de sauver qui que ce soit.

La grille du parking de la pépinière avait été verrouillée. Le temps que Magozzi et Gino se garent, quatre voitures de patrouille s'étaient immobilisées derrière eux et deux autres arrivaient en provenance de Lake Street. Phares éteints, sirènes muettes, Dieu merci. Peterson faisait son boulot.

Viegs les rejoignit au pas de charge, un chapeau protégeant ses implants capillaires, une capuche en plastique abritant le chapeau.

— Il y a une patrouille dans le parking. Deux types ont franchi la haie pour vérifier. Aucune trace de Becker. Je ne savais pas si tu voulais qu'on fonce. Peterson nous a dit d'attendre.

— Une minute… fit Gino, sortant son portable tout en le protégeant de la pluie.

Il composa un numéro, tendit l'oreille.

— Pullman ne répond toujours pas, annonça-t-il au bout de quelques secondes.

— Bon, on y va, dit Magozzi. Viegs, tu couvres l'extérieur avec les hommes qui sont là. Nous, on entre.

Gino et lui se débarrassèrent de leurs cirés – trop raides, trop bruyants – et avancèrent le long de la haie qui ceinturait la propriété, en direction de l'endroit où il y avait une brèche dans les buissons, près du bureau. Le tonnerre et la foudre s'étaient un peu calmés – un ou deux éclairs et un grondement se manifestaient encore de temps en temps –, mais la pluie tombait dru et le vent soufflait toujours aussi fort.

Seigneur, Seigneur, lança Magozzi à un dieu en qui il n'était pas certain de croire, faites que Montgomery ne soit pas là, faites qu'il soit à son appartement et que Langer et McLaren soient en train de lui passer les menottes, faites qu'il n'y ait plus de cadavres dans cette horrible guerre qui n'en finit pas.

Ils trouvèrent Becker dans les parterres, à quelques mètres de la porte du bureau. Il était allongé, les yeux fermés, la pluie tambourinant sur son visage d'adolescent, du sang suintant de la moitié gauche de sa tête. Magozzi ne savait pas si Becker était vivant ou non. Pressant fort à l'endroit où il aurait dû sentir la carotide battre sous ses doigts, il fut incapable de dire s'il s'agissait du pouls de Becker ou du sien.

Bondissant sur ses pieds, portable au poing, Gino fonça vers le devant de la serre.

Derrière lui, Magozzi se glissa seul vers la porte du bureau. Des rais de lumière émanaient de l'intérieur.

Le coup de pied de Jeff Montgomery avait été assez puissant pour faire reculer Marty de plusieurs pas et lui esquinter la main. Laquelle pendait maintenant, vide, enflée, inutile, au bout de son bras.

— Désolé, mais vous m'avez pas laissé le choix, monsieur Pullman. C'est tout ce que j'ai trouvé pour vous épargner.

Seigneur, pensa Marty, secouant la tête avec un sourire désespéré. Jeff semblait tout aussi décidé à lui sauver la vie qu'à exécuter Jack. C'était un sens de l'honneur si bizarre et si tordu que, pendant une minute, il ne parvint pas à mettre ses idées en place.

Soudain, tout s'éclaira. Et il comprit alors que ce n'était pas en face de Jeff Montgomery qu'il se trouvait, mais bien plutôt de Morey Gilbert, Rose Kleber, Ben Schuler et, pour couronner le tout, d'un certain Marty Pullman. Pour la première fois depuis bien longtemps, il se sentit enfin bien dans sa peau. Il regardait les choses en face, il percutait.

— Ecoute-moi, Jeff, je suis passé par là, moi aussi. J'ai fait ce que tu fais en ce moment. Et je te garantis que tu te trompes.

Jeff lui adressa un regard cynique.

— Vous ne comprenez pas. Tuer par devoir, ce n'est pas la même chose.

— Je n'ai jamais tué personne par devoir.

L'air soudain intéressé, Jeff fronça les sourcils. Jack aussi.

— Dans ce cas, qu'est-ce que vous avez fait, monsieur Pullman ?

Marty poussa un profond soupir avant de lâcher :

— J'ai abattu l'homme qui a tué ma femme.

Bouche bée, Jack tendit le bras vers l'arrière, tâtonna, trouva le rebord du canapé et s'assit.

— Tu as descendu Eddie Starr ? chuchota-t-il.

Sans se retourner vers lui, Marty fit oui de la tête.

Jeff lui adressa un sourire approbateur.

— C'était une question d'honneur, monsieur Pullman. Vous avez agi noblement.

— J'ai descendu un homme désarmé occupé à se balancer sa dose d'héro dans le bras, Jeff, il n'y avait rien de noble ni d'héroïque là-dedans, et ça n'avait rien à voir avec la justice. Cela a fait de moi un tueur, et je ne peux plus réparer, maintenant. Mais toi, tu as une chance que je n'ai pas eue. Renonce à ce dernier meurtre. Décide de ne pas donner la mort. Fais demi-tour, sors de cette pièce, tu pourras toujours te raccrocher à ça pendant le restant de tes jours.

403

Dehors, le vent redoubla et s'acharna sur le bâtiment, ébranlant la porte.

Il y avait maintenant de la pitié dans le regard de Jeff.

— Quel dommage, monsieur Pullman. Vous avez fait justice, vous avez agi selon l'honneur, et vous ne vous en rendez même pas compte...

Esquissant un pas sur la gauche, il mit Jack en joue avant même que Marty s'aperçoive que le moment était venu.

N'empêche, dans la milliseconde avant que Jeff ne presse la détente, Marty effectua un spectaculaire plongeon de côté – il se sentit bien, sûr de lui, et enfin purifié, s'interposant entre la balle et le seul innocent dans la pièce.

L'extraordinaire vol plané du Gorille, pensa-t-il en souriant alors que la balle lui transperçait le bas de la poitrine.

— Nom de Dieu ! vociféra Jeff, qui remit aussitôt Jack en joue.

La porte s'ouvrit violemment, se fracassant contre le mur et sortant de ses gonds. Accroupi dans le vent et la pluie battante, Magozzi hurla :

— Lâche ton arme ! Lâche ton arme !

Se retournant à la vitesse de l'éclair, Jeff se mit à tirer comme un fou. La situation lui échappait, plus rien ne se passait comme prévu. Lorsque des échardes de bois fusèrent près de sa tête, Magozzi écrasa lui aussi la détente, tirant plusieurs balles dans la poitrine de Montgomery. Toute son adrénaline ayant déserté son cerveau pour envahir ses muscles, il ne vit pas le visage poupin et les grands yeux bleus étonnés du très jeune homme qu'il était en train de tuer.

41

Magozzi se redressa lentement dans l'encadrement de la porte, tenant d'une main ferme son pistolet toujours braqué sur le corps immobile de Jeff Montgomery. En un éclair, il parcourut la pièce du regard, enregistrant la scène, prenant mentalement toute une série de clichés : à gauche, Montgomery, la poitrine fracassée ; droit devant, Martin Pullman, allongé sur le dos, mais les yeux toujours ouverts, sa chemise imbibée de sang ; Jack Gilbert s'extirpant du canapé pour tomber à genoux à côté de Marty. Bureau, ordinateur, chaise, une bouteille vide couchée sur le flanc, dont les dernières gouttes finissaient de se répandre sur le plancher.

Ce n'est qu'une fois son examen achevé qu'il put à nouveau respirer normalement et, poussé par le vent qui soufflait en tempête, entrer dans le petit bureau où flottaient des odeurs de gnôle, de cordite et de sang. Repoussant du pied le revolver que Montgomery avait gardé dans sa main crispée, il sentit alors la grosse patte rassurante de Gino sur son épaule.

— Laisse-moi passer, vieux. Fais-moi un peu de place.

Magozzi sentit ses jambes trembler sous lui alors que son taux d'adrénaline retombait. Sous ses yeux, Gino se pencha pour appliquer ses doigts contre le cou de Montgomery.

— Terminé, fit-il en se redressant.

Ils avaient à peine fait les trois pas les séparant de Marty qu'une demi-douzaine de flics déboulèrent sous la pluie, encadrant la porte, arme à la main.

— Il est mort ? lança l'un d'entre eux.

— Tout à fait mort ! Il nous faut une ambulance, et vite ! Exécution !

— C'est parti !

Jack avait écarté les pans de la chemise de Marty et enlevé la sienne pour en faire un tampon qu'il appliqua fort contre la blessure. Marty grogna, ses yeux se plissant de douleur.

— Bon Dieu, Jack, tu veux me tuer ou quoi ?

— Ça se présente pas trop mal, Marty. Tu vas t'en sortir. Juste un petit trou de rien du tout. On a la situation en main, maintenant, mais tu as foutu du sang plein ta chemise, espèce de connard. Et tu sais bien que le sang, ça part pas facilement !

Marty ferma les yeux, esquissant un sourire, mais il avait l'air mal en point.

— Je vais prendre le relais, Jack.

Magozzi posa sa main sur celle de Jack et attendit que ce dernier ait retiré la sienne pour faire pression sur la chemise transformée en compresse. Il se rendait parfaitement compte qu'il n'y avait pas beaucoup de sang à l'extérieur, ce qui n'était pas bon signe. Marty avait du mal à respirer à cause de la pression exercée sur ses poumons et son cœur, et le sang qui imprégnait sa chemise était rouge vif – du sang artériel.

— Hé, Pullman ! lança Gino, qui était demeuré tout près, à genoux. Ouvre un peu les yeux, mec. Si tu t'imagines qu'on va rédiger le rapport sans toi, tu te fous le doigt dans l'œil !

— Gino, murmura Marty, sans ouvrir les yeux. Je suis foutu ?

— Tu déconnes ou quoi ? T'as pris une bastos dans le buffet, alors ça va pas être du gâteau. A mon avis, tu vas en avoir pour un bon mois à rester allongé à pisser dans un haricot. Comment t'as fait ton compte pour laisser ce connard te tirer dessus ?

— C'est sur moi qu'il tirait, fit Jack d'une voix étranglée, les mains si serrées qu'elles en étaient toutes blanches, à se retenir l'une l'autre de toucher Marty pour ne pas lui faire mal.

Souffle court, voix rauque, il essayait de ne pas craquer :

— Nom de Dieu, il allait me tirer dessus et Marty a plongé devant lui. Cet imbécile a plongé devant la balle pour m'éviter de morfler. Tout est ma faute. Putain, mais pourquoi t'as fait ça, Marty, pourquoi il faut toujours que tu joues les héros...

La main de Marty jaillit et agrippa le poignet de Jack. Roulant la tête de côté, Marty ouvrit les yeux et regarda son ami.

— Je ne suis pas un héros. Je suis comme Morey, Jack. Ne l'oublie pas...

— Arrête tes conneries...

Au prix d'un effort considérable, Marty resserra son emprise sur le poignet de Jack. Il avait du mal à parler.

— Exactement comme Morey. Et comme tous les autres. Il faut que tu leur dises. Que tu mettes Magozzi et Gino au courant, pour Eddie Starr. Qu'ils ferment le dossier...

Il sourit.

— Pendant tout ce temps, tu as été le seul type bien, Jack. T'as été mieux que nous tous. C'est toi, le héros.

Jack posa son front sur la tête de Marty et se mit à pleurer.

Gino se releva, le visage fermé, et s'éclaircit la gorge.

— Je vais voir ce que fiche cette ambulance, articula-t-il, content que sa voix ne le trahisse pas trop.

Quand il se retourna en direction de la porte, il vit un groupe formé d'uniformes bleus qui montaient la garde dehors, sous la pluie, physionomie grave, lèvres serrées, ceux qui avaient la larme à l'œil faisant comme si de rien n'était.

Lily Gilbert, tel un bulldozer miniature, se fraya un chemin au milieu d'eux. La pluie lui avait aplati les cheveux sur la tête, dégoulinait sur ses verres de lunettes et lui inondait les épaules. Les « tenues » s'écartèrent pour la laisser passer. Se dirigeant droit sur Marty, elle s'agenouilla à côté de Jack, sans un regard vers le corps de Montgomery. Magozzi se leva et recula.

Marty ne la vit que lorsqu'elle fut tout près de lui. Pour une obscure raison, il avait des problèmes de vision, ce qui lui semblait étrange, puisqu'il était blessé à la poitrine.

— C'est vous, Lily ?

— Qui voulez-vous que ce soit ? Je suis là, dit-elle, posant sa main noueuse sur son front froid comme la mort.

— Jack a des choses à vous dire, souffla-t-il, commençant à sentir le goût du sang dans sa bouche.

— Je sais. Ça attendra. Restez tranquille, pour l'instant.

— Un peu tard, non ?

Les larmes qui inondaient le visage de Jack gouttaient de son menton sur sa poitrine nue et continuaient leur chemin le long de sa petite bedaine.

— Ta gueule, Marty, ferme-la, putain. Tu vas t'en sortir. Je te jure que tu vas t'en sortir...

Les yeux de Marty se fermèrent quand il essaya de répondre. Sa poitrine se souleva avant de retomber sous cet effort démesuré.

— Jack, dit Lily doucement. Il ne va pas s'en tirer. Il est mourant. Laisse-le parler.

D'habitude, Marty avait un sourire triste. Quand il ouvrit les yeux, cette fois, il avait le regard clair, droit et heureux.

— Je vous aime, Lily, murmura-t-il. J'ai essayé d'arranger les choses.

Elle lui retourna son sourire.

— Comme toujours, vous avez toujours voulu arranger les choses. C'est tout vous, ça. Vous êtes un type bien, un bon fils, Marty, chuchota-t-elle, regardant ses yeux se fermer pour la dernière fois.

Deux pas en arrière, Magozzi se retourna vers le mur, aperçut un éclat de bois qui ressortait des lambris et riva son regard dessus. Il entendit Jack sangloter, les flics à la porte renifler et Gino, dehors, qui hurlait « Mais qu'est-ce qu'elle fout, cette ambulance de merde ? » et, par-dessus tout ça, il entendit le vent qui redoublait et la pluie qui tombait de plus belle, écrasant la ville.

Puis, enfin, la sirène.

Les ambulanciers s'affairèrent sur Marty Pullman pendant dix bonnes minutes, accomplissant tous les gestes médicaux insupportables mais obligatoires quand il s'agit de quelqu'un qu'on ne veut pas perdre, respectant à la lettre un rituel qu'ils avaient jugé inutile dès qu'ils avaient vu Marty, mais indispensable parce que le cordon de policiers et la famille qui assistaient à la scène en avaient besoin. Quand ils se redressèrent finalement pour ramasser leur matériel et s'éloigner, l'un d'entre eux pleurait sans même chercher à se cacher. Il avait affronté Marty Pullman au tournoi de lutte de l'Etat, bien des années auparavant, et avait ri après avoir perdu, tant sa tentative de plaquer au sol les épaules monstrueuses de Marty lui avait semblé aussi vaine que d'essayer d'immobiliser un gorille.

Jack s'était éloigné suffisamment pour laisser les infirmiers faire leur boulot, mais sans plus. A peine eurent-ils tourné le dos qu'il retomba à genoux aux côtés de Marty.

L'un après l'autre, les flics postés à la porte entrèrent pour rendre un hommage silencieux à

410

l'un des leurs avant de sortir et de disparaître sous la pluie crépitante. Maintenant qu'ils ne blo-quaient plus l'entrée, les rafales poussées par le vent se mirent à fouetter le corps de Marty, lavant sa poitrine de son sang.

Gino, Magozzi et Lily se tenaient debout près de l'entrée. La main de Lily, toute fragile et triste, s'était retrouvée dans celle de Magozzi. Ils allaient avoir un moment de calme relatif avant l'arrivée des techniciens, pour lesquels la mort n'est qu'un objet d'étude.

Trop longtemps pour laisser Jack Gilbert tout seul dans son coin, se dit Gino qui, bien que n'ayant pas une sympathie particulière pour Jack, quitta le mur contre lequel il était appuyé pour aller le rejoindre.

Le sang avait été enlevé par la pluie, et Gino distingua une longue cicatrice irrégulière sur la poitrine immobile de Marty.

— Seigneur, murmura-t-il. Comment est-ce qu'il s'est fait ça ?

— C'est son père, dit Jack d'une voix aussi morte que le cadavre à côté de lui.

— Quoi ?

— C'est son père qui l'a poignardé, quand il était gamin.

— Nom de Dieu !

Gino ferma un instant les yeux, pensant à tout ce qui fait l'histoire d'un homme, se disant qu'on ne savait jamais rien sur personne et qu'il y avait des monstres partout. Des braves gens, aussi.

Il se retourna quand une bourrasque particuliè-rement violente expédia à travers la porte un rideau de pluie qui vint battre la peau dénudée de Marty. Les pensées de Gino revinrent au début de cette épouvantable affaire, à Lily Gilbert, qui avait détruit sa précieuse scène de crime en rentrant le cadavre de son mari pour qu'il ne reste pas allongé sous la pluie. Levant les yeux vers Magozzi et elle, il s'aperçut qu'elle le fixait à travers ses verres de lunettes épais. Sans pleurer, sans rien dire, d'un regard vide.

Pivotant vers la pluie qui inondait le visage de Marty, Gino comprit alors un certain nombre de choses.

Magozzi écarquilla les yeux quand il vit Gino s'accroupir, glisser les bras sous les épaules et les genoux de Marty Pullman, soulever le corps et le transporter doucement jusqu'au canapé, hors de portée des éléments déchaînés.

Quand Gino se retourna, Lily le fixait toujours. Elle lui adressa un mouvement de la tête et alla se placer derrière Jack. Plaçant ses mains sur ses épaules tremblantes, elle se pencha pour lui embrasser le haut de la tête et chuchota :

— Viens donc prendre soin de ta mère, mon petit. Elle a le cœur brisé.

Le chef Malcherson était arrivé dans la demi-heure suivant la fusillade pour prendre les choses en main. Il recueillit les témoignages de Magozzi et de Gino, débarrassa Magozzi de son pistolet et lança la procédure de rigueur lorsqu'un policier a fait une victime dans l'exercice de ses fonctions. D'un point de vue technique, Magozzi était en congé administratif jusqu'à ce que la commission

le mette hors de cause dans l'affaire Jeff Montgomery – c'était Gino qui signerait tous les rapports
nécessaires –, mais Malcherson n'envisagea pas
une seconde de le renvoyer dans ses foyers.
D'abord parce que Magozzi aurait choisi l'affron-
tement, ce qui aurait fait un peu désordre et les
aurait obligés l'un et l'autre à adopter des posi-
tions préjudiciables à l'enquête ; ensuite parce
que les Gilbert le connaissaient et lui faisaient
confiance et que, de ce fait, la clé de l'affaire se
trouvait entre leurs mains. Il y avait des fois où
l'on suivait le règlement à la lettre, d'autres où
on le contournait un peu. Il resta sur place
jusqu'à ce que Jimmy Grimm et son équipe en
aient fini avec la scène de crime.

A vingt-deux heures, Gino et Magozzi étaient
libres de leurs mouvements et purent aller s'entretenir avec les Gilbert.

Ils suivirent l'allée de gravier qui traversait les
parterres plantés derrière la maison. Malgré la
pluie, des morceaux de quartz colorés scintillaient
dans le faisceau de leurs torches. Pour l'instant au
moins, les éclairs s'étaient éloignés vers l'est. Un
autre front orageux arrivait de l'ouest – d'après
Jimmy Grimm, la tempête qui sévissait sur le Minnesota allait durer toute la nuit.

Lily les accueillit à la porte de derrière. Elle avait
enfilé une salopette et une chemise à manches
courtes. Magozzi remarqua les muscles fins de ses
bras maigres et le tatouage près du poignet.

— Vous avez des nouvelles de l'agent Becker ?
demanda-t-elle sans préambule.

— Il va s'en sortir, répondit Magozzi. Montgomery ne lui a pas tiré dessus. Il l'a seulement assommé.

— Où l'a-t-on emmené ?

— Au Hennepin County Medical Center, je crois.

— C'est un gentil garçon. Je voudrais lui envoyer des fleurs avant que vous ne nous mettiez en prison.

Stupéfaits, Gino et Magozzi échangèrent un regard.

— Nous ne sommes pas venus pour vous mettre en prison, madame Gilbert.

— Pour l'instant, peut-être. Entrez. Nous vous attendions.

Elle les mena à la cuisine où Jack était déjà assis à la table, séché et sobre, drapé dans une vieille robe de chambre écossaise qui avait dû appartenir à son père et dont il avait remonté les manches. Ce qui rappela à Magozzi combien Morey Gilbert était grand. Jack avait les yeux rouges et le visage gonflé.

— Comment ça va, Jack ?

— On fait aller. Asseyez-vous, les gars.

— Ç'a été une nuit terrible, dit Gino. Nous sommes désolés pour Marty. Vraiment désolés. Et nous regrettons de devoir vous poser des questions en un pareil moment.

— C'est votre travail, résuma Lily, s'activant dans la cuisine, sortant des assiettes des placards, remplissant des verres comme pour un couple d'amis de passage. Voilà, mangez ça.

Elle leur posa à chacun une assiette de soupe fumante sous le nez.

— C'est du potage au poulet. Ça remet les idées en place. Fait maison. Du schmaltz. Une recette de famille. Les autres ne valent rien.

Gino n'avait pas la moindre idée de ce que le schmaltz pouvait bien être, mais la soupe sentait rudement bon. Il prit la cuiller, hésita. Elle pensait qu'ils allaient l'emmener en prison et leur servait une assiette de soupe. S'ils la mangeaient, allait-on les accuser d'avoir accepté un pot-de-vin ?

— Laissez-vous faire, mangez ! lança Jack qui l'observait. Elle sait pourquoi vous êtes là. On vous dira tout ce que vous voulez. Mais la soupe d'abord.

— Oui, d'abord, confirma Lily. Ensuite, on parlera.

Magozzi mangea sa soupe, mais, contrairement à Gino, il en comprit la signification. Lily Gilbert les invitait enfin sous son toit.

Quand ils eurent fini, elle débarrassa et s'assit à côté de Jack.

— Dis-leur, pour Brainerd.

Sortant son carnet et son stylo, Magozzi garda le visage tourné un instant pour ne pas montrer sa surprise. Comment Jack pouvait-il bien être au courant pour Brainerd ? Il trouva la réponse avant même d'avoir posé la question et en fut complètement écœuré. Jack se trouvait au pavillon de pêche, avec son père et les autres. Jack était dans le coup.

Il sentit la même tension chez Gino, comprit qu'il avait eu la même idée, mais ils demeurèrent

415

tous les deux silencieux, pour entendre ça de leurs oreilles.

La réalité était presque pire.

Il fallut un bout de temps à Jack pour les mettre au courant, leur parler de Morey, Rose et Ben qui avaient tué le vieillard dans le pavillon de pêche. Pour leur parler de la silhouette qu'il avait vue ce jour-là, et de son refus de participer.

Magozzi et Gino arrêtèrent de prendre des notes en même temps pour fixer Jack.

— Quoi ? demanda ce dernier.

— Rien, Jack, continuez.

Il leur raconta le retour à la maison ce jour-là, la bagarre avec son père et tout ce qui s'en était suivi.

— Mais je n'ai jamais fait le moindre rapprochement entre Brainerd et la mort de papa, conclut-il. C'est hier seulement que j'ai percuté, en apprenant que Ben avait été tué et en voyant la photo de Rose Kleber dans le journal – je ne connaissais pas son nom avant. C'est là que j'ai saisi ce qui se passait, que la personne qui se trouvait dans le pavillon avait vu ce que nous faisions, et qu'on nous liquidait tous, les uns après les autres…

— Ce que *eux* faisaient, Jack, corrigea Gino. Pas vous.

— Peu importe. Quelle que soit la manière dont on considère les choses, j'ai du sang sur les mains, de toute façon. Si je vous avais parlé avant, peut-être que vous auriez compris suffisamment vite pour sauver Marty.

Magozzi intervint :

416

— Peut-être que oui. Mais peut-être aussi que non. Jeff s'était fabriqué une sacrée couverture.

D'un côté, il avait envie de tordre le cou à Jack parce qu'avec un peu plus de temps ils auraient peut-être réussi à sauver Marty ; et de l'autre, il le plaignait de tout son cœur. Quelle vacherie, d'avoir un père qui essaie de faire de vous un tueur et vous renie quand vous vous y refusez !

Jack se leva et se servit une tasse de café.

— Ce n'est pas tout. Papa m'a dit qu'ils n'en étaient pas à leur coup d'essai, qu'ils faisaient ça depuis des années, et qu'ils avaient liquidé beaucoup de nazis. Il a ajouté qu'il avait rangé la liste dans la mémoire de l'ordinateur, mais je n'ai pas réussi à la récupérer. Peut-être qu'il l'a effacée.

— On va faire venir un expert pour embarquer l'ordinateur et examiner ça de plus près, dit Magozzi. Au cas où.

Jack haussa les épaules.

— Peut-être que c'était même pas vrai, ce qu'il m'a raconté.

— Malheureusement si, c'est vrai, fit Magozzi. On vient d'en avoir la confirmation cet après-midi. Ben Schuler avait inscrit la liste des victimes au dos de photos qu'il gardait chez lui.

Lily se redressa un peu sur sa chaise.

— Combien ?

— Plus de soixante, apparemment.

Elle ferma les yeux.

— Pendant toutes ces années, vous ne vous êtes jamais doutée de la nature exacte des activités de Morey ?

Otant ses lunettes épaisses, elle ouvrit les yeux et le regarda. C'était la première fois que Magozzi voyait ses yeux sans l'obstacle des verres. Magnifiques, pensa-t-il. Et tragiques.

— Je vais vous dire ce que je savais. Il a commencé à parler de cette affaire tout de suite après la guerre. Il y avait d'autres groupes, des groupuscules en fait, qui pourchassaient ces hommes et les tuaient. Il pensait que c'était juste, que c'était une noble cause. Je l'ai averti que si jamais il sortait un jour de la maison pour aller tuer un seul être humain, je lui interdirais de remettre les pieds à la maison. Il n'a plus jamais abordé le sujet.

— Il effectuait des déplacements sans vous au moins deux fois par an, souligna Gino. Vous n'avez pas trouvé ça étrange ?

— Vous êtes trop méfiant, inspecteur Rolseth. Quand votre femme part en week-end avec des amis, est-ce que vous vous dites : « Ah, elle est encore partie flinguer des gens ! » Morey et Ben allaient à la pêche ensemble, de temps à autre. Etait-ce si difficile à croire ? En tout cas, je n'ai jamais rien su jusqu'au soir où Morey a été tué. Je pensais qu'il était dans la serre, comme tous les soirs. Mais il m'a réveillée aux environs de minuit pour me dire qu'il avait tué la Bête.

— Un animal ? demanda Gino.

— Non, *la* Bête. C'est comme ça qu'ils l'appelaient. Il était SS à Auschwitz.

— Heinrich Verlag, dit Magozzi. Egalement connu sous le nom d'Arlen Fischer.

Jack en resta interdit.

— Fischer ? Le type qu'on a retrouvé attaché sur la voie de chemin de fer ? Tu veux dire que c'est l'œuvre de papa ? Et il t'a mise au courant ?

Lily fit oui de la tête.

— Ce Verlag, je le connaissais. Et pour cause. Je l'avais vu en action. Soixante ans durant, j'avais désiré sa mort. Alors Morey m'a réveillée, tout guilleret, heureux comme un chat qui rapporte une souris morte. Il s'est peut-être dit que ça ne me dérangerait pas d'apprendre la mort de celui-là. Toutes ces années, et il ne m'a jamais comprise...

— Tu aurais dû me le dire, maman.

— Tu t'imagines que je voulais que mon fils sache que son père était un assassin ?

— Mais je le savais déjà.

Lily lui adressa un petit sourire triste.

— C'est seulement maintenant que tu me le dis.

Magozzi posa son stylo et se frotta les yeux. Ça faisait presque trop d'éléments nouveaux à assimiler d'un seul coup. Et rien de vraiment favorable à Jack et à Lily.

— Il va nous falloir rédiger notre rapport et le remettre à la hiérarchie, dit Gino, comme en écho aux réflexions de Magozzi.

Jack esquissa un sourire.

— Ne soyez pas si sombre, inspecteur. Ça fait deux jours que vous essayez de me faire mettre en prison, vous voilà exaucé. J'ai été témoin d'un meurtre, j'ai gardé le silence, et je vais signer une confession. Il est grand temps que quelqu'un dans la famille commence à prendre ses responsabilités !

Lily lui tapota la main.

— N'espère pas trop profiter des luxueuses installations de Stillwater dans un avenir proche. Nous avons beaucoup de circonstances atténuantes. Et nous ne savons pas quelle attitude le procureur prendra dans cette affaire.

— Encore une question, Jack, fit Magozzi. Marty voulait que vous nous disiez quelque chose qui nous permettrait de mettre un point final à l'affaire Eddie Starr.

Jetant un regard en direction de Lily, il constata que le nom l'avait secouée.

— Il savait que Morey l'avait tué, hein ?

Jack se contenta de le fixer sans dire un mot.

— Ça n'a plus d'importance, Jack. De toute façon, on était au courant – le pistolet que Morey et ses acolytes ont utilisé pour liquider leurs victimes est le même qui a tué Eddie Starr…

— Morey a tué l'homme qui a tué Hannah ? chuchota Lily.

— Non, répondit tranquillement Jack. C'est Marty qui l'a tué. C'est ça qui le rongeait. C'est ça qui l'empêchait de vivre.

Magozzi et Gino se regardèrent et se laissèrent retomber sur leurs chaises, comme si soudain ils n'avaient plus l'énergie de se redresser.

Fermant les yeux, Magozzi ne vit partout que haine et vengeance. Tous des tueurs, Morey, Marty… il n'y avait que Lily et Jack qui sortaient du lot, ils étaient les seuls à avoir résisté à la violence qui avait détruit leurs existences. Comme ils se ressemblaient. Il se demanda s'ils s'en rendaient compte. Existait-il une seule personne capable de faire le tri dans le chaos de toutes leurs erreurs et de comprendre qu'au fond Lily et Jack étaient des gens bien ?

C'est alors qu'il se souvint des paroles de Marty mourant :

« Pendant tout ce temps, tu as été le seul type bien, Jack. T'as été mieux que nous tous. C'est toi, le héros. »

42

Pendant la nuit l'orage avait déserté le Minnesota pour s'en aller sévir sur le Wisconsin, laissant dans son sillage des champs boueux, des bâtiments en miettes, des vies en ruines. Neuf tornades s'étaient succédé dans l'Etat, et pour l'heure les médias s'affairaient, fixant sur la pellicule les traces des dégâts.

La fusillade de la pépinière d'Uptown avait été succinctement couverte par la presse qui, trop absorbée par la météo, n'avait pas encore sérieusement creusé l'affaire.

Mais d'ici peu, quand le public commencerait à se lasser des gros plans d'arbres abattus, de poids lourds couchés sur le flanc et des vestiges d'un bâtiment sis près de Wilmer qui avait abrité vingt mille dindes, les journalistes viendraient assiéger les hommes de la Criminelle en quête d'un sujet susceptible de faire grimper l'audimat.

Cette perspective n'enchantait guère le chef Malcherson tandis qu'il longeait le couloir pour gagner la salle de la Criminelle. Force lui était de le reconnaître : des perspectives joyeuses, il n'y en avait pas tant que ça dans l'immeuble, aujourd'hui.

Gloria était à son bureau à l'entrée, enveloppée de noir, triant le courrier. Marty Pullman avait passé pas mal de temps dans cette pièce, quand Langer et McLaren bossaient sur le meurtre de Hannah, et Gloria l'avait pris en amitié. En partie parce qu'il avait les jambes arquées – trait qu'elle trouvait irrésistible chez un homme. En partie parce qu'il se comportait toujours en parfait gentleman et lui témoignait ce respect discret dont on ne se lasse jamais. Mais surtout parce que la mort de sa femme l'avait brisé et qu'il n'avait pas honte de le montrer. Tout homme qui aimait son épouse à ce point-là méritait qu'on s'intéresse à lui.

Elle leva la tête quand Malcherson s'arrêta près de son bureau.

— Vous avez réussi à dormir un peu, patron ?

— Quelques heures, merci. Qui est présent ?

— Peterson a été appelé pour cette histoire d'ivrogne qu'on a repêché dans le Mississippi ce matin. Les autres sont là. Magozzi et Rolseth sont rentrés il y a environ une demi-heure, avec une bien sale tronche. Si vous voulez mon avis, et je sais que c'est le cas, je crois que vous devriez les renvoyer chez eux.

— Je vous promets de m'y employer, Gloria.

Malcherson se dirigea vers le fond de la salle, où Langer et McLaren travaillaient à leurs bureaux, à gauche, Magozzi et Gino sur la droite. Il prit une chaise, la posa dans l'allée entre eux et s'assit, un bloc vierge sur les genoux.

— Messieurs, il y a deux ou trois choses qu'il nous faut éclaircir...

Langer et McLaren avaient l'air bien. Ils avaient terminé leurs rapports sur la fouille de l'appartement de Jeff Montgomery et étaient rentrés chez eux avant minuit. Magozzi et Rolseth, eux, étaient toujours sur la brèche, à trois heures du matin, quand le chef de la police était parti. Magozzi paraissait parfaitement détruit ; Gino avait des valises sous les yeux. Surtout, il n'avait pas fait le moindre commentaire sur le costume du boss. Preuve qu'il était vraiment aux fraises.

— Vous avez fait du sacré bon boulot dans cette affaire, messieurs. Corrigez-moi si je me trompe, il semble que nous ayons élucidé quatre homicides d'un coup la nuit dernière...

— Ça n'a pas été sans mal, fit Magozzi amèrement.

— Vous avez sauvé la vie à Jack Gilbert, lui rappela Malcherson.

— Mais Marty Pullman est mort dans nos bras. On est arrivés dix secondes trop tard.

— Comme chaque fois qu'un meurtre est commis dans notre ville, inspecteur Magozzi. Nous faisons ce que nous pouvons.

Il sortit son Montblanc de sa poche et regarda Langer et McLaren.

— Vous avez un rapport sur la fouille de l'appartement de Thomas Haczynski ?

— Ça ne saurait tarder. Les constatations préliminaires sont éloquentes...

McLaren ouvrit un petit carnet fatigué à la couverture remplie de gribouillis.

— Le gamin avait un 22 sous son matelas, et la balistique vient tout juste de le confirmer : c'est celui qui a tué Morey Gilbert. Et le 9 mm qu'il a utilisé pour descendre Marty a tué Rose Kleber et Ben Schuler. En outre, nous avons trouvé son journal intime, dans lequel il raconte ce qu'il faisait et pourquoi. Jusqu'au moment où il s'est rendu à la pépinière, la nuit dernière, pour abattre Jack Gilbert. Ce n'est pas d'une lecture follement réjouissante, vous pouvez me croire. Ça fout les jetons, en fait. Voilà plus d'un an qu'il projetait de faire ça, jusqu'au moindre détail, il avait tout prévu. Y compris la magouille téléphonique grâce à laquelle il nous a fait croire qu'il appelait d'Allemagne.

— Expliquez-moi ça, fit Malcherson en levant les yeux de son bloc.

— On vient de raconter ça à Gino et Magozzi, dit Langer. Montgomery possédait un de ces coûteux téléphones hybrides chez lui – du genre qui marche ici et en Europe. En fait, c'était assez simple. Tout ce qu'il a eu à faire, ç'a été de prendre un compte allemand, avec un numéro de téléphone allemand, et personne, pas même nous, ne pouvait faire la différence. Il pouvait recevoir des appels ou en passer de partout dans le monde et avoir l'air d'être en Allemagne.

— Le petit fumier, grommela Gino, qui râlait toujours à l'idée qu'il s'était fait abuser. Sanglotant un instant, parlant allemand le suivant, se faisant passer pour son oncle...

Malcherson soupira.

— Autrement dit, pour l'essentiel, les affaires de Magozzi et de Rolseth sont élucidées.

— En effet, confirma Langer. Il n'en va pas de même pour ce qui est de l'affaire Arlen Fischer. Nous savons que Morey Gilbert et ses acolytes l'ont descendu, mais nous n'avons pas de preuves formelles. Un tas de billets d'avion et une foule de conjectures. Impossible de prouver qu'ils ont tenu une arme et s'en sont servis pour liquider ne serait-ce qu'une de leurs soixante victimes. Même chose pour Arlen Fischer. Quant aux aveux de Morey à Lily, n'importe quel étudiant en droit de seconde année les réduirait à néant. Et elle avec. Elle est âgée, elle était profondément endormie et a été tirée brusquement de son sommeil, elle a pu rêver...

— Idem en ce qui concerne la version donnée par Jack des faits qui se sont produits à Brainerd, dit Gino. Si ç'avait été Jimmy Carter, passe encore... Mais venant d'un avocat ivre qui arpente les rues de Wayzata en peignoir de bain...

— Alors, quel est le problème ? s'enquit McLaren. Ce n'est pas comme si on allait poursuivre ces gens-là, ils sont morts...

— Si nous essayons de fermer le dossier Arlen Fischer en nous fondant sur nos seules conclusions non étayées par des preuves, ça va faire un certain bruit, et je n'ai aucune envie de tenter de convaincre le public de nous croire sur parole quand nous lui dirons que ces trois adorables piliers de la communauté, qui ont réchappé aux camps de concentration pour se faire trucider dans notre ville, constituaient en fait une jolie bande d'assassins…

McLaren leva les mains en l'air.

— Alors gardez-vous de clore l'affaire. Laissez-la en suspens, *ad vitam aeternam.*

— Ça ne marchera pas non plus, remarqua Langer. Le journal de Jeff Montgomery va être porté à la connaissance du public dès que nous aurons clos les affaires Gilbert, Kleber et Schuler, et ce journal raconte comment ces trois personnes ont assassiné son père à Brainerd. Tout le reste sera dévoilé et on se fera taper sur les doigts pour ne pas avoir poursuivi l'affaire.

Malcherson porta un doigt à son sourcil cotonneux.

— La presse va s'en donner à cœur joie. C'est le genre d'histoire dont les journalistes font leurs choux gras. Une aubaine, pour eux. Des nazis se cachant dissimulés dans nos murs, des justiciers juifs organisés en escadron de la mort… La ville va prendre parti et la polémique risque de durer un certain temps, et nous, nous serons coincés au milieu de tout ce battage. Et ça, c'est à l'échelon local. Parce que quand l'affaire se répandra à travers le pays, le département se trouvera pris dans une tempête médiatique globale, je ne vous dis que ça…

McLaren se laissa glisser dans son fauteuil au point que c'était à peine si on distinguait encore sa tête par-dessus le bord de son bureau.

— En résumé, on l'a dans le cul si on essaie de clore le dossier Arlen Fischer, idem si on ne le fait pas...

— Bien vu, inspecteur.

— Bon, d'accord. Langer, file ton flingue au patron. Qu'il nous descende et se tire une balle dans la tête ensuite.

— Il y a peut-être une autre possibilité... commença Malcherson avec dans le regard un éclat inattendu. Techniquement, quand on refile le bébé au FBI, l'affaire est close officiellement dans le département. Les questions, s'il y en a, concernant ladite affaire doivent alors être adressées à l'agent spécial Paul Shafer. Nous ne serions plus en mesure de parler du dossier à quiconque. Que ce soit aux instances policières locales, à Interpol ou aux médias. Nous aurions les mains liées, messieurs.

L'un après l'autre ils ébauchèrent un sourire, pour la première fois depuis un bon moment. Tous à l'exception de Johnny McLaren, qui considérait Malcherson avec une expression de stupeur non déguisée.

— Vous êtes sacrément malin, patron.

— Merci, inspecteur McLaren.

Malcherson avait presque atteint le bureau de Gloria lorsque Gino le rappela :

— Hé, chef !

Malcherson s'arrêta net mais ne se retourna pas.

— Félicitations pour le costume marine, poursuivit Gino. L'Américain moyen porte généralement du noir en cas de deuil, mais un homme de

pouvoir comme vous ? Ç'aurait été trop drama-
tique. Vous avez fait très fort. Et mis dans le mille,
encore une fois.

Le chef Malcherson attendit d'être dans le couloir pour sourire un grand coup.

Vingt minutes plus tard, l'inspecteur Aaron
Langer entrait dans le bureau du patron au
moment où ce dernier raccrochait son téléphone.
Malcherson avait l'air plutôt content.

— C'était Paul Shafer, annonça-t-il. Il a été
ravi d'apprendre que nous nous étions finalement rendu compte que l'affaire Arlen Fischer
était un trop gros morceau pour notre petit
département et qu'elle dépassait de loin nos
compétences d'enquêteurs...

Langer eut un sourire.

— Que lui avez-vous dit, patron ?

— La vérité, pleine et entière. Que le département de la police de Minneapolis n'est pas qualifié
pour gérer une enquête de cette envergure.

— Il a dû avoir du mal à résister à un argument
pareil...

— En effet. Il va passer prendre le dossier. En
personne.

— Donc, en ce qui nous concerne, l'affaire
Arlen Fischer est maintenant close...

— C'est exact.

— Voilà une bonne nouvelle, patron.

Langer sortit son arme de son étui, ôta le chargeur, puis la posa, crosse en avant, sur le bureau.

Malcherson fixa l'arme, puis le badge que Langer
plaçait à côté.

— Puis-je m'asseoir, monsieur ?

— Eh bien... Oui, faites donc.

Langer s'installa dans le fauteuil puis regarda par la fenêtre parce qu'il ne pouvait regarder son patron dans les yeux. Il y avait un bout de temps qu'il n'en était plus capable.

— Marty Pullman était près de mon bureau, le jour où j'ai reçu l'appel m'indiquant où nous pourrions trouver Eddie Starr. J'ai noté l'adresse... et j'ai quitté la pièce.

Malcherson attendit, le visage immobile, une expression indéchiffrable sur son visage.

— Marty a entendu l'appel. Il savait de quelle adresse il s'agissait. Et je savais qu'il le savait. Alors j'ai laissé la feuille où j'avais noté l'adresse bien en vue sur mon bureau et je suis parti.

Malcherson contempla une empreinte de doigt qui souillait le plateau immaculé de sa table de travail, se demandant à qui elle pouvait bien appartenir.

— A quoi pensiez-vous donc, inspecteur Langer ? demanda-t-il doucement.

— Je ne sais pas trop, monsieur. Je pensais peut-être que Marty avait le droit de dérouiller l'homme qui avait tué sa femme avant qu'on arrive là-bas. Ou peut-être que dans mon for intérieur je me disais qu'il risquait d'y aller encore plus fort. Franchement, je ne sais pas, et cela n'a pas d'importance. L'important, c'est que quand j'ai vu le corps d'Eddie Starr, j'ai tout de suite compris ce qui s'était passé. Marty a peut-être pressé la détente, mais c'est moi qui lui ai

429

permis de le faire, quand j'ai quitté mon bureau ce jour-là.

Malcherson s'éclaircit doucement la gorge. Puis :

— Inspecteur Langer, je ne croirai jamais que vous avez intentionnellement incité Marty Pullman à commettre un meurtre.

Langer afficha un sourire de guingois.

— Vraiment ? Eh bien, je n'en suis pas si sûr, et ça fait des mois que ça me travaille. Et avant ça j'avais passé des mois à observer ce que Morey, Lily et Jack vivaient, à regarder Marty dégringoler la pente un peu plus chaque jour, et je me disais que c'était injuste qu'une pourriture comme Starr ait réussi à détruire tant de gens bien... Vous comprenez ce qui se passait dans ma tête, monsieur ? Je prenais une décision. Je décidais qui étaient les bons et qui étaient les méchants, et peut-être même quels étaient ceux qui méritaient de mourir. Comme Marty l'a fait, et Morey, et les autres. Quand l'affaire a commencé à prendre corps sous nos yeux et que j'ai compris qu'Eddie Starr, même s'il avait encore vécu cent ans, ne serait jamais arrivé, en quantité de victimes, à la cheville de Morey Gilbert... les bons et les méchants ont fini par ne plus faire qu'un, jusqu'au moment où la seule chose dont j'aie été sûr, c'est que je n'avais pas été capable de faire la différence...

Il coula un regard vers son badge.

— J'aurais dû vous le rendre à ce moment-là, monsieur.

Il se leva et tapota ses poches, le poids de sa vie, qu'il venait de déposer sur le bureau du patron, lui manquait déjà. Puis il croisa le regard de Malcherson sans trembler et sourit. Bizarre, mais il se sentait bien.

— Vous savez où me trouver, monsieur, conclut-il.

Il pivota et sortit.

Malcherson resta assis un long moment à son bureau, après son départ.

43

Magozzi et Gino se trouvaient près de la grande table de la salle de la Criminelle, faisant des photocopies des divers documents qu'ils avaient accumulés depuis la nuit où Arlen Fischer et Morey Gilbert avaient été assassinés. Paul Shafer, lui, était dans le bureau de Malcherson, avec deux de ses collaborateurs du FBI, occupé à remplir la paperasse signifiant qu'il reprenait officiellement l'enquête sur l'affaire Fischer. Des grouillots du FBI allaient se pointer d'un instant à l'autre pour emporter la documentation afférente à cette enquête.

McLaren entra dans la salle, poussant un chariot chargé de quatre grands cartons qu'il était allé chercher dans la pièce des mises sous scellés.

— Voilà le reste de ce qu'on a trouvé chez Fischer.

Il s'arrêta devant la table de Gloria, s'essuya le front.

— Vous me donnez un coup de main, mademoiselle Gloria ?

Elle tendit vers lui en les agitant d'un air entendu dix ongles superbement laqués de noir.

— Vous avez vu mes ongles ? Posez pas de questions idiotes.

McLaren se plaqua une main contre le cœur.

— Je suis idiot. Je suis tout ce que vous voudrez. Vous n'avez qu'un mot à dire.

— Ce que je veux, c'est que vous fichiez le camp.

— Et moi, je vous veux toute à moi.

— Oh, pour l'amour du ciel !

Elle sortit en trombe de son petit bureau et s'éloigna sur ses chaussures noires à plates-formes.

Il eut un grand sourire, approcha le chariot de la table.

— Je crois qu'elle commence à m'avoir à la bonne...

— Un vrai don Juan, voilà ce que tu es, dit Gino, attrapant un carton. Ecoute, McLaren, si tu soulevais autre chose que des trombones avec tes petits bras grêles, tu n'aurais pas à demander à une femme de te donner un coup de main.

— Possible, oui. Mais où diable est passé Langer ? C'est dingue, ce mec n'a pas son pareil pour se trouver quelque chose d'urgent à faire dès qu'il s'agit de manipuler des cartons !

Magozzi s'éloigna de la table lorsque son portable sonna.

— Salut, Magozzi.

— Salut, Grace.

— J'ai appris la nouvelle. Désolée pour votre ami Marty. Ç'a dû être épouvantable. Vous vous sentez comment ?

Seigneur, comme il aimait qu'elle s'inquiète pour lui !

— Pas très bien.

— Peut-être que je pourrais venir vous voir ce soir, vous préparer à dîner, déboucher une ou deux bouteilles de vin...

Magozzi s'éloigna encore de quelques pas de la table et baissa la voix.

— Vous voulez venir chez moi ?!

— J'ai un cadeau pour vous.

Magozzi eut l'impression qu'il lui poussait de petites ailes.

— Vous n'allez plus en Arizona ?

— Désolée, Magozzi. Annie arrive cet après-midi. On part tous demain matin.

Plouf! Ses petites ailes disparurent, écrasées sous les talons des bottes de Grace MacBride.

— Il s'agit d'une autre sorte de cadeau.

— Un cadeau d'adieu ? Merde, Grace, quelle chierie !

— Croyez-moi, ça devrait vous plaire. Je serai chez vous à sept heures.

Magozzi referma son téléphone et décida qu'il s'en foutait pas mal si Grace MacBride partait pour l'Arizona ou pour la Lune. Gino avait raison. Il lui fallait une vie. Une femme. De préférence une qui l'aiderait à se choisir un canapé.

Oh, il la laisserait venir chez lui ce soir, ils dîneraient, boiraient un peu, peut-être qu'il la renverserait en arrière et l'embrasserait follement ; mais après ça, il la flanquerait dehors. Voilà ce qu'il allait faire. Il...

— C'était Grace ?

Gino le regardait, sourcils levés.

— Ouais, grogna Magozzi, d'une voix d'homme digne de ce nom.

Un homme qui s'en foutait, un homme qui prenait les choses en main. Il se demanda si le sourire idiot qu'il sentait naître sur son visage ne démentait pas l'impression qu'il essayait de donner.

Harley Davidson était au volant du gros camping-car aménagé selon leurs spécifications, ses énormes bras tatoués reposant sur le volant, sa carcasse massive engoncée dans un fauteuil de cuir Connolly spécialement conçu pour ses dimensions impressionnantes. Un fauteuil qui valait vingt mille dollars et dont le transport par avion depuis l'Italie avait allongé la note de mille dollars supplémentaires. Un sourire éclatant fendit sa barbe noire. Le fauteuil avait coûté une fortune, mais il tenait toutes ses promesses.

— Putain, j'adore ce siège. Je suis capable de conduire cet engin jusqu'en enfer et retour. Ouais, ça me botterait.

La grande cigogne qui était à côté de lui croisa ses longs bras grêles sur sa poitrine osseuse en faisant la moue.

— C'est mon tour de le conduire. Tu as conduit jusqu'à l'aéroport, à moi le volant pour le trajet de retour. Pousse-toi.

Les yeux de Harley se portèrent vers la droite. Roadrunner était en Lycra de la tête aux pieds, comme d'habitude. Aujourd'hui, il avait revêtu une combinaison orange. Ça arrachait. Harley eut l'impression de s'adresser à un de ces panneaux qui, sur les routes, signalent les abords d'un chantier.

— Roadrunner, il est hors de question que tu conduises cette machine. Ote-toi cette idée de la tête.

— Ah ouais, et pourquoi ça ?

— Réfléchis cinq secondes. Primo, tu n'as pas, tu n'as jamais eu de permis. Secundo, la seule chose que tu aies conduite ces trente dernières années, c'est un vélo. Les freins ne sont pas sur le guidon sur ce bolide, espèce de crétin !

— Ça vous ennuierait d'arrêter de vous chamailler ? lança Annie de sa voix traînante derrière eux.

Le regard de Harley glissa vers l'un des sept rétroviseurs. Trois étaient réglés de telle sorte qu'il puisse voir sous trois angles différents Annie Belinsky, languissamment allongée sur l'un des canapés. Elle portait un haut ajusté en daim couleur porto avec des franges dans le bas et des perles en haut et, ô Seigneur, des bottes de cowboy munies d'éperons.

— Bon Dieu, Annie, ces éperons, j'ai l'impression de les sentir dans mes flancs...

Annie considéra son dos d'un regard noir.

— Décidément, je ne me suis absentée que deux semaines et pourtant j'avais réussi à oublier ton langage. Tu n'es qu'un vieux cochon, Harley.

— Tu lui as manqué, dit Grace.

Elle était couchée sur l'autre canapé, ses pieds bottés devant elle.

— Tu nous as manqué à tous.

Roadrunner pivota dans son fauteuil pour faire face à Annie.

— Tu m'as rapporté un cadeau ?

— Bien sûr, mon chou. Dans le sac noir, là.

Le visage de Roadrunner s'illumina, il se mit à fouiller dans le sac jusqu'à ce qu'il trouve un paquet enveloppé dans du papier. Il le déchira et en sortit une chemise de cow-boy en Lycra vert acide, avec des boutons pression en nacre et un crâne de vache brodé sur la poche poitrine.

— Purée, Annie, c'est génial ! Où as-tu réussi à dénicher une chemise de cow-boy en Lycra ?

— Il faut que tu saches un truc, Phoenix est un vrai paradis pour les fondus de shopping qui aiment le style cow-boy urbain. Ils mettent des cactus, des crânes de vache et des franges absolument partout. Ta chemise, je l'ai trouvée dans un magasin de cycles, à quelques kilomètres du centre.

Roadrunner se leva, son crâne touchant presque le plafond, et se mit en devoir de retirer son haut en Lycra orange.

Harley lui jeta un coup d'œil en biais et eut un sursaut.

— Putain, Roadrunner, c'est ton torse ou t'as avalé un xylophone ?

— Un mec qui possède des nichons comme les tiens ferait mieux de la fermer !

— C'est pas des nichons, c'est des pectoraux.

Annie se prit la tête entre les mains.

— C'est reparti... Vous allez continuer comme ça jusqu'en Arizona ?

— Tu aurais dû les entendre quand ils préparaient cet engin, fit Grace. On aurait dit deux vieilles poules, à se disputer sans arrêt...

Roadrunner avait un sourire épanoui, vêtu maintenant de ses atours de l'Ouest. Il prit la pose dans son caleçon orange pétant et sa chemise vert acide.

— De quoi j'ai l'air ?

Harley lui lança un coup d'œil.

— D'une putain de carotte.

Annie roula les yeux et considéra Grace.

— Et le programme que tu avais développé pour Magozzi, il a marché ?

— Au poil ! lança Harley d'une voix de stentor.

Il avait horreur d'être tenu à l'écart d'une conversation.

— Gracie a résolu l'affaire avec son logiciel de reconnaissance de physionomies.

— Bravo, ma grande, continue. Tu te feras des couilles en or quand tu l'auras mis sur le Net. C'était quoi, cette affaire ?

Grace ferma les yeux.

— Je préférerais ne pas en parler.

— Annie veut savoir, dit Harley. Et je vais le lui raconter. Tu vois, Annie, voilà l'histoire. D'abord les nazis ont tué les juifs, d'accord ? Alors tu sais ce qui s'est passé dans notre belle ville ? Trois vieux juifs se sont payé un nazi. C'est justice, non ?

Roadrunner le regarda, bouche bée.

— C'est la chose la plus horrible que je t'aie entendu dire.

— Quoi ?

— Bon sang, Harley, ils ont attaché un pépé de quatre-vingt-dix ans à la voie ferrée afin qu'il se fasse réduire en bouillie !

Harley haussa les épaules, l'air de ne pas comprendre.

— C'était un nazi, bordel de merde. Où est le problème ?

— Je suis comme la plupart des hommes civilisés, Harley, le meurtre, ça me pose des problèmes. Ils auraient dû le livrer aux autorités compétentes, l'envoyer à La Haye… Les tribunaux, les avocats, les procès équitables, ça ne te dit rien ? Ce n'est pourtant pas nouveau comme concept…

— Des conneries. Le seul bon nazi est un nazi mort. Tu ne me crois pas ? Demande à n'importe quel Allemand, il te dira la même chose.

— Comment sais-tu ce que pensent les Allemands ?

— Figure-toi, mon vieux, que je me rends en Allemagne au moins une fois par an pour acheter du vin et faire la fête avec certains des individus les plus hospitaliers de la terre, qui se trouvent vivre dans l'un des plus beaux pays du monde, et je ne parle pas de l'exceptionnelle qualité de leur bière ou de leurs voitures. Et ces gens-là haïssent les nazis !

Annie se pencha et chuchota à l'intention de Grace :

— Je refuse de faire tout le trajet jusqu'en Arizona avec ces deux dingues !

Grace soupira et sourit, heureuse d'être là, à écouter Harley et Roadrunner se disputer, et Annie se plaindre – tous bruits évoquant une famille. Elle les aimait tellement que parfois cela lui faisait mal. Et certains jours, quand elle se sentait vraiment bien, elle éprouvait la même chose pour Magozzi également.

Annie lut de nouveau dans ses pensées.

— Magozzi va te manquer, non ?

— C'est un chic type, Annie.

— C'est un prince, gronda Harley. Je l'adore. Chaque fois que je le vois, j'ai envie de l'embrasser sur la bouche. Comment va-t-il, ce vieux salaud ?

Grace haussa les épaules.

— La semaine a été dure.

Elle regarda Annie.

— Il y a eu une fusillade, la nuit dernière. Encore cette histoire de nazis et de juifs. Un flic a été tué, et Leo a été obligé de descendre un jeune gars…

— Oh, Seigneur ! Magozzi n'est pas homme à liquider des gens inconsidérément. Le pauvre.

Grace hocha la tête.

— Je vais chez lui ce soir. Un dîner d'adieu.

— Tu devrais coucher avec lui, décida Annie. Les hommes, ça leur fait du bien. Ils se sentent mieux, après.

Harley tourna la tête pour fixer Grace.

— Tu plaisantes ? Tu n'as pas encore couché avec lui ? Je croyais que ce mec était italien...

— Je pense qu'on devrait peindre le nom de cet autocar sur la carrosserie, dit Roadrunner, changeant abruptement de sujet.

— Ce n'est pas un car, connard, mais ce n'est peut-être pas une mauvaise idée. « Chariot », en grosses lettres à l'avant et sur les flancs...

— Vous avez rebaptisé la société « Chariot » ? fit Annie, atterrée.

— Non, « Chariot », c'est juste le nom de ce car qui n'en est pas un. C'est plus fort que lui : il faut qu'il donne des noms à tout. Tu veux savoir comment il a surnommé sa queue ?

— Surtout pas.

— De toute façon, je ne te l'aurais pas dit. On devrait peindre le nom de la société sur le camping-car. « Gecko Incorporated »... En lettres vertes, le *G* enroulé comme la queue d'un lézard.

Annie et Grace se regardèrent. Harley se passa une main sur le visage.

— Pas question de donner à notre société un nom de reptile, décréta Annie.

Roadrunner fit la moue.

— Personne ne propose de nouveau nom...

— J'ai réfléchi à la question, dit tranquillement Grace. On va l'appeler « Monkeewrench ».

Personne ne souffla mot, l'espace d'une minute. Puis :

— Un nom qui n'a pas toujours eu très bonne presse, Grace, remarqua Harley.

— On peut en dire autant de « USA », et personne n'a suggéré d'en changer.

Annie réfléchit un instant puis, tendant le bras, tapota le genou de Grace.

— Ça me plaît, dit-elle avec un sourire. Ça nous correspond.

44

Des journées agréablement chaudes, des nuits fraîches, très fraîches. Voilà ce que le front froid canadien avait laissé dans son sillage lorsqu'il avait bouté les orages hors de l'Etat, la veille au soir.

Vers dix-huit heures, la température avait déjà chuté très nettement, et Magozzi, planté sous son porche dans un gros sweat-shirt noir, se demandait quel effet ça devait faire de vivre dans un endroit où la température ne faisait pas des bonds aussi capricieux en l'espace de vingt-quatre heures. Ça devait sans doute être assommant. Et cela obligerait bon nombre de Minnesotains à se trouver de nouveaux sujets de conversation.

Le vent était même du genre glacial ce soir, et Magozzi humait déjà l'odeur du bois qui brûle s'échappant des cheminées alentour.

C'était la nuit rêvée pour faire du feu. Il en avait préparé un chez lui, un peu plus tôt, et se tenait maintenant sur la moquette devant le foyer, se demandant où Grace et lui allaient s'asseoir.

Il avait pensé à décanter le vin rouge, le blanc était au frais, le couvert était mis dans la petite cuisine, sans oublier les cuillers, bien qu'il restât persuadé que c'étaient des ustensiles plutôt inutiles, puis il avait commencé à imaginer la soirée, douillette et langoureuse, devant un feu d'enfer.

Le problème lui avait aussitôt sauté au visage : la quasi-absence de mobilier de son intérieur. Or il n'avait jamais vu Grace s'installer par terre. Elle n'aimerait pas cela. Ça lui prendrait trop de temps pour se lever, dégainer et faire feu, au cas où, or Grace passait sa vie à se préparer pour ce genre d'événement.

« Je vais te donner un conseil, lui avait dit Gino dans l'après-midi, quand il avait appris que Grace allait bel et bien, pour changer, se rendre chez Magozzi. Prends exemple sur les oiseaux à berceau.

— Merci, Gino, j'aurais dû y penser avant...

— Fais pas le con. J'essaie seulement de t'aider.

— Ah oui ?

— Les mâles de cette espèce construisent des nids sophistiqués sur le sol, semblables à de petites grottes portatives faites de rameaux et de branches et de conneries comme ça, puis ils dégotent de jolies choses, comme des pétales de fleurs, des petits cailloux brillants, et ils les éparpillent sur les brindilles pour que le nid ait l'air attirant. C'est comme ça qu'ils font venir les femelles. L'oiseau qui a le plus joli nid gagne. Bon, la triste morale de cette histoire, mon vieux Leo, c'est que ton nid est le plus moche de la ville. »

Magozzi soupira et considéra sa pelouse pelée, son conifère mourant, l'unique chaise longue sous le porche et le gril Weber sur ses pieds rafistolés à l'aide de ruban adhésif. Il songea vaguement à creuser le sol pour y trouver des cailloux brillants, mais finalement il se contenta de ramasser le rouleau d'adhésif demeuré près du gril et l'emporta à l'intérieur. Il ne pouvait guère faire mieux, il n'avait pas le temps.

A dix-neuf heures précises, il ouvrit la porte d'entrée et contempla Grace MacBride debout sous le porche, et il se sentit assez fier de lui. Il avait réussi à l'attirer jusque-là sans l'appâter avec des cailloux brillants.

Elle portait un long manteau de daim à franges, qu'il ne lui avait jamais vu auparavant, sur ses bottes d'équitation anglaises, et sur elle le choc des cultures se faisait en douceur. Ses cheveux noirs bouclaient légèrement sur ses épaules, ses yeux bleus lui souriaient, mais pas sa bouche.

Il s'empara du sac d'épicerie qu'elle tenait dans une main et considéra le portable qu'elle transportait dans l'autre.

— On va jouer à des jeux vidéo ?

— Plus tard, répondit-elle, entrant d'un pas martial comme si la maison lui appartenait, prenant possession de tout l'espace. Votre cadeau, d'abord...

Il ferma la porte et lui fit face dans la petite entrée, la pièce qu'il préférait dans la maison. Elle était meublée d'une tablette où il déposait ses clés, et il considérait que c'était amplement suffisant.

Grace y posa son portable, se redressa et empoigna les pans de son manteau, coudes écartés.

— Prêt, Magozzi ?

— Vous… vous n'allez pas me faire le coup de l'exhibitionniste, si ?

Le sourire gagna sa bouche tandis qu'elle écartait les pans de son vêtement et le laissait glisser sur le sol. Elle avait beau être en jean, bottes et tee-shirt de soie noire, elle devait se sentir nue : elle ne portait pas le Sig.

Il jeta automatiquement un coup d'œil à sa cheville, cherchant du regard le Derringer qu'elle y fixait chaque fois qu'elle omettait de se munir de son holster d'épaule. Il ne s'y trouvait pas.

— Très bien, Grace, dites-moi où vous l'avez mis…

— Je l'ai laissé chez moi. Le Derringer aussi.

— Vous êtes venue jusqu'ici sans arme ?

Ses yeux brillaient comme ceux d'un enfant.

— Oui. Magozzi, j'ai cru mourir.

Il tenait le sac d'épicerie plaqué contre sa poitrine, sentit quelque chose de mou s'écraser entre ses bras, sourit comme un idiot.

— C'est un cadeau précieux, Grace.

— Je pensais bien que cela vous plairait.

Magozzi se dit qu'il devait probablement être le seul homme sur terre à considérer comme un cadeau du ciel le fait qu'une femme accepte de dîner chez lui sans arme. Les gens ne comprenaient rien à rien. En tout cas, Grace venait de lui faire un présent inespéré. C'était un grand pas en avant. Un pas de géant.

Magozzi versait le vin tandis que Grace mettait le four à chauffer. Il avisa un plat creux recouvert de papier d'aluminium.

— Ça sent bigrement bon.

— C'est du bœuf Wellington.

— Excellent.

Magozzi était incapable de se souvenir des ingrédients qui entraient dans la composition du bœuf Wellington, mais il se dit que ce devait être un plat chaud avec un nom prétentieux.

— Pourquoi ne pas débarrasser un coin de table pour que je puisse y installer mon ordinateur ? Je vais vous montrer ce que j'ai récupéré dans l'ordinateur de Morey Gilbert pendant que le dîner chauffe...

Magozzi hésita, avec l'impression de passer soudain dans une autre dimension. Mentalement, l'affaire s'était terminée pour lui à l'instant où il avait tiré sur Jeff Montgomery. Il avait complètement oublié qu'il avait fait envoyer l'ordinateur de bureau de Morey chez Grace.

Ses doigts volaient au-dessus des touches, elle fit apparaître un poisson au bout d'un hameçon, avec la légende « Allons à la pêche ».

Magozzi grogna.

— Lily nous a dit qu'il jouait à des jeux vidéo tous les soirs...

— Il a fallu que je le restaure. Jeff Montgomery a dû essayer de l'effacer le lendemain du jour où il a tué Morey Gilbert... mais il ne s'agit pas d'un jeu.

Grace cliqua sur l'icône, et la page se garnit de trois colonnes – des noms dans la première, des lieux dans la deuxième, et une colonne pour les dates. Vierge. Magozzi passa les noms en revue mais n'y trouva aucun de ceux qui figuraient sur la liste des victimes récupérée grâce aux photos de chez Ben Schuler. Il lui fallut quelques secondes pour percuter :

— Bon sang, ce sont ceux qu'ils comptaient liquider...

Grace hocha la tête.

— C'est ce que je me suis dit, c'est pour ça que j'ai vérifié avec le site de Wiesenthal. Il faut absolument qu'on lui fasse parvenir ces éléments, Magozzi. La plupart de ces types ne figurent pas sur la liste de Wiesenthal. Donc, il ne les a pas débusqués.

— Alors comment Morey a-t-il réussi à les dénicher ?

Grace s'activa de nouveau sur le clavier.

— C'est ça le plus beau. Ou le plus horrible, selon le point de vue où on se place. J'ignore comment il s'y est pris pour dénicher les premiers nazis, mais le Net l'a considérablement aidé au niveau mondial.

Ce qui paraissait être une série sans fin d'adresses de sites se mit à se dérouler sur l'écran à grande vitesse.

— Quand j'ai vérifié les logs des visites qu'il avait effectuées sur les sites Internet, mes cheveux se sont dressés sur ma tête. Chacun des sites visités par lui était un site néonazi ou un site dédié à la suprématie de la race blanche... Il passait des heures à converser avec ces sites, Magozzi, et il leur adressait à tous le même message...

Elle figea le déroulement des infos et un message en caractères gras apparut :

ATTENTION !

DES JUIFS TUENT NOS FRÈRES !

PROTÉGEZ-VOUS !

Magozzi fixa le message et l'adresse e-mail que Grace lui désignait.

— C'était un compte que Morey Gilbert avait pris – lequel était protégé par un mot de passe. Et il y a environ un millier de réponses sur son disque dur. Bon nombre de ces réponses sont sans valeur, mais certaines sont tout ce qu'il y a de valable.

Grace se laissa aller contre le dossier de son siège et soupira.

— Ils lui répondaient, Magozzi. Ils avaient lu l'avertissement, ou quelqu'un leur en avait parlé, ils entamaient une correspondance avec Gilbert, et ceux qui avaient des raisons d'avoir peur acceptaient finalement de rencontrer l'homme dont ils pensaient qu'il pouvait leur sauver la vie. Tout est dans les courriels. Il leur lançait un appât, et une fois qu'ils avaient mordu à l'hameçon, il les tenait.

Magozzi se frotta le front avec sa paume, il était presque plus perturbé par la démarche systématique de Morey pourchassant ses proies qu'il ne l'avait été par les meurtres eux-mêmes. Il se demanda s'il réussirait jamais à faire cohabiter dans une même personne cet homme et le philanthrope dont la ville déplorait la perte.

— Le yin et le yang, dit doucement Grace, lisant sur son visage, voyant son trouble. Cela coexiste en chacun de nous, Magozzi.

Elle referma le portable, le poussa de côté, remit les assiettes en place, lui laissant du temps.

— Qu'est-ce que vous voulez ? Du solide ou du liquide ?

— Du liquide.

Ils s'assirent sur la première marche du porche, laissant le vin les réchauffer tandis que le crépuscule tombait. Non que Magozzi eût besoin d'être réchauffé. L'épaule de Grace touchait la sienne, il se dit qu'il ne connaîtrait plus jamais le froid.

Il y avait encore un peu de monde dehors, malgré la lumière déclinante. Quelqu'un s'arrêta dans l'ombre, près du jardin de Magozzi, attirant son attention.

Il ne réfléchit pas, ne chercha pas à analyser, il réagit immédiatement à l'instinct qui lui criait que quelque chose ne collait pas du tout. Cette silhouette n'aurait pas dû se trouver là. Pour la première fois de la journée, il éprouva un violent sentiment de vide à l'endroit où aurait dû se trouver son arme.

Il tourna la tête et enfouit ses lèvres dans les cheveux de Grace, près de son oreille, comme un homme qui susurre des mots tendres à la femme qu'il aime.

— Levez-vous tout doucement, Grace. Rentrez, et ressortez par-derrière. Compris ?

— Que se passe-t-il, Magozzi ? chuchota-t-elle en retour, un soupçon de panique dans la voix.

Quelqu'un approchait, les observant, et le comportement de Magozzi changea. Il fourra son verre dans les mains de Grace et, haussant le ton de façon à être entendu, il dit :

— Remplissez-le à ras bord cette fois, d'accord ?

Tous les muscles de Magozzi étaient tendus au point d'être douloureux. Il ne se détendit un peu que lorsqu'il entendit la porte-moustiquaire se refermer derrière Grace.

Elle est en sécurité, songea-t-il. Cours chez le premier voisin venu, Grace, cours, ne t'arrête pas...

La silhouette était maintenant dans l'allée, ses traits rappelant quelque chose à Magozzi. Lequel était assis, un maigre sourire de bienvenue peint sur le visage, s'efforçant d'avoir l'air naturel, sa raison lui soufflant qu'il n'avait pas lieu de s'inquiéter tandis que son instinct lui criait qu'il ne lui restait plus que quelques secondes à vivre. S'il devait se passer quelque chose, cela se passerait ici. Grace avait eu le temps de s'enfuir.

Cette pensée communiqua à son sourire une touche d'authenticité et il se dit que la chose la plus importante qu'il pouvait faire dans sa vie était de sauver Grace MacBride.

A l'intérieur, plaquée contre le mur près de la porte, Grace constata l'absence de son Sig Sauer, et la panique s'empara d'elle. Impossible de respirer ; c'est à peine si elle y voyait, et ses genoux menaçaient de se dérober sous elle. Ses pensées firent un saut de six mois en arrière – la dernière fois que la terreur l'avait laissée paralysée et impuissante dans le loft qui avait abrité les bureaux de Monkeewrench –, se rappelant l'aura de calme qui l'avait nimbée lorsqu'elle avait saisi l'arme entre ses mains.

Elle entendit des pas dans l'allée, des pas qui se rapprochaient. Elle n'avait pas la moindre idée de qui cela pouvait être, aucune idée de ses intentions, tout ce qu'elle savait, c'était ce qu'elle avait lu dans les yeux de Magozzi et entendu dans sa voix, et cela lui suffisait.

Mentalement, elle courut au premier dans la chambre de Magozzi... Etait-ce là qu'il rangeait son arme ? On lui avait retiré son arme de service la veille, mais il devait forcément en posséder une autre – tous les flics ont des armes personnelles, non ? Où la rangeait-il ? Et réussirait-elle à...

— Bonsoir, inspecteur Magozzi.

Elle perçut la voix à travers le battant, se positionna de façon à pouvoir apercevoir la silhouette qui se tenait là, à distance respectable de Magozzi, les mains dans les poches de sa veste. L'une des poches formait un renflement et l'on distinguait la forme caractéristique d'une arme pointée sur la poitrine de Magozzi.

— Levez-vous, inspecteur, je vous prie. Lentement. Entrez dans la maison.

Pas d'arme, pas d'arme, pas d'arme – ce mantra la paralysait. Alors, Magozzi parla :

— Désolé, je crains que les choses ne se déroulent pas comme vous le souhaitiez.

Et soudain libéré, son esprit s'emplit de Magozzi. Magozzi assis dans le fauteuil Adirondack dans son jardin, Charlie sur les genoux ; son demi-sourire un peu niais tandis qu'il lui exposait son plan pour la séduire ; Magozzi lui sauvant la vie, quelques mois plut tôt ; et sonnant ensuite à sa porte, refusant de la laisser seule, s'incrustant, insistant…

Grace MacBride n'avait jamais vraiment eu une existence à elle, mais elle comprit soudain que sa seule chance d'en avoir une était assise sur les marches du porche, déterminée à mourir pour elle.

Elle ramassa les deux verres qu'elle avait déposés par terre, donna un coup de hanche contre la porte qu'elle envoya heurter le mur extérieur tandis qu'elle déboulait sous le porche.

— Hé, chéri, devine… Oh ! Bonsoir ! Je ne savais pas qu'on avait de la visite…

Elle descendit les marches, le vin se renversant dans les verres, un sourire de femme légèrement pompette plaqué sur le visage, vision incroyable de Grace MacBride en femme au foyer neuneu.

L'espace d'un instant, l'inconnu dans l'allée la regarda, interloqué. La seconde suivante, Magozzi lui sautait dessus, sa tête heurtant de plein fouet la poitrine de Tim Matson, le catapultant en arrière sur le ciment de l'allée.

45

La première voiture arriva moins de cinq minutes après que Tim Matson fut tombé à la renverse dans l'allée de Magozzi. Il se débattait toujours désespérément, essayant de se débarrasser des mètres d'adhésif avec lesquels Grace lui avait ligoté les bras et les jambes tandis que Magozzi le maintenait à terre, poussant des cris étouffés sous le sparadrap qu'elle lui avait appliqué sur la bouche.

Gino débarqua quelques secondes plus tard, battant McLaren sur le fil. Assis par terre près de Matson ficelé comme un saucisson, Magozzi était absolument épuisé, songeant que d'ici peu tout le bon Dieu de département allait rappliquer.

Il jeta un coup d'œil à Grace, qui avait l'air toute petite et toute perdue sur les marches du porche, tête baissée, fixant le sol ; en cet instant, il comprit qu'ils n'y arriveraient jamais. Il avait été stupide de penser qu'ils avaient pu avoir une chance. Ce dont Grace avait toujours eu peur formait l'essence même du travail de Magozzi ; on ne se débarrassait pas si facilement d'un tel conditionnement, bon sang. Cela laissait forcément des traces.

Pendant l'heure qui suivit, Grace et lui répondirent aux questions, firent une déposition, racontèrent leur histoire à McLaren, aux techniciens de scène de crime et aux policiers accourus les premiers sur les lieux tandis que Gino restait assis dans la voiture de patrouille avec Matson menotté, occupé à faire on ne savait trop quoi. Après que tout le monde fut parti, Gino entra et s'assit à la table de la cuisine, avec Magozzi et Grace.

— Comment ça va, vous deux ?

Magozzi et Grace se regardèrent, mais ni l'un ni l'autre ne mouftèrent, et Gino n'arrivait pas à lire leur expression.

Il attendit un moment, de plus en plus gêné à mesure que le temps passait. Il y avait une bouteille de vin entamée sur la table avec quelque chose d'écrit en français sur l'étiquette. McLaren n'aurait eu aucun mal à la déchiffrer ; Gino, lui, n'y comprenait goutte, et d'ailleurs il s'en fichait.

— Tu veux bien me servir un verre, Leo ? Et me raconter ce que le gamin t'a dit...

Magozzi détourna les yeux de Grace. Elle ne lui avait pas adressé un mot depuis les événements. La dernière fois qu'il avait entendu le son de sa voix, c'était quand elle faisait sa déposition à McLaren.

— Il n'a rien dit, il a remonté l'allée et m'a demandé d'entrer dans la maison.

Il s'approcha du placard et y prit un verre, qu'il posa devant Gino.

— Mais tu avais envoyé Grace à l'intérieur avant ça. Pourquoi ?

Magozzi haussa les épaules.

— Je l'ai vu arriver, j'ai senti qu'il y avait anguille sous roche.

— Il m'a sauvé la vie, fit doucement Grace.

Magozzi secoua la tête et dit :

— C'est *elle* qui m'a sauvé la vie.

Gino grimaça et tendit le bras vers la bouteille.

— Arrêtez vos simagrées. J'ai échangé quelques mots avec McLaren. Il paraît que vous êtes éperdus d'admiration l'un pour l'autre. C'est bien gentil, mais on ne va quand même pas en faire une pendule. Si vous me disiez plutôt pourquoi il voulait vous flinguer ?

— Parce que j'ai tué son ami, je suppose.

— Pas exactement, mon pote. Tu as tué son frère.

Magozzi haussa les sourcils.

— Tim Matson était le frère de Jeff Montgomery ? Celui qui est mort ?

— Lui-même. Je lui ai tiré les vers du nez dans la voiture de patrouille.

Grace fixa Gino pour la première fois.

— Que lui avez-vous fait ?

— Rien. Je le jure devant Dieu, fit Gino en levant la main. J'ai tout bêtement arraché d'un coup sec le sparadrap qu'il avait sur la bouche – j'espère que le gamin n'avait pas l'intention de se laisser pousser la moustache – pour lui permettre de jacter. Cela fait plus d'un an que les deux frangins mettaient leur affaire au point. Ils s'étaient arrangés pour se couvrir l'un l'autre. Et faire croire qu'il était mort, ça faisait partie du plan. Ils s'étaient dit que si Montgomery se faisait serrer avant d'avoir liquidé les gens qui avaient tué leur père, il y aurait encore quelqu'un pour finir le boulot. Merde, d'avoir parlé avec ce gosse va me filer des cauchemars pendant des années. Il s'est montré d'une telle froideur… Leur cher père avait fait du bon travail en les endoctrinant ; mais celui-ci avait ça dans le sang. C'est lui qui a réglé son compte à Ben Schuler, il a pris son pied à jouer avec le vieux avant de le tuer. Quand il a appris que tu avais tué Jeff, il t'a mis en tête sur sa liste des personnes à abattre. Après quoi, il comptait se rendre à la pépinière pour descendre Jack Gilbert.

— Il t'a balancé tout ça sans rechigner ? s'enquit Magozzi. Il n'a pas demandé un avocat ?

Gino fronça les sourcils et se gratta la tempe.

— C'est ça le plus beau, si je puis dire. Il est tellement fier de lui que ça m'a donné envie de gerber. Il se prend pour un martyr. Je te fiche mon billet qu'il va passer à la télé dans *Dateline* d'ici une semaine, qu'il écrira des livres, qu'on lui donnera un ordinateur dans sa cellule et un site sur le Net. Merde, Leo, c'est pour ça que ça me révolte que la peine de mort n'ait plus cours au Minnesota. Ces gars-là, on en fait des vedettes.

Il jeta un coup d'œil à Grace.

— Vous ne lui avez pas tiré dessus, Grace, chapeau.

— Je n'étais pas armée.

Gino allait formuler un commentaire quand il remarqua qu'elle ne portait pas son holster. Il se demanda comment cela avait pu lui échapper.

— Sans déconner... Vous êtes venue ici sans votre flingue ?

Elle le regarda dans les yeux et pour la première fois Gino Rolseth vit Grace MacBride sourire vraiment. Elle alla même jusqu'à découvrir légèrement ses dents. Qu'elle avait fort belles, ma foi.

Lui-même eut un grand sourire et leva le pouce en signe de victoire.

— Bravo, Gracie, vous êtes sur la bonne voie. Vraiment.

Après le départ de Gino, Grace essaya de jeter le bœuf Wellington. Magozzi savait qu'elle faisait le ménage, tentant d'effacer toutes les traces de son passage chez lui avant de partir.

Il lui prit la casserole des mains, empoigna une fourchette et se mit à manger, se disant de façon tout à fait ridicule que s'il se cramponnait à la casserole elle ne s'en irait pas. Elle devrait attendre qu'il ait fini, il avait besoin de ce délai.

— Pour l'amour du ciel, Magozzi, ne mangez pas ce truc-là. Voilà deux heures que c'est dans le four. La pâte est ramollie. La viande doit être fichue. Vous risquez de vous empoisonner.

— C'est délicieux.

Il ne voulait pas la regarder. Il s'assit à table, entoura la casserole de ses bras et continua de piocher dedans.

— Au moins, prenez une assiette...

— Non !

Grace s'assit près de lui, le regardant mastiquer, et attendit.

Magozzi continuait de fixer la casserole.

— Je voulais allumer un feu. On se serait assis devant la cheminée, on aurait bu du vin et, un peu plus tard, je vous aurais embrassée à vous faire perdre la tête.

— Vraiment ?

— Tel était mon plan.

Grace tendit le bras, retira les mains du policier de la vilaine casserole en aluminium toute cabossée et s'empara du récipient.

— Désolée, Magozzi. Je crois que c'est un peu tard.

Il fixa la table deux secondes, songeant que non, il n'était pas trop tard – du moins en ce qui concernait le baiser –, qu'il était grand temps qu'il cesse de marcher sur des œufs et prenne la situation en main. Il bondit de sa chaise, se tourna pour l'attraper... mais elle n'était plus là.

Bon sang, c'est une rapide.

Il la découvrit dans le séjour, un pied sur une marche de l'escalier conduisant à la chambre, et elle lui souriait.

— Eh bien, Magozzi, il vous en a fallu, du temps !

Il resta planté là, à la regarder, avec l'impression qu'il allait s'envoler.

— Vous partez toujours pour l'Arizona demain ?

Grace poussa un soupir d'impatience, comme chaque fois qu'il se laissait arrêter par des détails, règles ou procédures.

— Magozzi, nous avons encore des heures devant nous !

Achevé d'imprimer par N.I.I.A.G.
en janvier 2007
pour le compte de France Loisirs, Paris

N° d'éditeur : 47646
Dépôt légal : Février 2007
Imprimé en Italie